중학생이 되기 전, "한국사" 지금 스마트러닝과 함께 나 혼자 공부한다!

PC로 만나기 ▶ bookdonga.com에 접속하세요.

모바일 기기로 만나기 ▶ 표지는 물론 교재 곳곳에 위치한 **QR코드**를 찍어 보세요.

한국사 자료 분석 강의

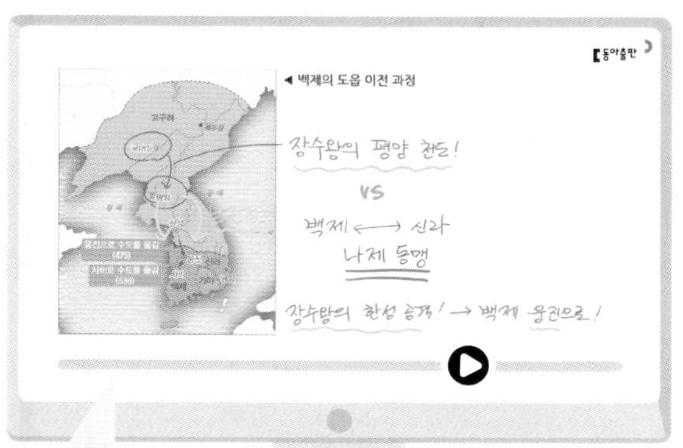

중등 한국사에는 낯선 지도와 도표가 등장해요. 어떻게 공부해야 할까요?

교재 곳곳에 자료와 함께 삽입된 QR코드를 찍어 보세요!

놀라워요! 다양한 자료를 이해하기 쉽게 해석해 주는 이런 강의를 기다렸어요.

지도와 도표를 함께 해석하며 어려운 한국사 개념도 쉽고 재미있게 학습할 수 있어요.

10일 완성, 한국사능력검정시험 대비 강의

한국사능력검정시험 대비 10일 완성 워크북 부록은 어떻게 공부해야 하죠?

전문 한국사 선생님이 준비한 한국사능력검정시험 대비 동영상 강의와 함께 공부해요.

친절한 개념 설명부터 기출 문제 풀이, 꼭 나올 예상 문제까지 제대로 준비되어 있군요!

10일이면 충분해요. 교재를 바탕으로 마련된 동영상 강의와 함께 학습하며 한국사능력검정시험에 도전해 보세요!

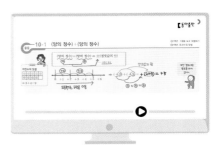

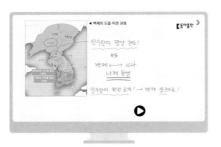

초고필

지금 한국사를 해야 할 때

1권 선사 시대 ~ 고려

중학생이 되기 전,
한국사를 제대로 해야 할 때

1 중학교와 초등학교의 한국사는 무엇이 다를까요?

중학교에서는 초등학교 사회 교과서 안에 있었던 한국사(역사), 지리, 경제, 일반 사회 등의 학습 영역을 깊이 있게 배우게 된답니다.

또한 중학교에서는 '사회'에서 분리된 '역사' 과목을 새롭게 만날 수 있습니다. 중학교 역사는 고조선부터 시작되는 우리 역사를 다루는 '한국사'와 인류의 탄생부터 시대별 세계의 모습을 다루는 '세계사'로 나뉩니다.

두 권으로 이루어진 중학교 역사 교과의 학습량과 깊이가 만만치 않습니다. 한국사의 흐름과 기초 개념이 제대로 잡혀 있지 않은 친구들은 자칫 한국사가 수학, 국어보다 더 어렵고 지루한 과목이 되어버릴 수 있습니다.

그래서 중학생이 되기 전 미리 한국사의 기초를 잘 다지는 것이 꼭 필요하답니다!

"초등 사회 교과서가 중등 역사와 사회로!"

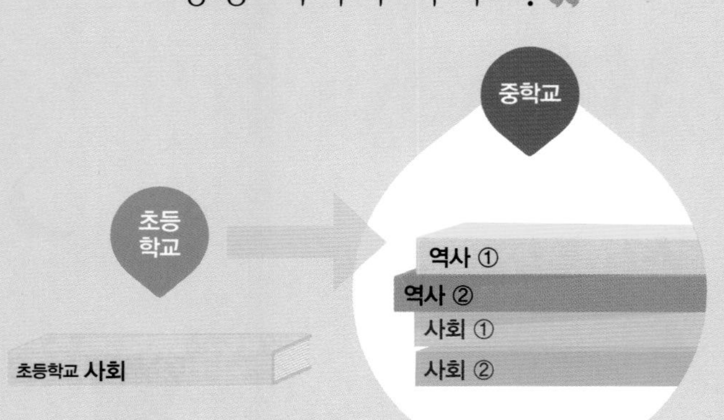

2 초등학교 사회 교과서에서는 한국사를 다루지 않았나요?

초등학교 사회 교과는 한국사(역사), 일반 사회, 지리 등의 영역이 통합적으로 구성되어 있습니다. 3학년 교과서에는 1개 단원으로 선사 시대의 생활 모습을 다루고, 5학년에서는 1학기 동안 한국사의 내용을 압축적으로 가르치고 있습니다. 하지만 두 권으로 이루어진 중학교 역사 교과서에는 초등학교에서 접하지 못했던 새로운 내용과 낯선 용어, 어려운 자료가 등장한답니다.

한의 침입으로 고조선이 멸망한 뒤 한반도와 그 주변에는 여러 국가가 등장했는데 그중 고구려와 백제, 신라가 크게 발전했어.

VS

중학교

맞는 말이긴 하군! 그런데 **부여, 옥저, 동예 그리고 삼한이라고 들어 봤어?** 삼국 시대가 시작되기 전에 한반도에 있었던 나라들이야.

"늘어난 학습량, 깊이 있는 내용"

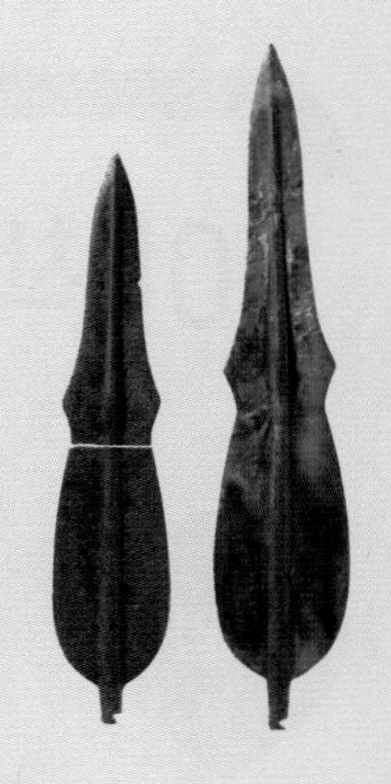

3 한국사를 제대로 공부하려면 무엇을 해야 하나요?

한국사는 한반도에 살았던 사람들이 남긴 자취를 바탕으로 이루어진 이야기입니다.

먼저 시대의 흐름에 따라 한국사의 기본 개념을 익히는 것이 꼭 필요합니다. 그리고 시대마다 중요한 역사적 사건을 살펴보며 사건이 일어난 원인과 결과를 정리하는 연습을 해봅시다. 또한 지도와 유물, 유적의 모습 등 다양한 자료에서 이야기하는 것이 무엇인지를 파악해야 합니다. 물론 그 속에서 여러분들이 한국사에 대한 흥미를 갖고 낯선 한국사의 용어와 친해지려는 노력도 필요하답니다.

"한국사 학습,
기본 개념부터 차근차근!"

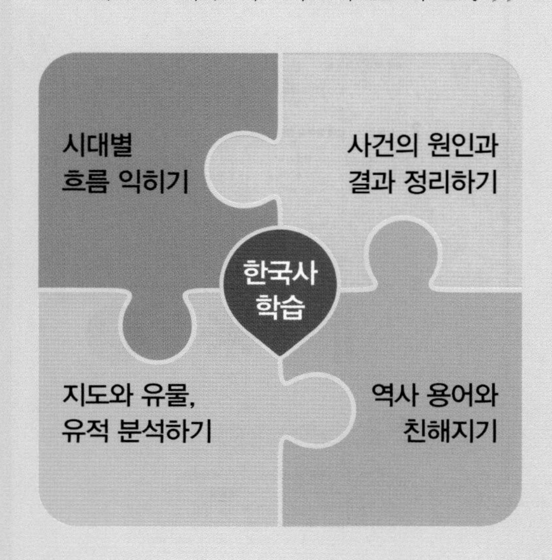

4 왜 초고필 한국사를 지금 시작해야 할까요?

'초고필, 지금 한국사를 해야 할 때'는 초등학교 사회의 부족한 부분을 채워 여러분들에게 중학교 한국사에 대한 자신감을 키워주고자 만들어졌습니다. 기존 초등학교 개념을 바탕으로 중학교 개념을 쉽고 효과적으로 학습할 수 있도록 엄선된 지문과 문제들을 준비했습니다. 또한 낯선 한국사 내용은 여러분들의 눈높이에 맞춰 쉽게 서술하고, 생소한 자료는 혼자서도 쉽게 학습할 수 있도록 QR코드를 활용한 맞춤 동영상 강의와 함께 공부할 수 있습니다.

자칫 중학교에서 한국사와의 첫 만남이 어렵게 느껴지기 전에 이제 제대로 된 한국사 학습을 시작해 보세요.

❶ 학습 눈높이를 맞춘 친절한 한국사 개념 설명

❷ QR 동영상 강의로 해결하는 한국사 자료 분석

"한국사 자신감이 쑥쑥!"

이 책은 이렇게 활용하세요!

❶ 만화로 만나 보는 한국사
내가 만화의 주인공이 되어 함께 한국사 여행을 떠나 보세요. 시작부터 흥미로운 한국사 학습을 할 수 있어요.

❷ 흐름 잡는 한국사 연표
단원에서 배울 중요한 역사적 사건을 연표로 확인하고, 한국사 흐름을 미리 살펴보세요.

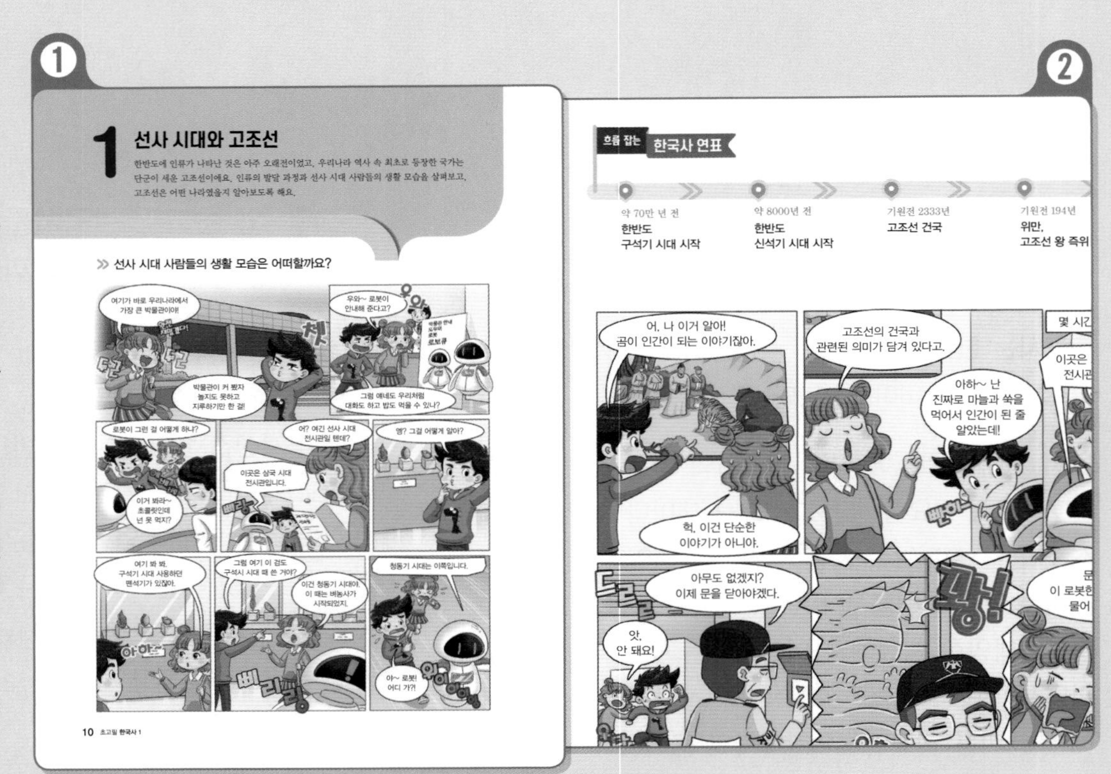

QR코드를 찍어보세요. 지도부터 도표까지 한국사에 자주 등장하는 자료를 친절한 강의와 함께 학습할 수 있어요.

❸ 한국사 읽기
여러분들의 눈높이에 맞춘 한국사 개념을 바탕으로 중학교 한국사 흐름을 완성해 보세요.

❹ 한국사 확인 문제
다양한 유형과 중학교 수준의 문제까지 풀어 보며 날마다 배운 한국사 개념을 제대로 이해했는지 확인해 보세요.

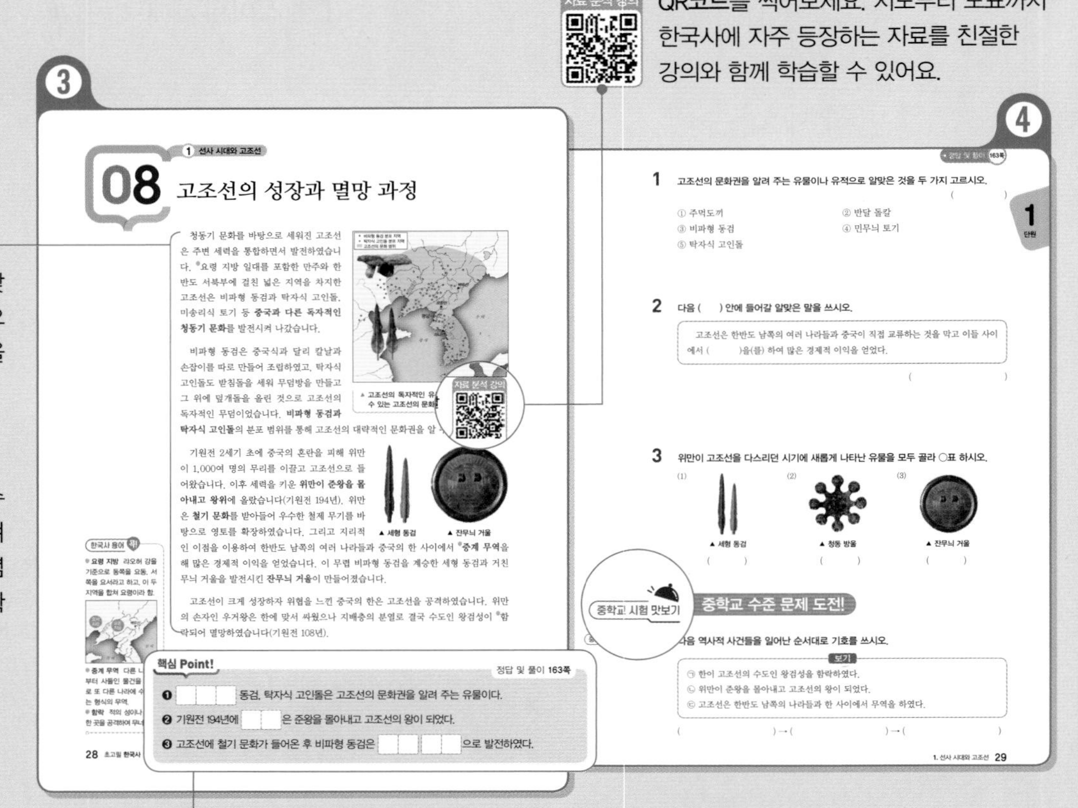

오늘 배운 한국사 개념을 다시 한번 정리해 볼 수 있어요.

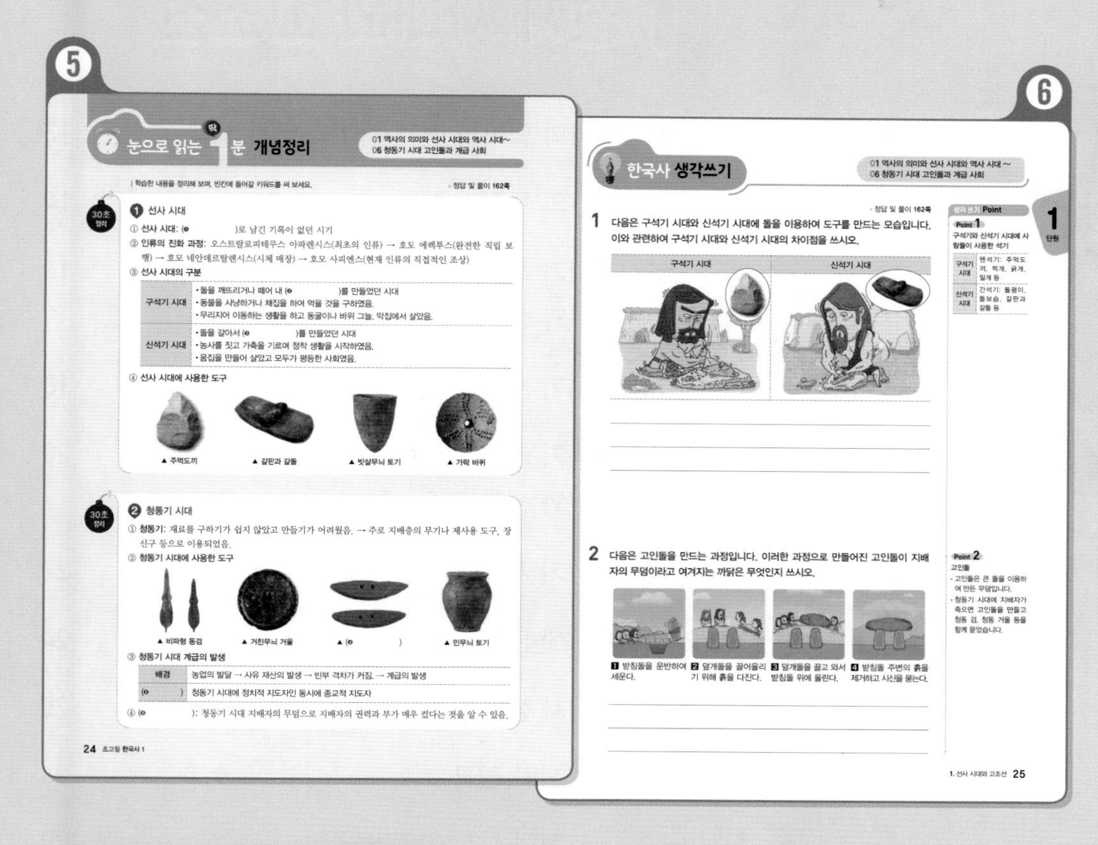

정리 / 탐구

❺ 1분 개념정리
여러분들의 시간을 절약하려고 준비했어요.
딱 1분 만에 한국사 개념 정리 끝!

❻ 한국사 생각쓰기
긴 문장도 술술, 한국사 개념을 제대로 익혔다면 다양한 한국사 생각쓰기 문제에 도전해 여러분의 생각을 정리해 보세요.

한국사능력검정시험 대비 **부록**

10일 완성 워크북

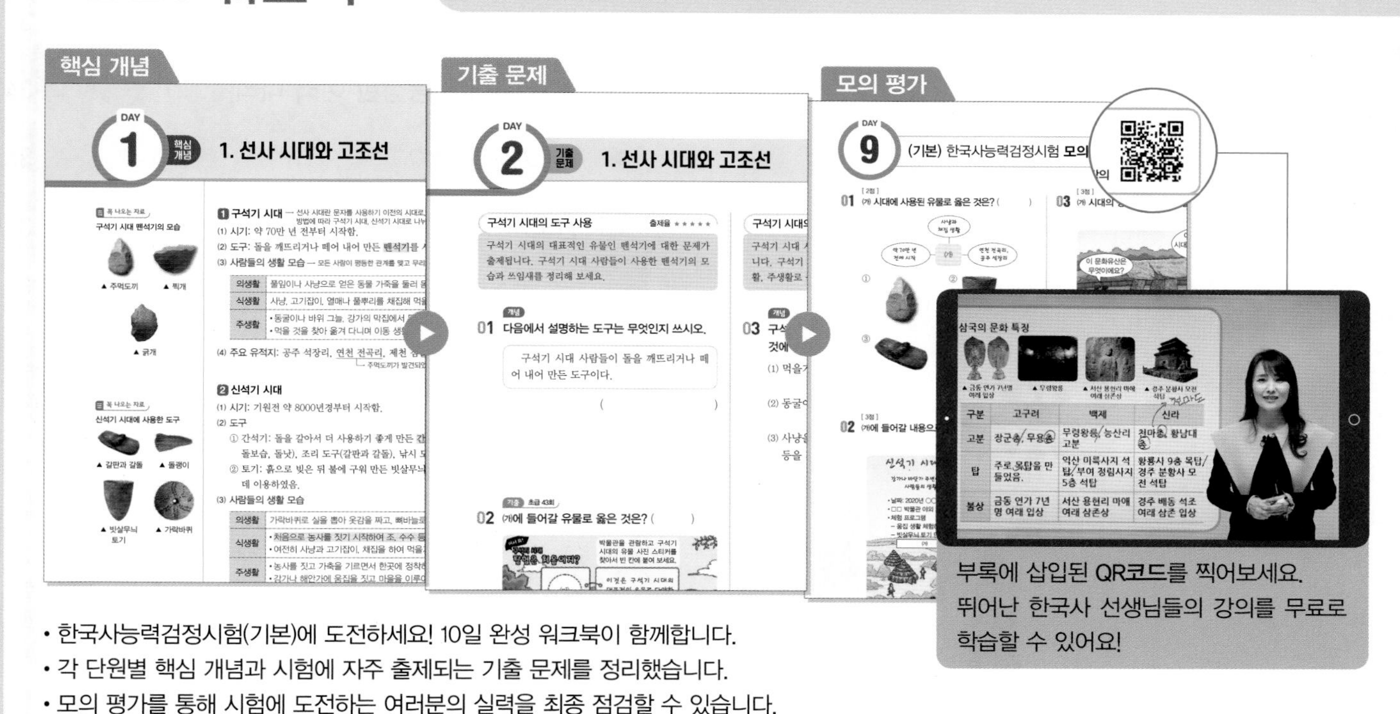

부록에 삽입된 QR코드를 찍어보세요.
뛰어난 한국사 선생님들의 강의를 무료로 학습할 수 있어요!

- 한국사능력검정시험(기본)에 도전하세요! 10일 완성 워크북이 함께합니다.
- 각 단원별 핵심 개념과 시험에 자주 출제되는 기출 문제를 정리했습니다.
- 모의 평가를 통해 시험에 도전하는 여러분의 실력을 최종 점검할 수 있습니다.

차례

1 선사 시대와 고조선

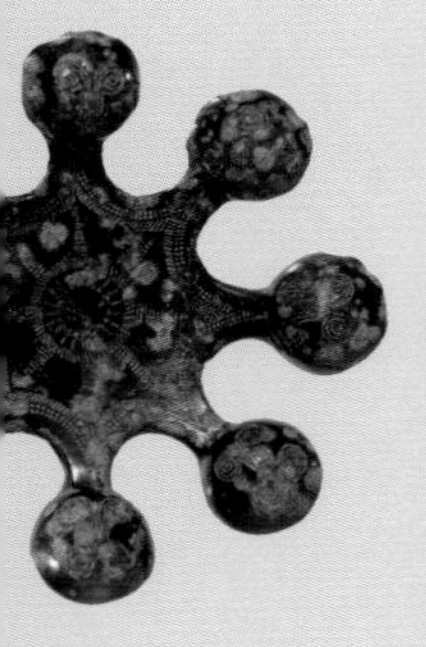

2 삼국의 성립과 발전

3 통일 신라와 발해

차례

4 고려의 성립과 변천

1
선사 시대와 고조선

중학교에서는

선사 시대 사람들의 생활 모습과
단군왕검이 세운 고조선의 성장과 멸망 과정에 대해서
자세하게 배우게 됩니다.

1 선사 시대와 고조선

한반도에 인류가 나타난 것은 아주 오래전이었고, 우리나라 역사 속 최초로 등장한 국가는 단군이 세운 고조선이에요. 인류의 발달 과정과 선사 시대 사람들의 생활 모습을 살펴보고, 고조선은 어떤 나라였을지 알아보도록 해요.

>> 선사 시대 사람들의 생활 모습은 어떠할까요?

흐름 잡는 **한국사 연표**

약 70만 년 전
한반도 구석기 시대 시작

약 기원전 8000년
한반도 신석기 시대 시작

기원전 2333년
고조선 건국

기원전 194년
위만, 고조선 왕 즉위

기원전 108년
고조선 멸망

1 단원

역사의 의미와 선사 시대와 역사 시대

역사는 '사실로서의 역사'와 '기록으로서의 역사'의 두 가지 뜻을 가지고 있습니다. **사실로서의 역사**는 과거에 실제로 일어난 ●객관적인 일을 뜻합니다. **기록으로서의 역사**는 역사가들이 역사적 사실을 연구하여 기록하는 과정에서 역사가의 생각이 반영된 ●주관적인 것입니다.

역사는 주로 선사 시대와 역사 시대로 구분합니다. 이러한 시대 구분의 기준은 무엇일까요? 과거에 일어난 사실을 문자로 **기록을 남기지 않은 시기를 선사 시대**라고 하고, 사람들이 문자를 사용해 **기록을 남긴 시기를 역사 시대**라고 합니다. 문자를 언제부터 사용했는지 정확히 알기는 힘들지만 청동기 시대에 문자를 사용한 흔적이 있어서 역사 시대는 청동기 시대부터 시작했다고 볼 수 있습니다.

기록된 자료가 없는 **선사 시대는 유물과 유적을 통해 당시 사람들의 생활 모습을 짐작**할 수 있습니다. 유물이란 옛사람들이 남긴 물건으로 도자기나 무기, 왕관같이 유적에 비해 크기가 작아서 운반할 수 있는 것을 말합니다. 유적은 유물보다 크고 위치를 바꿀 수 없는 ●성곽이나 무덤, 집터 등 역사적 흔적을 말합니다. **역사 시대의 연구는 문서, 책, 일기, 비석 등 문자로 남겨진 기록**을 살펴보거나 선사 시대와 마찬가지로 유물과 유적을 통해 짐작하는 방법으로도 이루어집니다.

그렇다면 왜 역사를 배워야 할까요? 과거의 경험을 바탕으로 현재의 모습을 올바르게 볼 수 있기 때문입니다. 역사 속 지혜를 통해 더 나은 미래를 만들 수 있습니다.

유물

▲ **금관총 금관** 신라 사람들의 뛰어난 예술 감각을 보여 줌.

유적

▲ **수원 화성** 조선 시대의 건축 기술과 과학 기술을 알 수 있음.

문자 기록

▲ **『훈민정음』「해례본」** 세종이 훈민정음을 만든 배경을 알 수 있음.

한국사 용어 쿡!

● **객관적** 자기 혼자만의 생각이나 감각에서 벗어나 있는 그대로인 것.

● **주관적** 자기만의 생각·관점, 또는 주장에 따르는 것.

● **성곽** 한 지역이나 건물 등을 적의 공격으로부터 보호하기 위하여 그 둘레에 쌓은 성.

핵심 Point!

정답 및 풀이 161쪽

❶ 문자로 기록을 남기지 않은 시기를 ☐☐ 시대라고 한다.

❷ 문자를 사용해 기록을 남긴 시기를 ☐☐ 시대라고 한다.

❸ 선사 시대의 ☐☐과 유적을 통해서 당시 사람들의 생활 모습을 짐작할 수 있다.

정답 및 풀이 161쪽

1 다음 ( ) 안에 공통으로 들어갈 알맞은 말을 쓰시오.

> ( )은(는) 과거에 일어난 일 그 자체인 사실로서의 ( )와(과) 역사가에 의해 재구성된 기록으로서의 ( )이(가) 있다.

( )

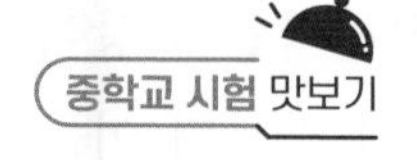

2 선사 시대와 역사 시대를 나누는 기준으로 알맞은 것은 어느 것입니까? ( )

① 불을 사용한 기준
② 토기를 사용한 기준
③ 문자를 사용한 기준
④ 돌도끼를 만든 기준
⑤ 농사를 짓기 시작한 기준

3 옛사람들이 남긴 것 중 다음과 같이 규모가 크고 위치를 바꿀 수 없는 것을 무엇이라고 하는지 쓰시오.

▲ 수원 화성

▲ 서울 암사동 움집터

( )

4 다음 밑줄 친 '문자로 남겨진 기록'으로 알맞지 않은 것은 어느 것입니까? ( )

> 역사 시대에 사람들의 생활 모습을 알아보기 위해서는 문자로 남겨진 기록을 통해 짐작할 수 있다.

① 책
② 벽화
③ 일기
④ 문서 기록
⑤ 비석에 남겨진 기록

02 인류의 등장과 진화

약 400만 년 전 아프리카에서 **최초의 인류인 오스트랄로피테쿠스 아파렌시스**가 나타났습니다. 이들은 다른 동물들과 달리 두 발로 서서 걸었고, 간단한 도구를 만들어 사용하였습니다. 약 180만 년 전에 나타난 **호모 에렉투스는 완전한 직립 보행**을 할 수 있었고 불을 사용하였으며, 언어로 의사소통을 하였습니다. 약 40만 년 전에 나타난 **호모 네안데르탈렌시스(네안데르탈인)**는 이전보다 더 발달된 도구를 사용하였고, **죽은 사람을 땅속에 묻기도** 했습니다. 약 20만 년 전에는 우리의 **직접적인 조상이라고 할 수 있는 호모 사피엔스**가 아프리카에서 나타났습니다. 약 5만 년 전부터 이들은 전 세계로 퍼져 각 지역에 맞는 생활 방식을 만들어 갔습니다.

▲ 오스트랄로피테쿠스 아파렌시스 ▲ 호모 에렉투스 ▲ 호모 네안데르탈렌시스 ▲ 호모 사피엔스

인류는 **주변에서 쉽게 구할 수 있는 돌이나 나무 등을 도구**로 사용하다가 필요에 따라 돌멩이를 내리쳐서 깨뜨리거나 떼어 내 사용하였습니다. 돌조각을 이용해서 도구를 만들어 사냥을 더 쉽게 할 수 있었고, 고기를 잘라서 먹을 수 있었습니다.

또한 **인류가 불을 발견하고 사용하면서 삶의 큰 변화**를 가져왔습니다. 불을 사용하여 사냥한 고기를 익혀 먹었고 추위를 막을 수도 있었습니다. 그리고 사나운 동물을 쫓아낼 수도 있게 되었습니다. 그 결과 사람들의 수명이 늘어나게 되었습니다. 충청북도 제천시 창내의 구석기 시대 집터 유적지에는 불을 피운 흔적이 있어 한반도에서도 구석기 시대부터 불을 사용했다는 것을 알 수 있습니다.

한국사 용어 콕!

- **인류**(人 사람 인, 類 무리 류) 사람을 다른 동물과 구별하여 이르는 말.
- **직립 보행** 두 다리만을 사용하여 등을 꼿꼿하게 세우고 걷는 일.
- **수명** 생물이 살아 있는 기간.

예문 오늘날 의학 기술의 발달로 인간의 **수명**은 늘어나고 있어요.

핵심 Point!

정답 및 풀이 161쪽

❶ 약 20만 년 전 우리의 직접적인 조상이라고 할 수 있는 호모 [ ][ ][ ][ ]가 나타났다.

❷ 인류는 [ ]을 깨뜨리거나 떼어서 도구를 만들어 사용하였다.

❸ 인류는 [ ]을 사용하여 고기를 익혀 먹었고 추위를 막았으며 사나운 동물을 쫓기도 하였다.

1 약 400만 년 전 아프리카에 등장한 최초의 인류는 무엇입니까? (　　　　)

① 유인원
② 호모 사피엔스
③ 호모 에렉투스
④ 호모 네안데르탈렌시스
⑤ 오스트랄로피테쿠스 아파렌시스

중학교 시험 맛보기

2 호모 네안데르탈렌시스에 대한 설명으로 옳은 것은 어느 것입니까? (　　　　)

① 농사를 지었다.
② 죽은 사람을 땅속에 묻었다.
③ 아직 불을 사용하지 못했다.
④ 청동기를 만들어 사용하였다.
⑤ 오늘날 인류의 직접적인 조상이다.

3 다음 밑줄 친 방법으로 만든 도구로 알맞은 것에 ○표 하시오.

사람들은 주변에서 구할 수 있는 돌을 도구로 사용하였다. 그러다가 필요에 따라 <u>돌맹이를 내리쳐서 깨뜨리거나 떼어 내</u> 사용하였다.

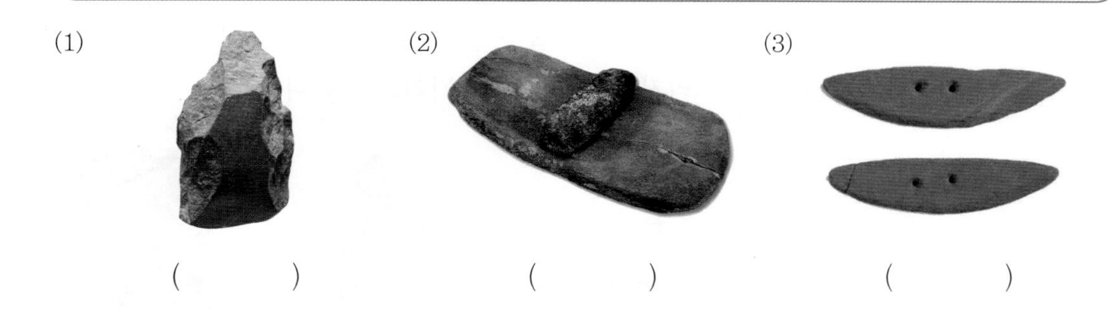

(1) (　　　　)　(2) (　　　　)　(3) (　　　　)

4 다음 보기 에서 인류가 불을 사용하면서 달라진 점이 <u>아닌</u> 것을 골라 기호를 쓰시오.

보기

㉠ 고기를 익혀 먹을 수 있게 되었다.
㉡ 추위를 막고 따뜻하게 지낼 수 있게 되었다.
㉢ 다른 지역으로 빠르게 이동할 수 있게 되었다.

(　　　　　　　　)

03 구석기 시대 사람들이 사용한 도구와 생활 모습

선사 시대 사람들은 돌을 깨뜨리거나 떼어서 원하는 형태의 뗀석기를 만들어 사용하였습니다. 이렇게 **뗀석기를 만들어 쓰던 시대를 '구석기 시대'**라고 합니다. 한반도에서는 약 70만 년 전부터 구석기 시대가 시작되었습니다. 한반도에서 발견된 구석기 시대의 유적은 전국에 분포되어 있으며 여러 가지 돌로 만든 뗀석기, 동물의 뼈로 만든 도구가 발견되었습니다.

▲ 한반도의 구석기 시대 유적지

자료 분석 강의

구석기 시대 사람들은 쓰임에 따라서 다양한 뗀석기를 사용하였습니다. **주먹도끼는 손에 쥐기 좋도록 다듬어 만든 것**으로 땅을 파거나 물건을 자를 때 사용하던 도구였습니다. 찍개는 나무를 자르거나 사냥할 때, 긁개나 밀개는 동물 가죽을 벗기거나 나무를 다듬을 때 사용하였습니다. 이 외에도 **짐승의 뼈나 뿔을 이용한 도구**도 사용하였습니다.

구석기 시대 사람들은 열매를 따고 식물의 뿌리를 캐는 등 **채집을 하거나 동물을 사냥**하고, 물고기를 잡아먹었습니다. 또 사람들은 먹을거리를 찾아 이곳저곳을 **이동하는 생활**을 하였습니다. 그리고 추위와 비바람을 피해 동굴이나 바위 그늘에서 무리 지어 생활하거나 막집을 짓고 살기도 했습니다. 사람이 죽으면 땅에 묻었고, 동굴에 벽화를 그리거나 조각품을 남기기도 했습니다.

▲ **주먹도끼** 주먹에 쥐고 사용하는 뗀석기

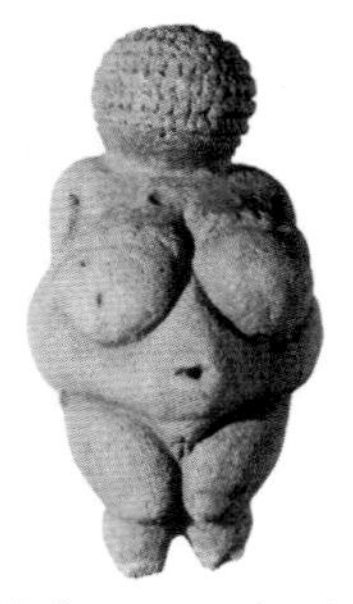

▲ **빌렌도르프의 비너스** 풍요를 기원하는 조각품

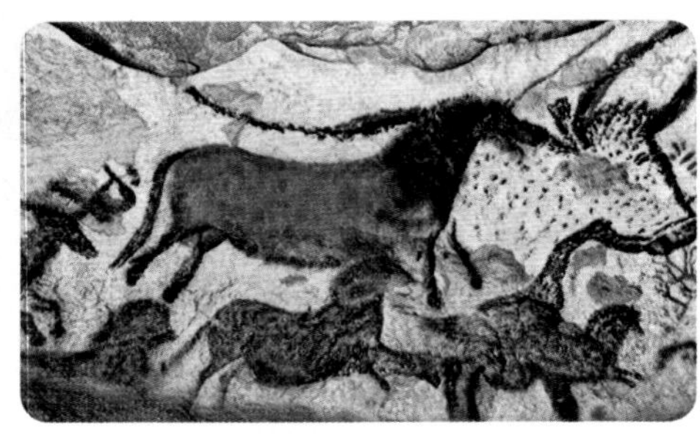

▲ **라스코 동굴 벽화** 구석기 시대 사람들이 사냥이 성공하기를 바라며 그린 것으로 추정됨.

한국사 용어 콕!

● **채집**(採 캘 **채**, 集 모을 **집**) 무엇을 잡거나 캐거나 찾아서 모으는 것.

예문 지난 주말에 할머니 댁에 가서 곤충을 **채집**했어요.

● **막집** 구석기 시대에 나뭇가지 등을 얽어서 만든 집.

핵심 Point!

정답 및 풀이 161쪽

❶ ☐☐☐는 돌을 깨뜨리거나 떼어서 만든 구석기 시대의 도구이다.

❷ 구석기 시대 사람들은 열매를 ☐☐하거나 사냥과 고기잡이로 먹을 것을 구했다.

❸ 구석기 시대 사람들은 동굴이나 바위 그늘에서 살거나, 강가에 ☐☐을 짓고 살았다.

정답 및 풀이 161쪽

1 구석기 시대에 돌을 깨뜨리거나 떼어서 만든 다음과 같은 도구를 무엇이라 하는지 쓰시오.

▲ 주먹도끼　　▲ 찍개　　▲ 긁개

(　　　　　　　　)

2 구석기 시대 사람들이 사용한 도구가 아닌 것은 어느 것입니까? (　　　)

① 긁개
② 밀개
③ 주먹도끼
④ 동물의 뼈
⑤ 민무늬 토기

3 구석기 시대 사람들이 다음과 같은 벽화를 그렸을 때의 생각으로 알맞은 것에 ○표 하시오.

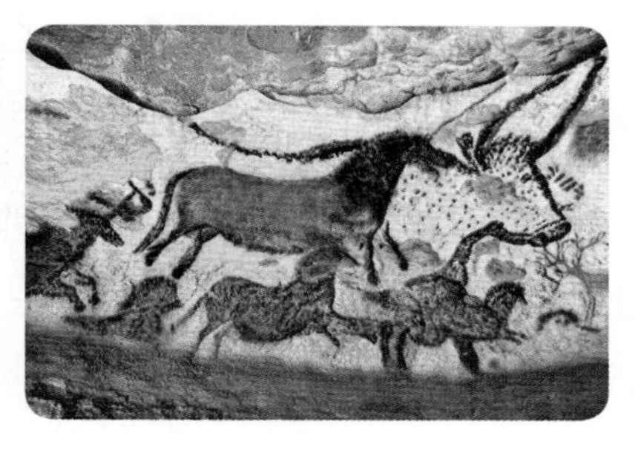

(1) 사냥이 성공하기를 바랐다. (　　)
(2) 소, 말 등 기르는 가축이 잘 자라기를 바랐다. (　　)

4 구석기 시대 사람들의 생활 모습으로 알맞지 않은 것은 어느 것입니까? (　　　)

① 여러 사람이 무리지어 생활하였다.
② 동물을 사냥하거나 고기잡이를 하였다.
③ 열매를 따고 식물의 뿌리를 채집하였다.
④ 농사를 지으며 한곳에서 이동하지 않고 살았다.
⑤ 추위와 비바람을 피해 동굴이나 바위 그늘에서 살았다.

04 신석기 시대에 나타난 변화

약 1만 년 전 빙하기가 끝나고 날씨가 따뜻해지면서 자연환경이 크게 변했습니다. 몸집이 큰 동물은 사라지고 작고 날쌘 동물이 늘어났으며, 빙하가 녹으면서 물이 불어나 물고기도 늘어났습니다. 사람들은 작은 동물과 물고기를 잡기 위해 정교한 도구가 필요했습니다. 그래서 **돌을 갈아서 간석기**를 만들었고, 음식을 요리하거나 저장하기 위해서 토기도 만들었습니다. 이 시기를 **신석기 시대**라고 합니다. 한반도에서는 기원전 8000년에 신석기 시대가 시작되었습니다.

▲ 한반도의 신석기 시대 유적지

신석기 시대 초기에는 사냥을 하거나 채집으로 먹을 것을 구하다가 한곳에 **정착하여 농사를 짓고, 가축을 기르며 생활**하였습니다. 이러한 생활 방식의 변화를 **신석기 혁명**이라고 합니다.

신석기 시대 사람들은 돌괭이, 돌보습 등을 이용하여 농사를 짓고, 작물은 갈판과 갈돌로 밀어서 가루를 낸 후에 토기에 담아 요리하거나 저장했습니다. **빗살무늬 토기는 밑이 뾰족한데 밑부분을 땅에 묻어 사용**했던 것으로 추측됩니다. 동물의 뿔이나 뼈로 만든 작살과 낚싯바늘, 돌그물추가 달린 그물로 물고기를 잡았고, **가락바퀴**로 식물에서 실을 뽑아 옷감을 짠 후 뼈바늘로 바느질한 옷을 입었습니다.

신석기 시대 사람들은 강가나 바닷가에 **움집을 짓고 마을**을 이루어 살았습니다. 인구가 늘어나면서 부족을 이끄는 사람도 등장했지만 재산과 먹을 것을 공평하게 나누어 가지는 **평등한 사회**였습니다.

한국사 용어 콕!

- **토기**(土 흙 **토**, 器 그릇 **기**) 흙으로 만든 그릇.
- **정착** 일정한 곳에 머물러 사는 것.
- **돌그물추** 그물 끝에 돌을 매달아 고기잡이에 사용한 도구.

- **움집** 땅을 파서 다진 후에 기둥을 세우고 지붕으로 풀이나 짚을 덮어 만들었음. 중앙에 화덕을 두어 음식을 조리하거나 난방을 하였음.

- **부족** 가족 단위를 넘어 언어와 문화 등이 같은 소규모 집단.

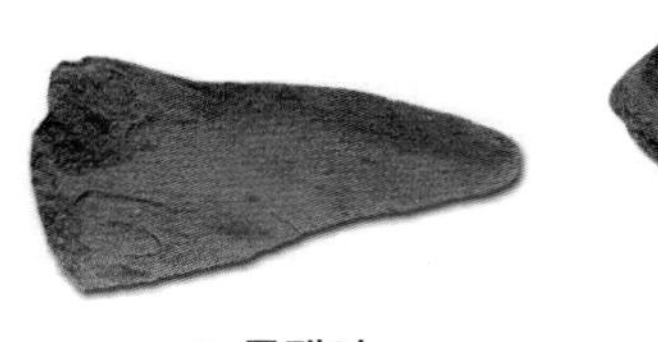

▲ 돌괭이

▲ 갈판과 갈돌

▲ 빗살무늬 토기

▲ 가락바퀴

핵심 Point!

정답 및 풀이 161쪽

❶ 빙하기가 끝나고 자연환경이 변하면서 ☐☐☐를 사용한 신석기 시대가 시작되었다.

❷ 신석기 시대에 나타난 생활 방식의 변화를 ☐☐☐ ☐☐이라고 한다.

❸ 신석기 시대 사람들은 ☐☐에 살면서 정착 생활을 했다.

1 다음과 같은 간석기를 만들어 사용하던 시대를 무엇이라고 하는지 쓰시오.

▲ 갈판과 갈돌 ▲ 돌괭이 ▲ 돌보습

( )

2 다음에서 설명하는 신석기 시대의 유물은 무엇인지 쓰시오.

- 신석기 시대 사람들이 주로 사용했던 토기이다.
- 밑이 뾰족하게 생겨서 밑부분을 땅에 파묻어 사용했다.

( )

3 다음 보기 에서 신석기 시대 사람들의 생활 모습으로 알맞은 것을 골라 기호를 쓰시오.

보기

㉠ 불을 사용하지 못했다.
㉡ 철기를 사용하여 사냥을 하였다.
㉢ 강가나 해안가에 움집을 짓고 살았다.
㉣ 이동 생활을 하며 동굴이나 바위 그늘에서 살았다.

( )

중학교 시험 맛보기

4 구석기 시대와 구분되는 신석기 시대의 특징은 어느 것입니까? ( )

① 무리지어 살았다.
② 처음으로 농사를 지었다.
③ 돌로 만든 도구를 사용하였다.
④ 불을 사용하여 음식을 익혀 먹었다.
⑤ 먹을거리를 찾아 이곳저곳으로 이동하였다.

05 청동기 시대 사람들이 사용한 도구와 생활 모습

기원전 2000년에서 기원전 1500년 무렵 만주와 한반도 지역에서 청동기 시대가 시작되었습니다. 사람들이 처음 접하게 된 금속은 구리였으나 구리는 너무 물러서 도구로 사용하기 어려웠습니다. 그래서 구리에 주석이나 아연을 섞어서 더 단단하게 만든 것이 청동이었습니다.

청동기는 재료를 구하기가 쉽지 않았고 만들기가 어려워 **주로 지배층의 무기나 제사용 도구, 장신구** 등으로 이용되었습니다. 청동기 시대의 **대표적인 유물로는 비파형 동검, 거친무늬 거울** 등이 있습니다. 지배자는 청동 거울을 목에 걸고 청동 방울로 하늘에 제사를 지냈으며, 청동 검을 무기로 사용하였습니다. 청동은 농기구 등 일상생활에서 도구로 쓰일 만큼 단단하지 못하였습니다. 그래서 이 시기 생활 도구는 여전히 돌이나 나무로 만들어졌습니다. 무늬가 없는 **민무늬 토기가 주로 사용**되었고, 지역과 쓰임새에 따라 다양한 모양으로 만들어졌습니다.

▲ 비파형 동검

▲ 거친무늬 거울

▲ 민무늬 토기

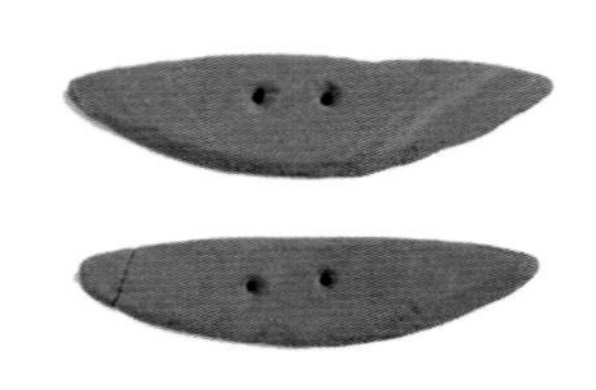
▲ 반달 돌칼

청동기 시대에는 농사가 더욱 발달하였습니다. 조, 수수, 콩, 보리 등 잡곡을 재배하였으며 본격적으로 **벼농사도 시작**되었습니다. 가을이 되면 **반달 돌칼 등을 이용하여 벼를 수확**하였고, 민무늬 토기에 곡식을 저장하고 조리하였습니다. 청동기 시대 사람들은 대개 직사각형이나 원형의 움집을 짓고 살았습니다.

청동기 시대에는 사람마다 하는 일이 다양해졌습니다. 남자는 주로 농사를 짓거나 가축을 키우는 일을 맡았고, 이웃 부족이 쳐들어오면 전쟁에 나가 싸웠습니다. 여자는 음식과 옷을 만들거나 곡식을 관리하는 등의 집안일을 담당하였습니다. 또 청동을 이용하여 무기나 장신구를 전문적으로 만드는 사람도 나타났습니다.

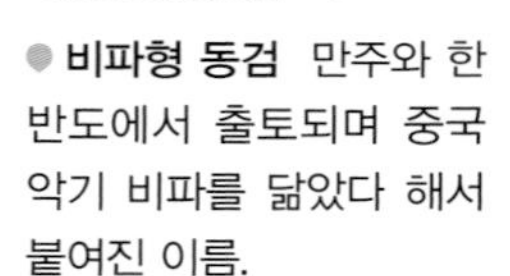

한국사 용어 콕!

- **비파형 동검** 만주와 한반도에서 출토되며 중국 악기 비파를 닮았다 해서 붙여진 이름.
- **잡곡** 쌀 이외에 조, 밀, 수수, 보리, 콩 등의 곡식.

▲ 수수

- **수확**(收 거둘 **수**, 穫 거둘 **확**) 익은 농작물을 거두어들임.

예문 가을철 농촌에는 벼 **수확**이 한창이에요.

- **조리** 요리를 만듦.

핵심 Point!

정답 및 풀이 162쪽

❶ ☐☐☐는 주로 지배층의 무기나 제사용 도구, 장신구로 사용되었다.

❷ 청동기 시대에는 농사가 더욱 발달하였고 ☐ 농사가 시작되었다.

❸ 청동기 시대 사람들은 무늬가 없는 ☐☐☐ 토기를 주로 만들어 사용하였다.

1 다음과 같은 청동기의 쓰임으로 알맞은 것을 모두 고르시오. ( )

▲ 비파형 동검

▲ 청동 방울

▲ 거친무늬 거울

① 사냥용 도구
② 제사용 도구
③ 농사용 도구
④ 지배층의 무기
⑤ 지배층의 장신구

2 청동기 시대에 벼를 수확할 때 주로 사용했던 다음 도구는 무엇인지 쓰시오.

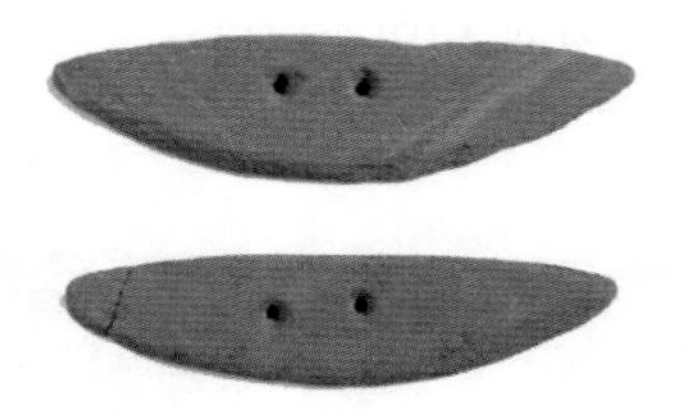

( )

3 청동기 시대 사람들이 주로 만들어 사용한 토기를 골라 ○표 하시오.

(1)
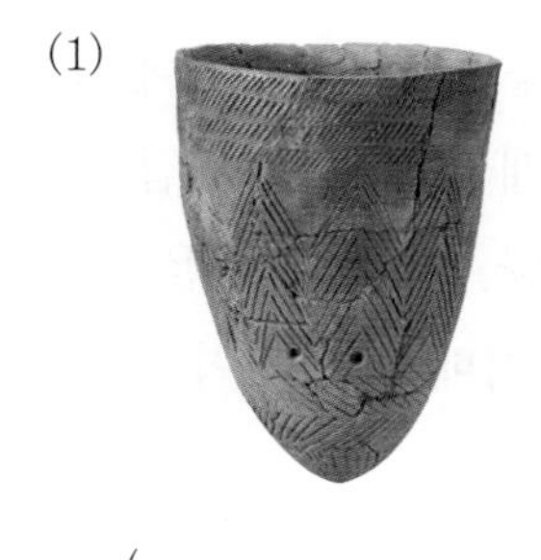
( )

(2)

( )

4 청동기 시대 생활 모습으로 알맞지 않은 것은 어느 것입니까? ( )

① 벼농사가 시작되었다.
② 청동으로 검, 거울, 방울 등을 만들었다.
③ 청동으로 농기구를 만들어 농사를 지었다.
④ 직사각형이나 원형의 움집을 짓고 살았다.
⑤ 청동기를 전문적으로 만드는 사람이 생겼다.

06 청동기 시대 고인돌과 계급 사회

청동기 시대에는 **농업 생산량이 크게 늘어나** 사람들이 먹고도 남는 생산물이 생겼습니다. 남는 생산물은 사람들이 나누어 가졌는데 이 과정에서 힘이 센 사람은 생산물을 많이 가지게 되었고, 힘이 약한 사람은 적게 가지게 되면서 사유 재산이 생겨났습니다. 이러한 **빈부 격차가 커지면서 계급**이 나타나게 되었습니다.

청동기 시대에 등장한 **지배자를 군장**이라 합니다. 이들은 부족을 지배하는 정치적 지도자인 동시에 하늘에 제사를 지내는 종교적 지도자의 역할을 하였는데 이를 **제정일치 사회**라고 합니다. 이 시기에는 **세력이 강한 부족이 주변의 약한 부족을 공격하여 정복**하기도 했습니다. 힘이 센 부족은 자신들이 정복한 부족의 사람들을 노예로 삼았습니다. 이로 인해 계급 사회는 더욱 강화되었고, 부족을 이끄는 군장은 더욱 강한 권력을 가지게 되었습니다.

❶ 받침돌을 운반하여 세운다.

❷ 덮개돌을 끌어올리기 위해 흙을 다진다.

❸ 덮개돌을 끌고 와서 받침돌 위에 올린다.

❹ 받침돌 주변의 흙을 제거하고 시신을 묻는다.

청동기 시대 사람들은 **군장이 죽으면 거대한 고인돌을 만들고 청동 검, 청동 거울 등**을 함께 묻었습니다. 고인돌은 받침돌을 세우고 그 위에 덮개돌을 올려 만든 청동기 시대 지배자의 무덤입니다. 고인돌의 덮개돌은 매우 무겁고 크기 때문에 이것을 옮기기 위해서는 많은 사람들이 필요했습니다. 이렇게 많은 사람들을 동원하여 고인돌을 만들었다는 사실에서 청동기 시대에 **지배자의 권력이 매우 컸다는 것**을 알 수 있습니다.

한반도에는 전 세계 고인돌의 약 40%에 해당하는 3만 개가 넘는 고인돌이 있습니다. 인천 강화, 전북 고창, 전남 화순의 고인돌 유적지는 유네스코 세계 유산으로 지정되어 있습니다.

한국사 용어 콕!

- **사유 재산** 개인이 가진 재산.
- **빈부 격차** 가난한 사람과 부유한 사람이 지닌 재산의 차이.
  예문 오늘날 **빈부 격차**가 커지면서 사회 갈등이 발생하고 있어요.
- **제정일치**(祭 제사 **제**, 政 정사 **정**, 一 하나 **일**, 致 이를 **치**) 신을 받들고 제사하는 일을 정치의 중심으로 삼은 정치 형태.
- **동원** 어떤 목적을 달성하고자 사람을 모으거나 물건, 수단, 방법 등을 집중함.

핵심 Point!

정답 및 풀이 162쪽

❶ 청동기 시대에는 농업 생산량이 늘어나면서 ☐☐ ☐☐이 생겨났다.

❷ 청동기 시대 군장은 제사와 정치를 담당하는 ☐☐☐☐ 사회의 지배자였다.

❸ 청동기 시대 사람들은 지배자가 죽으면 권력을 나타내는 거대한 ☐☐☐을 만들었다.

정답 및 풀이 162쪽

1 청동기 시대 사회 모습과 관련이 적은 것은 어느 것입니까? (   )

① 사유 재산
② 빈부 격차
③ 계급 사회
④ 평등 사회
⑤ 농업 생산량 증가

2 다음 보기에서 군장에 대한 설명으로 옳은 것을 골라 기호를 쓰시오.

> **보기**
> ㉠ 제사와 정치를 담당하였다.
> ㉡ 주먹도끼로 이웃 부족을 정복했다.
> ㉢ 사람들이 생산물을 똑같이 나누어 갖도록 했다.

(   )

3 청동기 시대에 만들어진 다음 유적은 무엇인지 쓰시오.

(   )

4 위 3번 유적에 대한 설명으로 옳지 않은 것은 어느 것입니까? (   )

① 지배자의 무덤으로 짐작된다.
② 많은 사람이 동원되어 만들었다.
③ 청동 검, 청동 거울을 함께 묻었다.
④ 이 유적을 통해서 지배자의 권력이 컸음을 알 수 있다.
⑤ 계급에 상관없이 누구나 죽으면 이 유적을 만들어 묻었다.

눈으로 읽는 딱 1분 개념정리

01 역사의 의미와 선사 시대와 역사 시대~
06 청동기 시대 고인돌과 계급 사회

| 학습한 내용을 정리해 보며, 빈칸에 들어갈 키워드를 써 보세요.

• 정답 및 풀이 **162쪽**

❶ 선사 시대

① **선사 시대:** (❶)로 남긴 기록이 없던 시기

② **인류의 진화 과정:** 오스트랄로피테쿠스 아파렌시스(최초의 인류) → 호모 에렉투스(완전한 직립 보행) → 호모 네안데르탈렌시스(시체 매장) → 호모 사피엔스(현재 인류의 직접적인 조상)

③ **선사 시대의 구분**

구석기 시대	• 돌을 깨뜨리거나 떼어 내 (❷)를 만들었던 시대 • 동물을 사냥하거나 채집을 하여 먹을 것을 구하였음. • 무리지어 이동하는 생활을 하고 동굴이나 바위 그늘, 막집에서 살았음.
신석기 시대	• 돌을 갈아서 (❸)를 만들었던 시대 • 농사를 짓고 가축을 기르며 정착 생활을 시작하였음. • 움집을 만들어 살았고 모두가 평등한 사회였음.

④ **선사 시대에 사용한 도구**

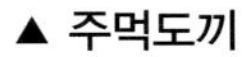
▲ 주먹도끼

▲ 갈판과 갈돌

▲ 빗살무늬 토기

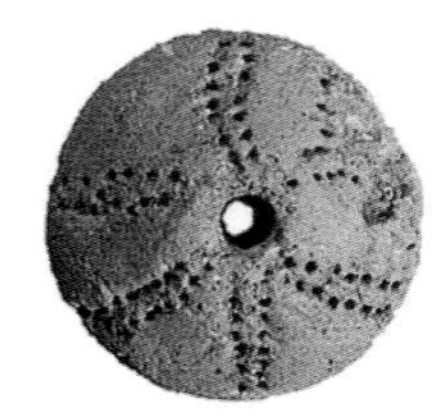
▲ 가락 바퀴

❷ 청동기 시대

① **청동기:** 재료를 구하기가 쉽지 않았고 만들기가 어려웠음. → 주로 지배층의 무기나 제사용 도구, 장신구 등으로 이용되었음.

② **청동기 시대에 사용한 도구**

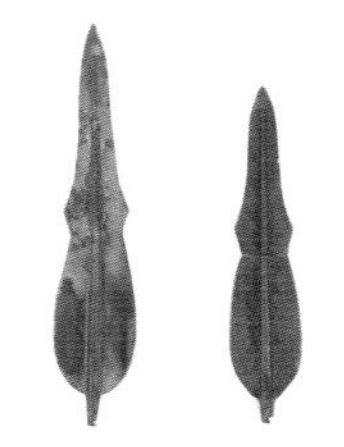
▲ 비파형 동검

▲ 거친무늬 거울

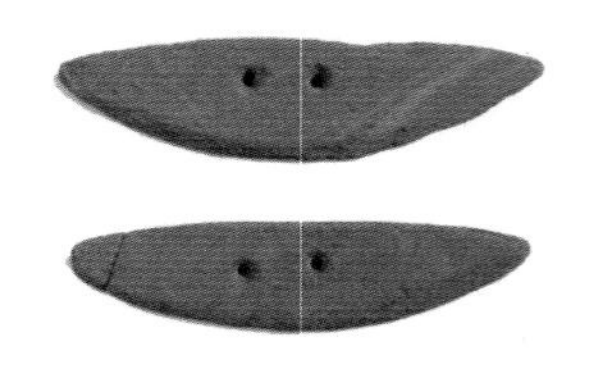
▲ (❹)

▲ 민무늬 토기

③ **청동기 시대 계급의 발생**

배경	농업의 발달 → 사유 재산의 발생 → 빈부 격차가 커짐. → 계급의 발생
(❺)	청동기 시대에 정치적 지도자인 동시에 종교적 지도자

④ (❻): 청동기 시대 지배자의 무덤으로 지배자의 권력과 부가 매우 컸다는 것을 알 수 있음.

• 정답 및 풀이 **162쪽**

1 다음은 구석기 시대와 신석기 시대에 돌을 이용하여 도구를 만드는 모습입니다. 이와 관련하여 구석기 시대와 신석기 시대의 차이점을 쓰시오.

구석기 시대	신석기 시대

생각 쓰기 Point

Point 1

구석기와 신석기 시대에 사람들이 사용한 석기

구석기 시대	뗀석기: 주먹도끼, 찍개, 긁개, 밀개 등
신석기 시대	간석기: 돌괭이, 돌보습, 갈판과 갈돌 등

2 다음은 고인돌을 만드는 과정입니다. 이러한 과정으로 만들어진 고인돌이 지배자의 무덤이라고 여겨지는 까닭은 무엇인지 쓰시오.

❶ 받침돌을 운반하여 세운다.

❷ 덮개돌을 끌어올리기 위해 흙을 다진다.

❸ 덮개돌을 끌고 와서 받침돌 위에 올린다.

❹ 받침돌 주변의 흙을 제거하고 시신을 묻는다.

Point 2

고인돌
- 고인돌은 큰 돌을 이용하여 만든 무덤입니다.
- 청동기 시대에 지배자가 죽으면 고인돌을 만들고 청동 검, 청동 거울 등을 함께 묻었습니다.

07 고조선의 건국

청동기 시대에는 군장이 다스리는 많은 부족이 나타났습니다. 군장은 다른 부족을 정복하면서 세력을 확대하여 갔고, 그 과정에서 한반도에 **우리나라 최초의 국가인 고조선**이 세워졌습니다. **『삼국유사』에 따르면 단군은 기원전 2333년에 고조선을 건국**하였습니다. 다음과 같은 고조선의 건국 이야기가 전해집니다.

옛날에 환인의 아들인 환웅이 하늘에서 인간 세상을 다스리고 싶어 했다. 환인이 환웅의 뜻을 알고 내려다보니 ㉠ 널리 인간을 이롭게 할 만하였다. 환웅은 ㉡ 바람, 비, 구름을 다스리는 신하와 무리 삼천 명을 이끌고 태백산 신단수 아래로 내려와 세상을 다스렸다.

이때 곰과 호랑이가 환웅을 찾아와 사람이 되게 해 달라고 빌었다. 환웅은 쑥과 마늘을 주면서 "이것을 먹으면서 100일 동안 햇빛을 보지 않으면 사람이 될 것이다."라고 했다. 곰과 호랑이는 동굴로 들어가 이를 지키려고 했으나 호랑이는 곧 뛰쳐나갔다. 하지만 곰은 환웅이 말한 것을 잘 지켜 여자로 변해 웅녀가 되었다.

㉢ 환웅이 여자가 된 곰과 혼인하여 아들을 낳았으며, 그 이름을 ㉣ 단군왕검이라 하였다. 단군왕검은 아사달을 도읍으로 정하고 나라 이름을 조선이라 불렀다.

– 『삼국유사』 –

건국 이야기를 살펴보면 그 당시 사회 모습을 짐작할 수 있습니다. 먼저 ㉠에서 널리 인간을 이롭게 한다는 **홍익인간의 건국 이념**을 알 수 있습니다. 그리고 ㉡에서 환웅이 농사를 짓는 데 중요한 요소인 바람, 비, 구름을 다스리는 신하와 인간 세계로 내려왔다는 것에서 **농업을 중시했던 사회 모습**을 알 수 있습니다. 또한 ㉢을 통해 환웅 세력이 기존의 곰을 믿는 부족과 호랑이를 믿는 부족 사이에서 **곰을 믿는 부족과 연합**했다는 것을 알 수 있습니다. ㉣의 단군왕검은 제사장을 뜻하는 '단군'과 정치적 지배자를 뜻하는 '왕검'을 합친 것으로, **고조선이 제정일치의 사회**임을 알 수 있습니다. 단군 왕검은 이러한 건국 이야기를 통해서 자신의 조상을 하늘과 연결하여 권위를 높이고자 하였습니다.

한국사 용어 쾩!

- **『삼국유사』** 고려 충렬왕 때 승려 일연이 쓴 역사책(1281년). 단군과 고조선에 대한 가장 오래된 기록임.
- **신단수** 환웅이 하늘에서 그 밑으로 내려왔다는 신성한 나무.
- **연합** 여러 단체들을 합쳐서 하나의 조직을 만드는 것.

예문 다른 학교와 **연합**해서 함께 발표회를 했어요.

핵심 Point!

정답 및 풀이 **162쪽**

❶ 기원전 2333년에 우리나라 최초의 국가인 ☐☐☐이 세워졌다.

❷ 고조선은 ☐☐☐☐의 건국 이념을 바탕으로 세워졌다.

❸ ☐☐☐☐은 고조선의 제정일치의 지배자를 일컫는 말이다.

정답 및 풀이 162쪽

1 다음 보기에서 고조선의 건국 이야기의 내용으로 알맞은 것을 모두 골라 기호를 쓰시오.

보기
㉠ 환웅이 웅녀와 결혼하여 단군왕검을 낳았다.
㉡ 곰과 호랑이 중에서 호랑이가 사람이 되었다.
㉢ 환웅이 신하들을 데리고 인간 세상으로 내려왔다.
㉣ 단군왕검은 한양을 도읍으로 정하고 나라 이름을 조선이라 불렀다.

( )

2 단군왕검의 '단군'과 '왕검'의 뜻을 선으로 바르게 연결하시오.

(1) 단군 • • ㉠ 제사장

(2) 왕검 • • ㉡ 정치적 지배자

3 고조선의 건국 이야기를 통해서 짐작할 수 있는 당시 사회의 모습이 아닌 것은 어느 것입니까? ( )

① 고조선은 농사를 중시했다.
② 고조선은 제정일치의 사회였다.
③ 단군은 하늘의 자손임을 내세웠다.
④ 고조선은 철기 문화를 바탕으로 세워졌다.
⑤ 환웅이 이끄는 부족은 곰을 믿는 부족과 연합하였다.

4 다음은 고조선 건국 이야기의 일부입니다. 밑줄 친 내용에 해당하는 고조선의 건국 이념을 쓰시오.

환인의 아들인 환웅이 하늘에서 인간 세상을 다스리고 싶어 했다. 환인이 환웅의 뜻을 알고 내려다보니 널리 인간을 이롭게 할 만하였다.

( )

1 선사 시대와 고조선

08 고조선의 성장과 멸망 과정

청동기 문화를 바탕으로 세워진 고조선은 주변 세력을 통합하면서 발전하였습니다. 요령 지방 일대를 포함한 만주와 한반도 서북부에 걸친 넓은 지역을 차지한 고조선은 비파형 동검과 탁자식 고인돌 등 **중국과 다른 독자적인 청동기 문화**를 발전시켜 나갔습니다.

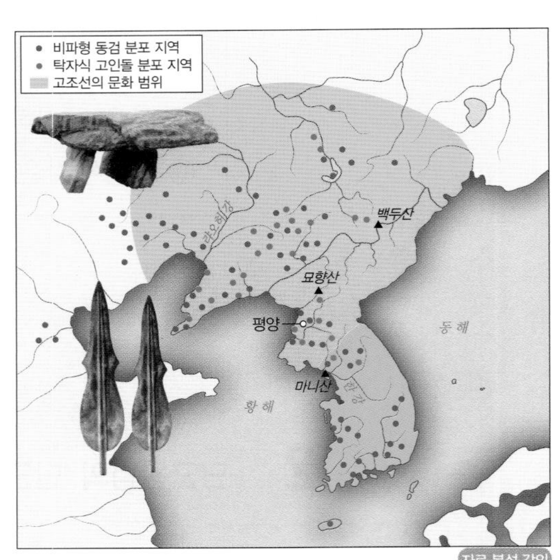

자료 분석 강의

▲ 고조선의 독자적인 유물을 통해 알 수 있는 고조선의 문화권

비파형 동검은 중국식과 달리 칼날과 손잡이를 따로 만들어 조립하였고, 탁자식 고인돌도 받침돌을 세워 무덤방을 만들고 그 위에 덮개돌을 올린 것으로 고조선의 독자적인 무덤이었습니다. **비파형 동검과 탁자식 고인돌**의 분포 범위를 통해 고조선의 대략적인 문화권을 알 수 있습니다.

기원전 2세기 초에 중국의 혼란을 피해 위만이 1,000여 명의 무리를 이끌고 고조선으로 들어왔습니다. 이후 세력을 키운 **위만이 준왕을 몰아내고 고조선의 왕**이 되었습니다(기원전 194년). 위만은 **철기 문화**를 받아들여 우수한 철제 무기를 바탕으로 영토를 확장하였습니다. 그리고 한반도 남쪽의 여러 나라들과 중국의 한 사이에서 **중계 무역**을 해 많은 경제적 이익을 얻었습니다. 이 무렵 비파형 동검을 계승한 **세형 동검**과 거친무늬 거울을 발전시킨 **잔무늬 거울**이 만들어졌습니다.

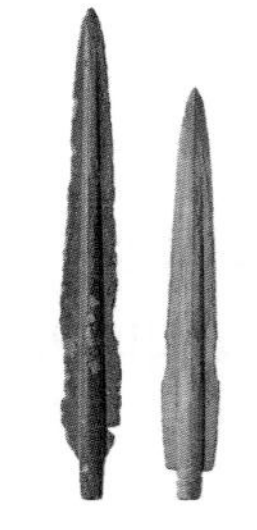

▲ 세형 동검

▲ 잔무늬 거울

고조선이 크게 성장하자 위협을 느낀 중국의 한은 고조선을 공격하였습니다. 위만의 손자인 우거왕은 한에 맞서 싸웠으나 지배층의 분열로 결국 수도인 왕검성이 함락되어 멸망하였습니다(기원전 108년).

한국사 용어 콕!

- **요령 지방** 랴오허 강을 기준으로 동쪽을 요동, 서쪽을 요서라고 하고, 이 두 지역을 합쳐 요령이라 함.

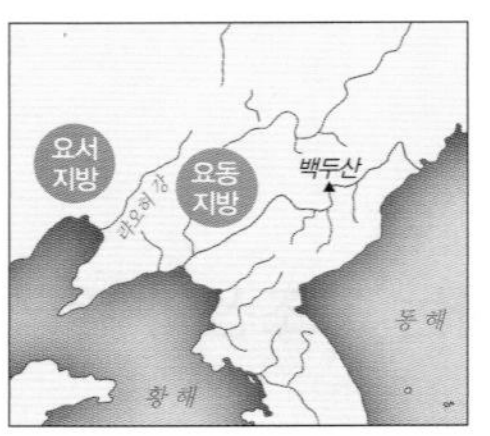

- **중계 무역** 다른 나라로부터 사들인 물건을 그대로 또 다른 나라에 수출하는 형식의 무역.
- **함락** 적의 성이나 중요한 곳을 공격하여 무너뜨림.

핵심 Point!

정답 및 풀이 163쪽

❶ ☐☐☐ 동검, 탁자식 고인돌은 고조선의 문화권을 알려 주는 유물이다.

❷ 기원전 194년에 ☐☐은 준왕을 몰아내고 고조선의 왕이 되었다.

❸ 고조선에 철기 문화가 들어온 후 비파형 동검은 ☐☐ ☐☐으로 발전하였다.

정답 및 풀이 163쪽

1 고조선의 문화권을 알려 주는 유물이나 유적으로 알맞은 것을 두 가지 고르시오.

( )

① 주먹도끼
② 반달 돌칼
③ 비파형 동검
④ 민무늬 토기
⑤ 탁자식 고인돌

2 다음 ( ) 안에 들어갈 알맞은 말을 쓰시오.

> 고조선은 한반도 남쪽의 여러 나라들과 중국이 직접 교류하는 것을 막고 이들 사이에서 ( )을(를) 하여 많은 경제적 이익을 얻었다.

( )

3 위만이 고조선을 다스리던 시기에 새롭게 나타난 유물을 모두 골라 ○표 하시오.

(1)
▲ 세형 동검
( )

(2)
▲ 청동 방울
( )

(3)

▲ 잔무늬 거울
( )

4 다음 역사적 사건들을 일어난 순서대로 기호를 쓰시오.

> **보기**
> ㉠ 한이 고조선의 수도인 왕검성을 함락하였다.
> ㉡ 위만이 준왕을 몰아내고 고조선의 왕이 되었다.
> ㉢ 고조선은 한반도 남쪽의 나라들과 한 사이에서 무역을 하였다.

( ) → ( ) → ( )

09 고조선의 8조법과 사람들의 생활 모습

고조선은 신분제 사회로 권력을 가지고 지배를 하는 지배 계층과 그 아래에서 지배를 받는 피지배 계층으로 나뉘어 있었습니다. 최고 통치자인 왕 밑에 상, 대부 등의 관직이 있었고, 군대의 우두머리는 장군이라고 불렀습니다. 사회 신분은 왕을 비롯한 귀족, 평민, 노비 등의 계층이 있었습니다.

고조선은 **법을 만들어 사회 질서를 유지**하였는데, 당시 만들어진 8개의 법 조항 중 중국의 역사책『한서』에 3개의 법 조항이 전해지고 있습니다.

㉠ 사람을 죽인 사람은 사형에 처한다.

㉡ 남에게 상처를 입힌 사람은 곡식으로 갚는다.

㉢ 도둑질을 한 자는 노비로 삼는다. 용서를 받으려면 50만 전을 내야 한다.

위 법 조항을 통해서 당시 고조선의 사회 모습을 짐작할 수 있습니다. ㉠ 조항을 통해 **개인의 생명을 중요**하게 생각했고, 큰 죄는 엄격하게 다스렸음을 알 수 있습니다. ㉡ 조항에서 곡식이 죄를 갚는 수단이었다는 것은 **농경 사회**임을 보여 주는 것입니다. 또한 상처를 입으면 농사일을 할 수 없기 때문에 곡식으로 갚도록 한 것으로 농사를 짓는 데 필요한 **노동력을 중요하게 생각**했다는 점을 알 수 있습니다. ㉢ 조항에서는 **사유 재산을 보호**했고, 노비가 존재한 **계급 사회라는 점**을 알 수 있습니다. 또한 50만 전을 통해 **화폐가 존재**했다는 것을 알 수 있습니다.

이렇게 고조선은 사람의 생명을 존중하고 노동력과 개인의 재산을 중요하게 여겨 보호하였습니다. 또한 고조선 사회는 계급 사회였으며, 지배층이 법을 통해 국가를 안정적으로 이끌어 가려고 했습니다.

한국사 용어 콕!

- **계층** 사회적 지위가 비슷한 사람들의 층.
  예문 탈놀이는 조선 후기 서민 **계층**이 즐기던 문화였어요.
- **조항** 법률이나 규정 등의 항목.
- **노동력**(勞 일할 **노**, 動 움직일 **동**, 力 힘 **력**) 일할 수 있는 사람들의 힘.

핵심 Point!

정답 및 풀이 163쪽

❶ 고조선은 지배 계층과 피지배 계층으로 나뉘는 ☐☐☐ 사회였다.
❷ 고조선은 사회의 질서를 유지하기 위해 ☐개의 법 조항이 있었다.
❸ 고조선의 법 조항에 따르면 도둑질을 한 사람은 ☐☐로 삼았다.

• 정답 및 풀이 163쪽

1 **고조선 사회에 대한 설명으로 옳은 것에 ○표, 옳지 않은 것에 ×표 하시오.**

(1) 고조선은 신분의 구별이 없는 평등한 사회였다. (　　　)

(2) 왕 아래에 상, 대부, 장군과 같은 관직이 있었다. (　　　)

(3) 고조선에는 사회 질서를 유지하기 위한 법이 있었다. (　　　)

2 **다음 보기에서 고조선의 법 조항이 아닌 것을 골라 기호를 쓰시오.**

보기

㉠ 사람을 죽인 사람은 사형에 처한다.
㉡ 남에게 상처를 입힌 사람은 가축으로 갚는다.
㉢ 도둑질을 한 자는 노비로 삼는다. 용서를 받으려면 50만 전을 내야 한다.

(　　　　　　)

3 **위 2번에서 고조선에 화폐가 존재했음을 알게 해 주는 법 조항을 골라 기호를 쓰시오.**

(　　　　　　)

4 **고조선의 8조법을 통해 알 수 있는 사실이 아닌 것은 어느 것입니까?** (　　　)

① 생명과 노동력을 중시했다.
② 농경 사회였음을 알 수 있다.
③ 전쟁을 중요시했던 사회였다.
④ 계급이 존재한 사회였음을 알 수 있다.
⑤ 사유 재산에 대한 보호가 있었음을 알 수 있다.

10 철기의 사용으로 나타난 변화

철은 청동보다 단단하고 재료도 구하기 쉬웠지만, 매우 높은 온도에서 녹기 때문에 철을 녹이기 어려웠습니다. 그래서 화덕에 뜨거운 바람을 불어넣는 풀무가 발명된 이후에야 철을 녹여 다양한 도구를 만들게 되어 철기 문화가 발달하였습니다.

고조선이 세력을 떨치고 있을 무렵인 **기원전 5세기부터 철기가 사용되기 시작**하였습니다. 처음에는 철기와 청동기가 함께 사용되었으나, 시간이 흐르면서 철기가 점점 널리 보급되어 **철제 농기구와 무기**가 많이 만들어졌습니다. 철로 만든 농기구로 땅을 깊이 갈아 농사를 지으면서 **농업 생산량이 크게 늘어났고 인구도 증가**했습니다. 또한 청동보다 단단한 철제 무기를 이용해 **정복 활동이 활발**하게 이루어지면서 여러 국가들이 나타나게 되었습니다.

▲ 철제 무기와 농기구

철기 시대에는 무덤 양식도 바뀌어 땅을 파고 나무판에 시신을 넣어 흙을 덮은 **널무덤**이나 두 개의 항아리를 옆으로 이은 **독무덤** 등이 만들어졌습니다. 그리고 땅 위에 직사각형 형태의 집이 지어지기 시작하였습니다.

▲ 널무덤

▲ 독무덤

철기 시대 유적에서 철기와 함께 명도전 등 다양한 중국 화폐가 발견되어 **중국과 교류**했음을 알 수 있습니다. 또한 경남 창원의 유적에서는 붓이 발견되어 중국으로부터 건너온 한자를 사용했음을 알 수 있습니다. 고조선이 멸망한 후 한반도 주변에 있던 철기 문화 세력들은 여러 지역으로 퍼져 나가 계속 발전해 나갔습니다.

한국사 용어 콕!

● **풀무** 쇠를 달구거나 또는 녹이기 위하여 화덕에 뜨거운 공기를 불어넣는 기구.

● **명도전** 중국 전국 시대에 청동으로 만든 화폐로 한반도 여러 지역에서 발견됨.

핵심 Point!

정답 및 풀이 **163쪽**

❶ ☐ 은 매우 높은 온도에서 녹기 때문에 청동보다 늦게 사용되었다.

❷ 철로 만든 ☐☐☐ 를 사용하면서 농업 생산량이 크게 늘어났다.

❸ 철기 시대가 되면서 고인돌은 점차 사라지고 ☐☐☐ 이나 독무덤이 만들어졌다.

1 다음 ( ) 안에 들어갈 알맞은 말을 쓰시오.

> (   )(으)로 만든 도구는 청동으로 만든 도구보다 재질이 단단하여 무기와 농기구로 널리 사용되었다.

(   )

2 다음 보기에서 철기 시대 사람들의 생활 모습으로 알맞은 것을 모두 골라 기호를 쓰시오.

> **보기**
> ㉠ 시신을 널무덤에 넣고 매장하였다.
> ㉡ 철제 농기구를 사용하여 농사를 지었다.
> ㉢ 빗살무늬 토기를 이용하여 곡식을 저장하였다.
> ㉣ 청동기 시대보다 이웃 부족들과의 전쟁이 줄어들었다.

(   )

중학교 시험 맛보기

3 철기를 사용하면서 나타난 변화를 두 가지 고르시오. (   )

① 평등한 사회가 되었다.
② 이동 생활을 하게 되었다.
③ 한자를 널리 사용하게 되었다.
④ 농업 생산량이 크게 증가하였다.
⑤ 정복 활동이 활발해지고 여러 국가가 나타났다.

4 다음과 같은 철기 시대의 무덤은 무엇인지 쓰시오.

(   )

11 철기 시대에 등장한 여러 나라

고조선이 멸망할 무렵 한반도와 그 주변 지역에서 철기 문화를 바탕으로 부여, 고구려, 옥저 등 새로운 나라들이 생겨났습니다.

부여는 쑹화 강 유역의 넓은 평야 지대에 위치하여 농경과 목축이 발달하였으며, **왕 아래 마가, 우가, 저가, 구가** 등의 관리들이 각자의 영역을 다스리는 **연맹 왕국**이었습니다. 왕이 죽으면 신하 등을 함께 묻는 **순장의 풍습**이 있었고, 매년 **12월에 영고**라는 제천 행사를 열었습니다. 고구려도 왕과 각 부의 대가들이 각자의 영역을 다스리는 연맹 왕국이었습니다. 고구려는 혼인한 뒤 남자가 일정 기간을 신부 집에서 머무르는 **서옥제라는 풍습**이 있었으며, **10월에는 동맹**이라는 제천 행사를 열었습니다.

옥저와 동예는 군장들이 자기 영역을 다스렸으며, 토지가 비옥하여 농사가 잘되었고 해산물도 풍부하였습니다. 옥저는 어린 여자 아이를 남자 집으로 데려가 키우다가 성인이 되면 혼인시키는 **민며느리제가 유행**하였습니다. 그리고 가족 공동 무덤을 만드는 풍습도 있었습니다. 동예는 같은 씨족끼리 결혼하지 않는 **족외혼이 시행**되었으며, **10월에 무천**이라는 제천 행사를 열었습니다. 또한 다른 마을의 경계를 함부로 침범하면 노비나 소, 말 등으로 보상하는 **책화의 풍습**도 있었습니다.

▲ 철기 시대에 등장한 여러 나라

자료 분석 강의

한반도 남쪽에 나타난 마한, 진한, 변한을 일컬어 삼한이라고 했습니다. 삼한은 정치와 종교가 분리되어 군장은 정치를 담당하고 천군은 하늘에 제사를 지냈습니다. **천군이 다스리는 소도**는 신성한 구역으로 여겨 죄인이라도 이곳으로 도망가면 잡지 못하였습니다. **변한에서는 질 좋은 철이 많이 생산**되어 낙랑과 왜에 철을 수출하기도 하였습니다.

한국사 용어 콕!

- **연맹 왕국** 여러 군장 세력들이 연합한 국가 형태.
- **순장** 지배자가 죽었을 때 그 사람을 따르던 사람들을 함께 묻던 장례 문화.
- **풍습** 오래전부터 지켜 내려오는 사회적 풍속이나 관습.

예문 조상에게 제사를 지내는 것은 우리나라의 **풍습**이야.

- **제천 행사** 소원을 빌기 위해 하늘에 제사를 지내는 행사.
- **씨족** 같은 조상에서 나온 가족 집단.

핵심 Point!

정답 및 풀이 164쪽

❶ 부여에는 지배자가 죽으면 신하나 종 등을 함께 묻는 ☐☐의 풍습이 있었다.

❷ 부여는 영고라는 제천 행사가, 동예는 ☐☐이라는 제천 행사가 열었다.

❸ 변한에서는 ☐이 많이 생산되어 낙랑과 왜에 수출하였다.

정답 및 풀이 164쪽

1 다음에서 설명하는 철기 시대에 등장한 나라를 쓰시오.

- 쑹화강 유역의 넓은 평야 지역에 자리잡았다.
- 왕은 중앙을 다스리고 대가들이 각자의 영역을 다스렸다.
- 순장의 풍습이 있었고, 매년 12월에 영고라는 제천 행사를 열었다.

( )

2 다음에서 설명하는 고구려의 혼인 풍습을 무엇이라고 합니까? ( )

남자와 여자가 결혼하면 여자의 집에 서옥이라는 집을 짓고 남자가 일정 기간 동안 살다가 아이를 낳으면 남자 집으로 돌아와 가정을 꾸린다.

① 영고
② 순장
③ 서옥제
④ 족외혼
⑤ 민며느리제

3 다음 ( ) 안에 들어갈 알맞은 말을 쓰시오.

동예에서는 부족마다 경계를 엄격히 정해서 지켰고, 함부로 남의 영역을 침범할 경우 노비나 소, 말 등으로 보상하는 ( )(이)라는 풍습이 있었다.

( )

4 다음 ㉠~㉣ 중 삼한에 대한 설명으로 옳지 않은 것을 골라 기호를 쓰시오.

삼한에는 ㉠하늘에 제사를 지내는 천군이라는 제사장이 있었으며, ㉡천군이 다스리는 소도는 신성한 곳으로 여겨져 ㉢죄인이라도 이곳으로 도망가면 잡지 못하였다. ㉣이는 삼한이 정치와 종교가 일치된 사회였음을 의미한다.

( )

눈으로 읽는 딱 1분 개념정리

| 학습한 내용을 정리해 보며, 빈칸에 들어갈 키워드를 써 보세요.

• 정답 및 풀이 164쪽

❶ 고조선

① **고조선의 건국**: 기원전 2333년에 우리나라 최초의 국가인 (❶   )이 건국됨.

② **건국 이야기**

- 『삼국유사』에 고조선의 건국 이야기가 전해 내려옴.
- 건국 이야기를 통해 당시 고조선의 건국과 당시 사회 모습을 추측할 수 있음.

③ **고조선의 문화권**: 비파형 동검, (❷   )을 통해 고조선의 문화권을 추측할 수 있음. → 고조선의 영역은 만주와 한반도 서북부 지방임.

④ **고조선의 성장과 멸망**

성장	(❸)이 준왕을 몰아내고 왕위에 올랐음. → 철기 문화를 본격적으로 받아들여 영토를 확장하고, 중계 무역으로 경제적 이익을 얻었음.
멸망	한 무제의 침략으로 왕검성이 함락되면서 멸망했음.

⑤ **고조선의 8조법으로 알 수 있는 고조선 사회 모습**

8조법	고조선 사회 모습
사람을 죽인 사람은 사형에 처한다.	생명 존중, 큰 죄는 엄격하게 다스렸음.
남에게 상처를 입힌 사람은 곡식으로 갚는다.	농경 사회, 노동력 중시
도둑질한 자는 노비로 삼는다. 용서를 받으려면 50만 전을 내야 한다.	사유 재산에 대한 보호, 계급 사회, 화폐 사용

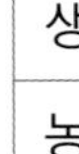

❷ 철기 시대

① **철기 사용으로 인한 변화**

- 철로 만든 (❹   )의 사용: 농업 생산량 증가 → 인구의 증가
- 철로 만든 무기 사용: 전투력 향상, 전쟁 증가 → 새로운 국가의 출현

② **철기 시대에 등장한 여러 나라**

부여	왕 아래 마가, 우가, 저가, 구가 등의 관리가 있었음. 순장의 풍습과 (❺)라는 제천 행사가 있었음.
고구려	서옥제의 풍습과 동맹이라는 제천 행사가 있었음.
옥저	민며느리제가 유행하였고, 가족 공동 무덤을 만들었음.
(❻)	족외혼이 시행되었고, 책화의 풍습과 무천이라는 제천 행사가 있었음.
삼한	천군이 다스리는 신성한 지역인 소도가 있었고, 질 좋은 철이 많이 생산되었음.

▲ 철기 시대에 등장한 여러 나라

• 정답 및 풀이 164쪽

1 다음은 고조선의 건국 이야기의 일부입니다. 밑줄 친 ㉠을 통해 알 수 있는 고조선 건국의 과정을 쓰시오.

〈중략〉 어느날 곰과 호랑이가 환웅을 찾아와 사람이 되게 해 달라고 빌었다. 환웅은 쑥과 마늘을 주면서 "이것을 먹으면서 100일 동안 햇빛을 보지 않으면 사람이 될 것이다."라고 했다. 곰과 호랑이는 동굴로 들어가 이를 지키려고 했으나 호랑이는 곧 뛰쳐나갔다. 하지만 곰은 환웅이 말한 것을 잘 지켜 여자로 변해 웅녀가 되었다.

㉠ 환웅이 여자가 된 곰과 혼인하여 아들을 낳았으며, 그 이름을 단군왕검이라 하였다. 단군왕검은 아사달을 도읍으로 정하고 고조선을 건국했다.

-『삼국유사』-

생각 쓰기 Point

Point 1
고조선의 건국

시기	기원전 2333년
세운 사람	단군왕검(제정일치의 지배자)
도읍	아사달
건국 이념	'널리 인간을 이롭게 한다.'는 홍익인간

2 다음은 오늘날 전해 내려오는 고조선의 법 조항입니다. 이를 통해 알 수 있는 고조선의 사회 모습을 쓰시오.

사람을 죽인 사람은 사형에 처한다.

남에게 상처를 입힌 사람은 곡식으로 갚는다.

도둑질한 자는 노비로 삼는다. 용서를 받으려면 50만 전을 내야 한다.

Point 2
고조선의 8조법
- 고조선에는 사회 질서를 유지하기 위해 8개의 법 조항이 있었습니다.
- 오늘날에는 이중 3개의 법 조항만이 전해지고 있으며 이를 통해 당시 고조선 사회 모습을 짐작할 수 있습니다.

신석기인은 어떻게 농사를 짓기 시작했을까?

구석기 시대까지만 해도 사람들은 먹을거리를 구하기 위해 사냥을 하거나 채집을 했어요. 그런데 신석기 시대가 된 후, 농사를 짓기 시작하여 먹을거리가 풍족해졌어요. 신석기 시대에 어떻게 농사를 짓게 되었을까요?

평소처럼 나무의 열매를 따서 먹던 어느 신석기인은 먹고 남은 씨앗을 땅에 버렸어요. 그런데 며칠이 지나서 보니 버렸던 열매의 씨에서 싹이 텄고, 얼마 후 다시 열매를 맺은 것을 발견했어요. 이 과정을 지켜본 똑똑한 신석기인은 무릎을 '탁' 치고 깨달았어요.

"아, 열매의 씨앗을 땅에 심으면 다시 열매가 자라나는구나!"

바로 이때부터 사람들이 식량을 구하는 방법에 놀라운 변화가 시작되었어요.

그런데 농사를 짓는 일은 쉽지 않았어요. 씨앗을 땅에 심기만 해서는 곡식이 잘 자라지 않았기 때문이에요. 그래서 다양한 간석기를 사용하여 농사일을 좀 더 체계적으로 하게 되었어요. 간석기로 돌괭이, 돌보습과 같은 농기구를 만들어서 땅을 파고 씨를 심었어요. 다 자란 곡식은 돌낫으로 베어 내고, 곡식을 저장하기 위해 토기도 만들었어요.

구석기 시대까지는 먹을거리를 찾아 여기저기 이동하며 살았지만 농사를 짓기 시작하면서 씨앗을 심어둔 밭 근처에 머물러야 했어요. 그래서 이때부터 사람들은 농사짓기 좋은 강가 주변에 움집을 짓고 살기 시작했어요. 농사를 짓기 시작하면서 신석기 시대 사람들에게 많은 변화가 일어났답니다.

2 삼국의 성립과 발전

중학교에서는
고구려, 백제, 신라의 성립과 발전 과정을
각 나라 시대별 왕의 업적 중심으로
자세하게 배우게 됩니다.

2 삼국의 성립과 발전

고구려, 백제, 신라는 정복 활동과 왕권 강화 정책을 펼치며 중앙 집권 국가로 발전하였어요. 삼국이 한반도의 주도권을 다투며 경쟁하는 과정을 살펴보고, 삼국과 가야의 대외 교류와 문화 발전에 대해서 알아보도록 해요.

>> 고구려, 백제, 신라의 전성기를 이끈 왕은 누구일까?

흐름 잡는 **한국사 연표**

- 기원전 57년 **신라 건국**
- 기원전 37년 **고구려 건국**
- 기원전 18년 **백제 건국**
- 433년 **나제 동맹**
- 538년 **백제, 사비 천도**

01 고구려의 성립과 건국 이야기

『삼국사기』에는 고구려의 시조 주몽이 나라를 세운 과정이 기록되어 있습니다. 주몽은 하늘의 자손으로 알에서 태어났다는 이야기를 통해 주몽의 존재를 신비롭고 특별하게 만들어 그를 존경하고 따라야 함을 강조하였습니다.

부여의 금와왕이 우연히 물의 신인 하백의 딸 유화 부인을 만났다. 유화 부인은 하늘 신의 아들인 해모수와 몰래 사랑에 빠져 쫓겨난 처지였고, 이를 딱히 여긴 금와왕은 유화 부인을 궁으로 데려갔다. 얼마 후 유화 부인은 커다란 알을 낳았다. 알에서 태어난 아이는 활을 잘 쏘아 사람들은 그를 주몽이라고 불렀다. 금와왕의 왕자들이 재주가 많은 주몽을 미워하며 죽이려고 하자, 주몽은 자신을 따르는 무리를 이끌고 남쪽으로 내려와 졸본에 고구려를 세웠다.

부여에서 남쪽으로 내려온 **주몽 세력은 졸본 지역에 자리잡고 기원전 37년에 고구려**를 세웠습니다. 초기 고구려는 5개의 부족이 연합한 **5부족 연맹체**로 구성되었습니다. 각 부족의 우두머리인 대가는 **제가 회의**에 참석하여 나라의 중요한 문제를 의논하고 결정하였습니다.

고구려가 세워진 졸본 지역은 중국과 지리적으로 가까워 중국의 문화를 쉽게 받아들였습니다. 그러나 험준한 산악 지역이었기 때문에 **침략을 방어하기에는 유리하였으나, 농사를 짓기 어려웠습니다.** 그래서 평야 지역을 차지하기 위해 일찍부터 활발한 정복 활동으로 세력을 넓혔습니다.

▲ **오녀산성(중국 랴오닝)** 고구려의 첫 번째 수도인 졸본으로 추측됨.

한국사 용어 콕!

- **『삼국사기』** 고려 시대에 김부식이 쓴 역사서.
- **시조**(始 먼저 **시**, 祖 조상 **조**) 한 집안이나 왕조의 맨 처음 조상.
- **5부족** 초기 고구려를 구성했던 소노부, 계루부, 관노부, 절노부, 순노부의 5부족.
- **연맹체** 공동의 목적을 가진 단체들로 구성된 조직체.
- **험준한** 땅의 모양이 험하며 높고 가파른.
  예문 산이 너무 **험준해서** 오르려는 사람이 없어요.

핵심 Point!

정답 및 풀이 **164쪽**

❶ 주몽은 기원전 37년에 졸본 지역에 자리잡고 ☐☐☐를 건국하였다.

❷ 고구려의 대가는 ☐☐ ☐☐에서 나라의 중요한 문제를 의논하고 결정하였다.

❸ 고구려는 일찍부터 활발한 ☐☐ 활동을 통해 세력을 넓혔다.

정답 및 풀이 164쪽

2 단원

1 **고구려의 건국 이야기에 등장하지 않는 인물은 누구입니까? (　　　　)**

① 유화　　② 주몽
③ 웅녀　　④ 금와왕
⑤ 해모수

2 **고구려의 건국 이야기에서 주몽이 알에서 태어났다는 것에 담겨 있는 의미는 무엇입니까? (　　　　)**

① 성품이 조용하고 어질다.
② 신비롭고 특별한 존재이다.
③ 인물이 뛰어나게 아름답다.
④ 사람과 동물을 반반씩 닮았다.
⑤ 보통 사람들과 비슷하게 평범하다.

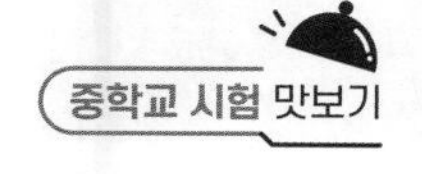

3 **다음에서 설명하는 것은 무엇인지 쓰시오.**

- 고구려 각 부의 대가들이 참석하는 회의이다.
- 나라의 중요한 문제를 의논하였고, 이 회의의 결정에 따라 국가가 운영되었다.

(　　　　　　　　　　)

4 **고구려가 일찍부터 활발한 정복 활동을 하였던 까닭은 무엇입니까? (　　　　)**

① 농업이 발달해서
② 무기를 잘 만들어서
③ 주변 나라와 사이가 좋아서
④ 전쟁을 좋아하는 민족이라서
⑤ 농사를 짓기 어려운 지역에 자리잡아서

02 백제의 성립과 건국 이야기

고구려에서 남쪽으로 내려온 세력이 한강 유역의 위례성에 자리잡고, 토착 세력들과 연합하여 **기원전 18년에 백제를 건국**하였습니다. 백제의 건국과 관련되어 다음과 같은 이야기가 전해 내려옵니다.

고구려 왕 주몽에게는 아들 유리, 비류, 온조가 있었다. 그런데 주몽이 부여에 두고 온 아들인 유리가 주몽을 찾아와 임금을 이을 자리에 오르자 비류와 온조는 고구려를 떠났다. 형인 비류는 고구려의 남쪽으로 내려와 미추홀에 자리를 잡았고, 동생인 온조는 위례성을 도읍으로 정하였다. 그런데 비류가 자리잡은 미추홀은 물이 짜서 농사짓기에 적합하지 않았다. 비류가 죽은 뒤 비류를 따르던 사람들은 온조에게 왔고, 온조는 백성이 많아지고 나라가 커지자 나라 이름을 십제(十濟)에서 백제(百濟)로 바꾸었다.

백제가 자리잡은 한강 유역은 기름진 평야가 발달하여 **농업과 철기 문화가 발달**하였습니다. 또한 바다와 가깝고 **교통이 편리**하여 중국의 선진 문물을 받아들이기 유리한 위치였습니다. 백제는 이러한 지리적 이점으로 주변의 여러 작은 나라를 통합하며 빠르게 성장해 갔습니다.

▲ **몽촌토성(서울 송파)** 서울시 송파구의 석촌동 고분군과 몽촌토성, 풍납토성이 있는 일대가 백제의 초기 수도인 위례성으로 추측됨.

백제의 귀족들은 **정사암 회의를 통해 나라의 중요한 일을 의논하고 재상을 뽑았습니다.** 귀족들이 정사암이라는 바위에 모여 재상을 뽑을 때 후보들의 이름을 쓴 상자를 바위 위에 놓고 며칠 후에 상자를 열어본 후 도장이 찍혀 있는 사람을 재상으로 뽑았다고 합니다. 이것으로 백제에 오늘날 비밀 선거와 같은 선거 방식이 있었음을 짐작할 수 있습니다. 또한 정사암(政事巖)이란 바위 이름을 통해 귀족들이 정사암에서 재상 선출 외에도 중요한 정사를 결정한 것으로 추측할 수 있습니다.

한국사 용어 콕!

- **토착**(土 흙 **토**, 着 붙을 **착**) 대를 이어 한 지방에서 사는 것.
  예문 그는 이곳저곳을 떠돌다가 지금 사는 곳에 **토착**하게 되었어요.
- **선진** 다른 것보다 앞서는 일.
- **재상** 왕을 돕고 나라의 일을 결정하는 높은 관직을 부르던 칭호.
- **정사** 정치에 관한 일.

핵심 Point!

정답 및 풀이 164쪽

❶ 고구려를 떠난 ☐☐는 위례성에 자리잡고 백제를 세웠다.
❷ 백제가 자리잡은 ☐☐ 유역은 지리적으로 많은 이점을 가지고 있었다.
❸ 백제의 귀족들은 ☐☐☐이라는 바위에 모여 재상을 뽑았다.

정답 및 풀이 164쪽

1 **백제를 건국한 세력과 관련이 깊은 나라는 어디입니까? (　　　　　)**

① 동예　② 옥저　③ 신라　④ 발해　⑤ 고구려

2 **백제의 건국 이야기를 바탕으로 다음 인물이 나라를 세운 지역을 선으로 바르게 연결하시오.**

(1) 비류 •　　• ㉠ 위례성

(2) 온조 •　　• ㉡ 미추홀

3 **백제가 자리잡은 한강 유역의 특징으로 알맞지 않은 것은 어느 것입니까? (　　　　　)**

① 교통이 편리했다.
② 철기 문화가 발달하였다.
③ 산이 많아 방어에 유리하였다.
④ 땅이 기름져 농업이 발달하였다.
⑤ 중국의 문물을 받아들이는 데 유리했다.

4 **다음에서 설명하는 백제의 귀족 회의를 무엇이라고 하는지 쓰시오.**

> 백제의 귀족들은 정사암에 모여 나라의 중요한 일을 의논하고 재상을 뽑았다.

(　　　　　　　　　　)

03 신라 성립과 건국 이야기

기원전 57년 오늘날 경주 지역에서 건국된 신라는 삼국 중 가장 먼저 세워졌습니다. 신라의 건국 이야기에 등장하는 사로국은 신라의 옛 이름으로 원래 진한의 ●소국이었습니다. 고조선이 멸망한 이후 남쪽으로 내려온 사람들이 경주 지역의 세력과 연합하여 사로국을 세웠고, 이것이 점차 신라로 발전했습니다. 신라의 건국 이야기는 다음과 같습니다.

여섯 마을로 이루어진 사로국이라는 작은 나라가 있었다. 어느 날 이 나라의 촌장이 나정이라는 우물가에서 울고 있는 흰 말과 커다란 알을 발견하였다. 얼마 후 알에서 남자아이가 나왔다. 촌장들은 박처럼 생긴 알에서 태어났다고 하여 성을 박, 세상을 밝게 한다는 뜻에서 이 아이에게 혁거세라는 이름을 지어 주었다. 사람들은 그를 하늘에서 내려온 아이라고 생각하여 사로국의 첫 번째 왕으로 삼았다.

신라는 왕권이 제대로 갖추어지지 않았던 건국 초기에 비슷한 힘을 가진 박씨, 석씨, 김씨의 **세 성씨가 돌아가며 왕위**에 올라 나라를 이끌었습니다. 그리고 나라의 중요한 일은 ●**상대등이 ●주관하는 귀족들의 회의인 화백 회의**에서 결정하였습니다. 화백 회의는 ●만장일치 제도로 운영되었기 때문에 회의에서 결정된 사항은 왕도 거부할 수 없었습니다.

▲ 신라의 왕궁이 있었던 월성(경북 경주)

4세기 중반 신라는 진한의 소국들을 신라의 영토로 편입시켰지만, **한반도 동남쪽에 위치**하였기 때문에 바닷길이나 한반도 북쪽을 통해 **중국의 선진 문물을 수용하는 데 어려움**을 겪어 고구려와 백제에 비해 발전이 늦었습니다. 가야와 왜의 잦은 침입도 신라의 성장을 방해하였습니다. 그래서 신라는 국가를 통합하고 발전시키는 데 오랜 시간이 걸렸습니다.

한국사 용어 콕!

● **소국**(小 작을 **소**, 國 나라 **국**) 힘이 약하거나 국토가 작은 나라.
● **상대등** 귀족 세력을 대표하는 신라의 최고 관직으로 왕을 도와 나랏일을 보는 한편 화백 회의를 이끌었음.
● **주관** 어떤 일을 책임지고 맡아 관리함.
● **만장일치** 모든 사람의 의견이 같음.
예문 가족 여행 장소가 **만장일치**로 결정되었어요.

핵심 Point!

정답 및 풀이 164쪽

❶ 알에서 태어난 □□□□는 사로국의 첫 번째 왕이 되었다.
❷ 기원전 57년에 경주 지역을 중심으로 □□가 세워졌다.
❸ 신라는 귀족 회의인 □□ □□에서 국가의 중요한 문제를 결정하였다.

• 정답 및 풀이 164쪽

1 **오늘날 경주 지역에서 시작된 신라의 옛 이름은 무엇인지 쓰시오.**

( )

2 **다음 ㉠, ㉡ 안에 들어갈 알맞은 말을 쓰시오.**

> 신라는 나라의 중요한 일을 (㉠)이(가) 주관하는 귀족들의 회의인 (㉡)에서 결정하였기 때문에 왕은 귀족들의 견제를 받았다.

㉠ ( ), ㉡ ( )

3 **다음 보기 에서 건국 초기 신라에 대한 설명으로 알맞은 것을 모두 골라 기호를 쓰시오.**

> 보기
> ㉠ 강력한 왕권을 바탕으로 빠르게 성장해 나갔다.
> ㉡ 진한의 여러 소국 중 하나인 사로국에서 출발하였다.
> ㉢ 박씨, 석씨, 김씨의 세 성씨가 교대로 왕위를 차지하였다.

( )

4 **신라가 고구려, 백제에 비해 발전이 늦었던 까닭은 무엇입니까? ( )**

① 왕의 권한이 강해서
② 산악 지역에 자리잡아서
③ 삼국 중에 가장 늦게 세워져서
④ 신라 사람들이 중국과 교류하는 것을 좋아하지 않아서
⑤ 지리적 위치상 중국의 선진 문물을 수용하기 어려워서

04 고구려의 성장을 위한 정책

척박한 산악 지역인 졸본에 자리잡았던 고구려는 농사를 짓기 어려웠기 때문에 일찍부터 주변 지역을 정복하였습니다. 점차 영역을 넓힌 고구려는 유리왕 때 주변 지역으로 진출이 유리한 압록강 주변의 **국내성으로 수도**를 옮겼습니다. 그 뒤 주변의 작은 나라를 정복하여 평야 지역으로 진출하였습니다.

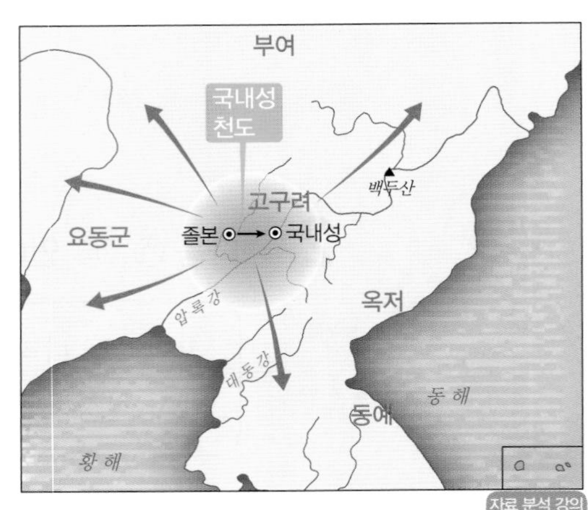

▲ 고구려 초기의 수도 이전

1세기 후반 태조왕은 왕권을 강화하고 중앙 집권 체제를 마련하는 한편, **옥저를 정복**하고 요동 지방으로 진출을 꾀하였습니다.

▲ 진대법

2세기 후반 **고국천왕이 왕위 계승을 형제 상속에서 부자 상속**으로 바꾸면서 왕권이 더욱 강화되었습니다. 왕권이 강해지면서 각 지역을 다스리던 5부의 부족적 성격이 약화되자 고국천왕은 5부를 동부, 서부, 남부, 북부, 중부의 방위를 의미하는 **행정 구역으로 변경**하였습니다. 그리고 봄에 식량이 떨어졌을 때 백성들에게 곡식을 빌려주고 가을에 추수한 후에 돌려받는 **진대법을 실시**하여 가난한 백성들이 빚을 갚지 못해 노비가 되는 것을 막고 빈민을 구제하였습니다.

4세기에 **미천왕은 한의 군현 지역을 정복하여 황해도까지 영토**를 넓혔습니다. 이렇게 세력을 확대하던 고구려는 고국원왕 때 중국의 침략을 받아 수도인 국내성이 함락되고, 수많은 백성이 포로로 잡혀가게 되었습니다. 또한 세력을 키운 **백제 근초고왕이 고구려를 공격하여 고국원왕이 전사**하면서 고구려는 국가적으로 큰 시련을 겪게 되었습니다.

한국사 용어 콕!

- **척박한** 땅이 기름지지 못하고 몹시 메마른.
- **계승** 앞선 사람의 뒤를 이어받음.
  예문 광개토 대왕의 아들인 장수왕이 왕위를 **계승** 받았어요.
- **한 군현** 중국의 한이 고조선을 무너뜨린 뒤 설치한 행정 구역. 낙랑, 임둔, 진번, 현도의 네 개의 군으로 구성되었음.
- **전사**(戰 싸움 **전**, 死 죽을 **사**) 전쟁터에서 적과 싸우다 죽음.

핵심 Point!

정답 및 풀이 165쪽

❶ ☐☐☐ 은 옥저를 정복하고 요동 지방으로 진출을 꾀하였다.

❷ ☐☐☐☐ 은 왕위 계승을 부자 상속으로 바꾸어 왕권을 강화하였다.

❸ 백제 근초고왕의 공격으로 ☐☐☐☐ 이 전사해 고구려는 국가적 위기를 맞았다.

• 정답 및 풀이 165쪽

1 다음 **보기** 에서 고구려가 수도를 졸본에서 국내성으로 이동한 까닭을 골라 기호를 쓰시오.

보기

㉠ 국내성이 중국과 더 가까워서
㉡ 주변 지역으로 진출이 유리해서
㉢ 졸본에 평야가 넓게 펼쳐져 있어서

( )

2 다음과 같은 업적을 이룬 고구려의 왕은 누구인지 쓰시오.

- 왕위 계승을 형제 상속에서 부자 상속으로 성립
- 각 지역을 다스리던 5부의 부족적 성격을 방위명을 의미하는 행정적 성격으로 개편

( )

3 다음에서 밑줄 친 이 제도가 무엇인지 쓰시오.

고국천왕은 가난한 백성들이 빚을 갚지 못해 노비가 되는 것을 막고, 빈민을 구제하기 위해서 이 제도를 실시하도록 하였다.

( )

4 다음 ( ) 안에 들어갈 왕은 누구입니까? ( )

고구려는 4세기 중반에 중국의 침입으로 국내성이 함락되었고, 백제 근초고왕의 공격으로 ( )이(가) 전사하면서 국가적인 위기를 맞았다.

① 태조왕 ② 미천왕 ③ 동성왕
④ 고국천왕 ⑤ 고국원왕

05 소수림왕의 체제 정비와 광개토 대왕의 영토 확장

4세기에 고구려는 고국원왕의 전사로 위기를 맞이하였습니다. 이러한 상황에서 왕위에 오른 **소수림왕**은 위기를 극복하기 위해 국가 체제를 정비하였습니다. 삼국 중에서 가장 먼저 중국으로부터 **불교를 받아들여** 국가의 권위를 높이고 백성들의 통합을 꾀하였습니다. 그리고 교육 기관인 **태학을 설립**하여 유교를 가르쳐 인재를 키우고자 하였으며, 나라의 법령인 **율령을 반포**하여 통치 조직을 정비하고 국가를 체계적으로 다스리고자 하였습니다. 소수림왕의 노력으로 고구려는 정치적 안정을 되찾을 수 있었고, 중앙 집권 국가를 완성하였습니다.

4세기 말 왕위에 오른 **광개토 대왕**은 소수림왕의 체제 정비를 바탕으로 영토를 확장하였습니다. 광개토 대왕은 먼저 남쪽으로 백제를 공격하여 **한강 이북까지 진출**하였습니다. 또 왜의 침략을 받은 신라의 내물왕이 고구려에 도움을 요청하자 광개토 대왕은 **신라에 5만의 군사를 보내 왜를 물리치고 가야 지역까지 진출**하였습니다. 이를 통해 고구려는 신라에 대한 영향력을 확대하였습니다.

◀ **호우명 그릇** 신라의 수도인 경주에서 출토된 그릇으로 광개토 대왕을 뜻하는 글자가 새겨져 있어서 광개토 대왕이 신라를 도와 왜를 물리친 것을 알 수 있음.

광개토 대왕은 북쪽으로도 영토를 확장하였습니다. 중국의 요동 지역을 확보하였고, 나아가 만주 지역의 대부분을 차지하였습니다. 이러한 광개토 대왕의 정복 활동을 통해 고구려는 **한반도 북부와 만주 일대**까지 이르는 넓은 영토를 확보하게 되었습니다. 광개토 대왕은 이 같은 영토 확장을 통한 자신감을 바탕으로 '영락'이라는 연호를 사용하여 중국과 대등한 국가임을 드러냈습니다. 광개토 대왕이 죽은 뒤 그의 아들인 **장수왕은 광개토 대왕릉비를 세워 그의 업적**을 기렸습니다.

▲ 광개토 대왕릉비(중국 지린)

한국사 용어 콕!

- **율령** '율'은 각종 범죄에 대한 처벌 규정이고 '령'은 제도 및 행정에 관한 규정.
- **반포** 모든 사람들이 알 수 있도록 두루 알리는 것.
- **중앙 집권 국가** 왕권이 약한 연맹 왕국과 달리 모든 권력이 왕에게 집중되어 왕을 중심으로 나라를 통치하는 국가.
- **연호** 왕이 자신이 나라를 다스리는 기간에 붙이는 칭호.

핵심 Point!

정답 및 풀이 165쪽

❶ 소수림왕은 교육 기관인 □□을 설립하여 인재를 키우고자 하였다.

❷ 광개토 대왕은 내물왕의 요청을 받아 □□에 침입한 왜를 물리쳤다.

❸ 장수왕은 광개토 □□□□를 세워 광개토 대왕의 업적을 기렸다.

정답 및 풀이 165쪽

2 단원

1 소수림왕이 국가의 권위를 높이고 백성들을 통합하기 위해서 중국으로부터 수용한 종교를 쓰시오.

(   )

2 다음 (   ) 안에 들어갈 알맞은 말을 쓰시오.

> 소수림왕은 (   )을(를) 반포하여 통치 조직을 정비하고 국가를 체계적으로 다스리고자 하였다.

(   )

3 다음 보기에서 광개토 대왕의 업적을 모두 골라 기호를 쓰시오.

> 보기
> ㉠ 태학을 설치하고 인재를 키웠다.
> ㉡ 한반도 북부와 만주 대부분의 지역을 차지하였다.
> ㉢ '영락'이라는 연호를 사용하여 중국과 대등한 국가임을 드러냈다.

(   )

4 다음 유물을 통해 추측할 수 있는 역사적 사실은 무엇입니까? (   )

▲ 호우명 그릇

① 고구려가 신라를 침략하였다.
② 신라가 가야의 지배를 받았다.
③ 신라가 중국과 직접 교류하였다.
④ 백제와 왜가 활발히 교류하였다.
⑤ 고구려가 신라에 영향력을 행사하였다.

06 고구려의 전성기를 이끈 장수왕

광개토 대왕에 이어 왕위에 오른 **장수왕은 수도를 국내성에서 대동강 유역의 평양**으로 옮겼습니다(427년). 그 이유는 평양은 대동강 유역의 평야를 끼고 있어 국내성보다 경제적으로 풍요롭고 바다로 진출하기도 유리하였기 때문입니다. 또 국내성에 세력 기반을 둔 귀족들의 힘을 약화시키려는 의도도 있었습니다.

당시 중국은 남북조로 나뉘어 있었는데 장수왕은 북조에서 힘을 발휘하고 있는 북위와 평화적 관계를 유지하였고, 북위와의 관계가 깨질 것에 대비하여 남조의 송과도 교류하였습니다. 장수왕은 **실리를 추구하는 외교 정책으로 중국과의 관계를 안정**시켰고, 이를 바탕으로 평양 천도 이후 본격적으로 남진 정책을 추진하였습니다.

장수왕의 남진 정책에 위협을 느낀 **백제와 신라는 나제 동맹을 맺어** 고구려에 대항하였습니다. 그러자 장수왕은 백제를 공격하여 수도 한성을 함락하였고, **한강 유역을 차지**하여 삼국 간의 경쟁에서 주도권을 잡았습니다. 이 무렵 고구려의 남쪽 영역은 한반도 중부 지방까지 이르렀는데, 이러한 사실은 **충주 고구려비**를 통해 알 수 있습니다.

광개토 대왕과 장수왕을 거치면서 고구려는 **한반도의 중부 지방부터 만주 지역**까지 대제국을 건설하였고, 동아시아의 강대국이 되었습니다. 고구려의 번영은 6세기 초까지 이어졌습니다.

충주 고구려비(충북 충주) ▶
5세기 무렵 고구려의 남쪽 영역을 알 수 있는 비석

▲ 고구려 전성기의 영토 확장 (5세기)

자료 분석 강의

한국사 용어 콕!

- **남북조** 중국이 남조와 북조로 나뉘었던 시대(420년~589년)를 이르는 말. 북조에는 북위가 남조에는 송이 힘을 발하고 있었음.

북조 북위 (386~534)
남조 송 (420~479)

- **천도**(遷 옮길 천, 都 도읍 도) 수도를 옮기는 것.
- **남진 정책** 고구려의 영토 대부분이 북쪽에 치우쳐 농사를 짓기 어려웠기 때문에 한반도 남쪽으로 영토를 확장하려고 한 정책.
- **나제 동맹** 삼국 시대에 신라와 백제가 고구려 장수왕의 남진을 막기 위해 맺은 동맹.
- **동아시아** 한국, 중국, 일본 등의 나라가 속해 있는 아시아의 동부 지역.

핵심 Point!

정답 및 풀이 165쪽

❶ 장수왕은 수도를 국내성에서 ☐☐으로 옮겼다.

❷ 평양 천도 이후 장수왕은 본격적으로 ☐☐ ☐☐을 실시하였다.

❸ 장수왕의 남진 정책에 위협을 느낀 백제와 신라는 ☐☐ ☐☐을 맺어 대항하였다.

1 다음 보기 에서 장수왕이 평양으로 천도한 까닭으로 알맞지 않은 것을 골라 기호를 쓰시오.

보기

㉠ 바다로 진출하기에 유리했다.
㉡ 평야가 발달하여 경제적으로 풍요로웠다.
㉢ 백제의 공격을 방어하기 유리한 지형이었다.
㉣ 국내성에 세력 기반을 둔 귀족들의 힘을 약화시킬 수 있었다.

( )

2 장수왕의 남진 정책에 대항하기 위해 나제 동맹을 맺은 두 나라를 쓰시오.

( )

중학교 시험 맛보기

3 오른쪽 지도와 같은 시기의 고구려 왕의 업적이 아닌 것은 어느 것입니까? ( )

① 광개토 대왕릉비를 세웠다.
② 국내성으로 수도를 옮겼다.
③ 백제를 공격하여 수도 한성을 함락하였다.
④ 중국의 남북조와 각각 외교 관계를 수립하였다.
⑤ 왕권 강화와 남진 정책 추진을 위해 수도를 옮겼다.

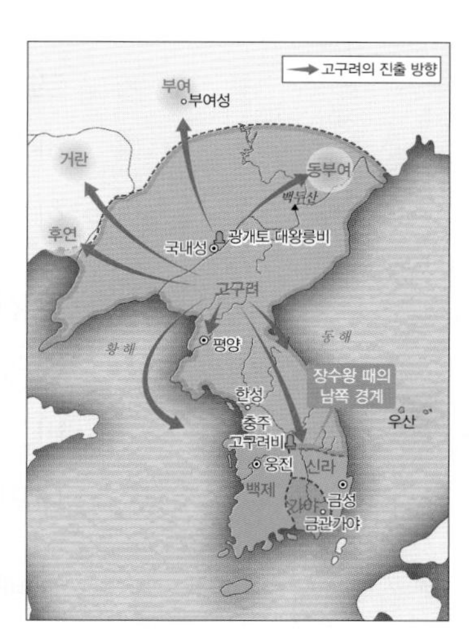

4 다음 역사적 사실을 알 수 있는 비석은 무엇인지 쓰시오.

고구려가 5세기에 한강 유역을 점령하여 한반도 중부 지방까지 지배하였다는 것을 알려 주는 비석이다.

( )

07 백제의 성장을 위한 노력

▲ 백제가 자리잡았던 한강 유역

백제가 자리잡았던 **한강 유역은 지리적으로 많은 장점**을 가지고 있었습니다. 한강을 통해 물자를 이동할 수 있어서 교통이 편리했고, 농사짓고 생활하기에 좋은 환경을 갖추고 있었습니다. 그리고 바다와 가까워 중국과의 교류에도 유리하였습니다. 이를 통해 백제는 빠르게 성장할 수 있었습니다.

백제는 3세기 중반 **고이왕 때 나라의 기틀**을 튼튼히 하였습니다. 고이왕은 먼저 **관등제를 새롭게 정비**하였습니다. 관리를 16개의 등급으로 나누고 가장 높은 등급에 해당하는 관리 여섯 명을 '좌평'이라 부르며, 6좌평에게 나라의 중요한 일을 맡겼습니다. 그리고 등급에 따라 관리들의 옷 색깔을 다르게 하는 **관복제를 실시**했습니다. 또한 법률을 만들어 나라의 질서를 유지하고자 하였습니다. 이처럼 고이왕 때 백제는 국가 조직을 정비하였고 **중앙 집권 체제를 마련**하였습니다.

건국 초기에 백제는 마한의 속국이었으며, 당시는 마한에서 목지국이 가장 강한 나라였습니다. 고이왕은 마한의 중심 세력인 **목지국을 정복**하고 한강 유역을 포함한 한반도 중부 지역을 장악하였습니다. 또한 고이왕은 한 군현의 계속되는 침략을 막아내면서 나라를 발전시켜 나갔습니다.

백제는 4세기 후반 **침류왕 때 중국의 동진으로부터 불교**를 받아들였습니다. 인도의 승려인 마라난타가 중국을 거쳐 백제까지 들어와 불교를 전하였습니다. 삼국 시대에 불교는 왕권을 높이고 백성들을 통합시키는 좋은 수단이었습니다. 침류왕은 불교를 받아들여 중앙 집권 체제를 뒷받침하였습니다.

한국사 용어 쾍!

- **관등제** 관리나 벼슬의 등급을 정하는 제도.
- **관복제** 관복은 등급에 따라 자색, 비색, 청색으로 나뉘었음.
- **장악**(掌 손바닥 **장**, 握 쥘 **악**) 손안에 잡아 쥔다는 뜻으로, 무엇을 마음대로 할 수 있게 됨을 이르는 말.

핵심 Point!

정답 및 풀이 165쪽

❶ 3세기 중반 백제의 □□□은 통치 조직을 정비하고 나라의 기틀을 다졌다.

❷ 백제는 마한의 □□□을 정복하여 한반도 중부 지역을 차지하였다.

❸ 백제는 □□□ 때 중국 동진으로부터 불교를 받아들였다.

정답 및 풀이 165쪽

1 다음 ( ) 안에 들어갈 알맞은 말을 쓰시오.

백제가 자리잡았던 ( ) 유역은 교통이 편리하였고 농사짓고 생활하기에도 좋은 환경을 갖추고 있었다. 그리고 중국을 통해 선진 문화를 받아들이는 데에도 유리하였다.

( )

2 단원

2 다음에서 설명하는 백제의 관직은 무엇입니까? ( )

백제에서 가장 높은 관직으로 16관등 중에서 1품에 해당하는 여섯 명의 관리를 말한다.

① 대가 ② 좌평 ③ 천군
④ 장군 ⑤ 상대등

3 다음 보기에서 백제 고이왕의 업적으로 옳은 것을 모두 골라 기호를 쓰시오.

보기

㉠ 목지국을 정복하였다.
㉡ 16등급의 관등제를 만들었다.
㉢ 신라를 정복하여 한반도 중부 지역을 차지하였다.
㉣ 정사암 회의에서 재상을 선출하여 왕권을 강화시켰다.

( )

4 다음 밑줄 친 '이 종교'는 무엇인지 쓰시오.

4세기 후반 침류왕 때 인도의 승려 마라난타가 중국 동진을 거쳐 백제로 건너와 이 종교를 전해 주었다.

( )

2 삼국의 성립과 발전

08 백제의 전성기를 이끈 근초고왕

4세기 중반 왕위에 오른 **근초고왕은 중앙 집권 체제를 확립하고 영토를 확장**하여 전성기를 누렸습니다.

근초고왕은 **부자 상속의 왕위 계승을 확립**하여 왕권을 강화하였고, 활발한 정복 활동을 펼쳤습니다. 근초고왕은 남쪽으로 **마한의 남은 세력을 정복**하여 전라도 남해안까지 영토를 확장하여 넓은 •곡창 지대를 확보하였습니다. 또한 낙동강 유역의 가야 연맹의 여러 나라에 대해서도 영향력을 행사하였습니다. 남쪽으로 영토를 확장한 근초고왕은 **북쪽의 고구려를 공격**하여 고국원왕을 전사시키고 황해도 일부 지역을 차지하였습니다.

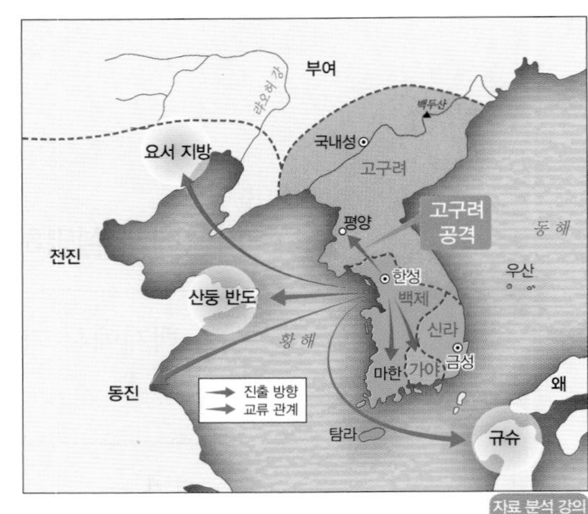

▲ 백제 전성기의 영토 확장과 대외 교류(4세기)

백제는 강력해진 국력을 바탕으로 해외 진출에도 적극 나섰습니다. 먼저 중국의 동진과 활발하게 교류하여 선진 문물을 받아들였습니다. 그리고 산둥 반도와 일본의 규슈 지방과도 교류하면서 서·남해안의 해상 •교역로를 안정적으로 확보하였습니다. 백제는 동진, 왜, 가야의 세력을 연결하여 고구려와 신라를 •견제하였으며, 중국이 혼란한 틈을 타 요서 지방까지 진출하였습니다. 이러한 **활발한 대외 교류**를 통해 삼국 간의 경쟁에서 주도권을 가지게 되었습니다.

'백제에서 왜왕을 위해 만들었으니 후세에 전하라'라는 글이 새겨져 있습니다.

▲ 칠지도

이 무렵 **백제는 왜왕에게 7개의 가지 모양으로 만들어진 칼인 칠지도**를 만들어 보내 주었습니다. 당시 왜는 철기 문화 수준이 낮아 백제의 철기 문화에 크게 의존하고 있었습니다. 칠지도는 백제의 수준 높은 철기 제작 기술뿐만 아니라 백제와 왜의 교류 관계를 알 수 있는 중요한 유물입니다.

한국사 용어 콕!

- **곡창 지대** 쌀 등의 곡식이 많이 나는 지대.
- **교역로**(交 교류할 **교**, 易 바꿀 **역**, 路 길 **로**) 상인이 물건을 사고팔고 바꾸기 위하여 지나다니는 길.
- **견제** 한쪽이 지나치게 세력이 커지지 않도록 다른 쪽이 통제하는 것.

핵심 Point!

정답 및 풀이 166쪽

❶ 백제는 4세기 중반 ☐☐☐☐ 때 전성기를 맞았다.

❷ 근초고왕은 ☐☐ 을 정복하여 전라도 남해안까지 영토를 확장하였다.

❸ 백제는 왜에게 7개의 가지 모양으로 만들어진 ☐☐☐ 를 만들어 보내 주었다.

1 다음 ( ) 안에 들어갈 알맞은 말을 쓰시오.

> 근초고왕은 왕위 계승을 형제 상속에서 ( ) 상속으로 바꾸어 왕권을 더욱 강화하였다.

( )

2 다음 보기 에서 백제 근초고왕의 영토 확장에 대한 설명으로 옳지 않은 것을 골라 기호를 쓰시오.

> **보기**
> ㉠ 마한의 남은 세력을 정복하였다.
> ㉡ 낙동강 유역의 가야 연맹에 대해서도 영향력을 행사하였다.
> ㉢ 고구려를 공격하여 장수왕을 전사시키고 황해도 일부 지역을 차지하였다.

( )

3 다음 ㉠, ㉡에 들어갈 알맞은 말을 쓰시오.

> 근초고왕 때 백제는 (㉠) 반도, 일본의 (㉡) 지방과도 교류하였고 중국의 요서 지방까지 진출하였다.

㉠ ( ), ㉡ ( )

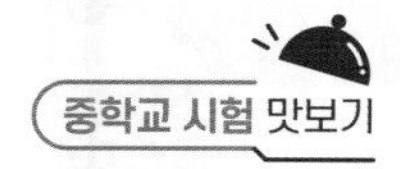

4 다음과 같은 유물을 통해 알 수 있는 사실로 알맞은 것은 어느 것입니까? ( )

▲ 칠지도

① 왜의 철기 문화 수준이 높았다.
② 가야와 왜가 친선 관계에 있었다.
③ 백제와 왜가 긴밀한 관계에 있었다.
④ 고구려가 신라의 정치에 간섭하였다.
⑤ 백제와 왜가 서로 대립 관계에 있었다.

09 백제의 중흥을 위한 노력

5세기에 백제는 고구려 장수왕의 남진 정책으로 위기를 맞았습니다. 이에 백제는 고구려의 남진에 대비하여 신라와 나제 동맹을 맺고, 중국 북위에 사신을 보내 도움을 요청하였으나 북위는 도와주지 않았습니다. 결국 백제는 장수왕이 이끄는 고구려군의 공격을 받아 수도 한성을 빼앗겼습니다. 한강 유역을 고구려에 빼앗긴 백제는 **수도를 웅진(공주)**으로 옮겼습니다(475년).

웅진 천도 이후 백제는 귀족 간의 세력 다툼으로 국력이 약해졌습니다. 이러한 상황에서 왕이 된 동성왕은 중국 남조와 외교 관계를 수립하였고, 신라 왕족과의 결혼으로 동맹을 강화하여 고구려에 대항하였습니다.

동성왕의 뒤를 이은 무령왕은 정치적 안정을 위해 많은 노력을 기울였습니다. 지방의 22 **담로에 왕족을 파견**하여 지방에 대한 통제를 강화하였고, **중국의 남조와 활발히 교류**하여 문화 발전에도 힘을 기울였습니다. 또한 고구려를 공격하기도 하는 등 점차 국력을 회복해 나갔습니다.

무령왕이 백제 중흥의 발판을 마련하였다면 이를 더욱 발전시킨 것은 성왕이었습니다. 성왕은 바닷길을 통해 대외 진출에 유리한 **사비(부여)로 수도**를 옮기고(538년), 나라 이름을 남부여로 고쳤습니다. 그리고 고구려 지배층의 혼란을 틈타 **신라의 진흥왕과 함께 고구려를 공격하여 한강 유역**을 되찾았습니다.

하지만 진흥왕은 백제가 차지한 한강 하류 지역을 다시 빼앗았습니다. 이로써 100년 이상 이어졌던 신라와 백제의 동맹이 깨졌고, 성왕은 군대를 이끌고 신라를 공격하였으나 **관산성 전투에서 전사**하고 말았습니다.

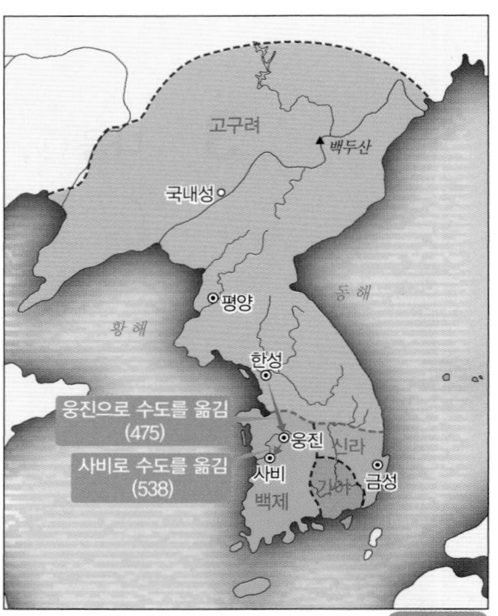

▲ 백제의 천도 과정

자료 분석 강의

한국사 용어 콕!

- **사신**(使 시킬 **사**, 臣 신하 **신**) 옛날에 임금이나 나라의 명령을 받고 다른 나라에 보내진 신하.
- **담로** 백제에서 지방 중심지에 설치한 행정 구역으로 지방에 대한 통제력을 강화하기 위해 왕족을 보내 다스리게 하였음.
- **중흥** 힘이 약해지던 것이 다시 일어나 흥하는 것.
- **대외**(對 대할 **대**, 外 바깥 **외**) 외부 또는 나라 밖에 대함.

핵심 Point!

정답 및 풀이 166쪽

❶ 백제는 고구려 장수왕의 공격으로 수도를 한성에서 ☐☐으로 옮겼다.

❷ 무령왕은 지방의 22 ☐☐에 왕족을 파견하여 지방 통제를 강화하였다.

❸ 성왕은 수도를 웅진에서 대외 진출에 유리한 ☐☐로 옮겼다.

정답 및 풀이 166쪽

2 단원

1 다음 지역을 백제의 수도 이동 과정에 맞게 순서대로 기호를 쓰시오.

㉠ 한성　　㉡ 사비　　㉢ 웅진

(　　　　) → (　　　　) → (　　　　)

2 다음에서 설명하는 백제의 왕은 누구인지 쓰시오.

22담로에 왕족을 파견하여 지방에 대한 통제를 강화하였고, 중국 남조와 활발하게 교류하여 문화 발전과 국력 회복에 힘썼다.

(　　　　)

3 다음 보기 에서 성왕에 대한 설명으로 옳은 것을 모두 골라 기호를 쓰시오.

보기

㉠ 관산성 전투에서 전사하였다.
㉡ 장수왕과 연합하여 신라를 공격하였다.
㉢ 사비로 수도를 옮기고 나라 이름을 남부여로 고쳤다.

(　　　　)

4 백제의 중흥기에 있었던 일이 아닌 것은 어느 것입니까? (　　　　)

① 신라와 결혼 동맹을 맺었다.
② 22담로에 왕족을 파견하였다.
③ 중국 남조와 활발하게 교류하였다.
④ 웅진에서 한성으로 수도를 옮겼다.
⑤ 진흥왕과 연합하여 고구려로부터 한강 유역을 빼앗았다.

10 신라의 성장을 위한 노력

신라는 4세기 후반 내물왕 때에 이르러 중앙 집권 체제를 갖추기 시작하였습니다. **김씨의 왕위 세습을 확립**하여 왕권을 강화하였고, 왕을 부르는 말을 대군장이란 뜻의 마립간으로 바꾸었습니다. 이 무렵 신라가 왜의 침입을 받자 내물왕은 **고구려 광개토 대왕의 도움을 받아 왜를 물리쳤습니다.** 이후 신라는 고구려의 간섭을 받게 되었으나 고구려를 통해 중국의 선진 문물을 받아들여 빠르게 성장할 수 있었습니다.

법흥왕이 이차돈의 목을 베자 목에서 흰색의 피가 솟구쳐 오르고 하늘에서 꽃비가 내렸습니다. 사람들은 이렇게 신비한 일이 일어난 것은 불교의 힘이라고 믿게 되었고 이를 계기로 불교를 공인할 수 있게 되었습니다.

▲ 이차돈 순교비

6세기 무렵 지증왕은 **나라 이름을 '신라'**로 정하고, 처음으로 왕의 •칭호를 사용했습니다. 지증왕에 이어 왕위에 오른 **법흥왕은 신라에 율령을 반포하고 관등제와 골품제를 정비**하는 등 중앙 집권 체제를 완성하였습니다. 한편 법흥왕은 불교를 널리 알리고 싶었으나 귀족들의 반대에 부딪혔습니다. 이때 이차돈의 •순교를 계기로 **불교를 •공인**하게 되었습니다. 또한 낙동강 유역으로 진출하여 금관가야를 흡수하였습니다.

신라는 중앙 집권 국가로 성장하면서 지배층을 서열화한 골품제라는 신분 제도를 마련하였습니다. 골품제는 왕족인 •성골과 진골로 이루어진 골제와 그 아래 6두품에서 1두품까지의 두품제로 이루어졌습니다. 신라 사람들은 **골품제에 따라 관직 진출에 제한**을 받았고, 집의 규모, 입을 수 있는 옷감의 종류 등 일상생활까지도 정해져 있었습니다. 골품제를 바탕으로 진골은 중요 관직을 독점하였으나, 6두품 이하의 사람들은 높은 관직에 오를 수 없었습니다. 이러한 차별은 신라 말 사회 분열의 원인이 되기도 했습니다.

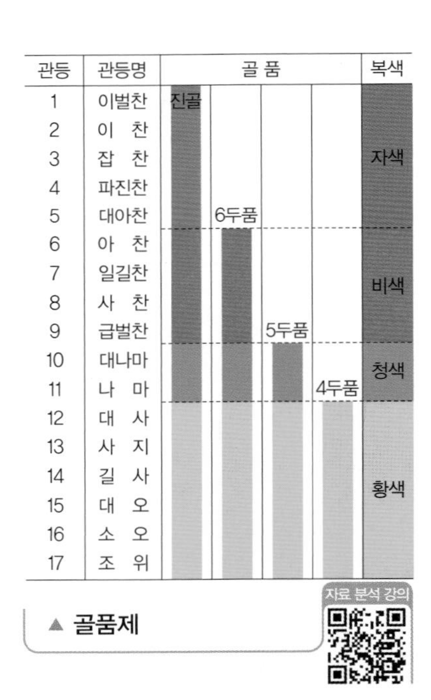

관등
관등명
골품
복색
1 이벌찬
2 이찬
3 잡찬
4 파진찬
5 대아찬
6 아찬
7 일길찬
8 사찬
9 급벌찬
10 대나마
11 나마
12 대사
13 사지
14 길사
15 대오
16 소오
17 조위
진골
6두품
5두품
4두품
자색
비색
청색
황색

▲ 골품제

자료 분석 강의

한국사 용어 콕!

- **칭호**(稱 일컬을 **칭**, 號 부르짖을 **호**) 어떤 뜻으로 부르는 이름.
- **순교** 자기가 믿는 종교를 지키기 위하여 목숨을 바치는 일.
- **공인** 국가, 공공 단체, 사회에서 정식으로 인정하는 것.
- **성골과 진골** 성골은 왕이 될 수 있는 가장 높은 신분이었고, 그 아래 신분이 진골이었음. 무열왕 이후부터는 진골 신분이 왕위를 계승하였음.

핵심 Point!

정답 및 풀이 166쪽

❶ 신라는 내물왕 때 왕을 부르는 말을 대장군이라는 뜻의 ☐☐☐으로 바꾸었다.

❷ 법흥왕은 ☐☐☐의 순교를 계기로 불교를 공인하였다.

❸ 신라에는 신분을 나누는 ☐☐☐라는 신분 제도가 있었다.

정답 및 풀이 166쪽

1 다음 ( ) 안에 들어갈 알맞은 왕을 쓰시오.

> 4세기 내물왕은 왜의 침입을 받았을 때 고구려 ( )의 도움으로 위기를 극복하였다.

( )

2 다음과 같은 업적을 남긴 신라 왕을 쓰시오.

> • 나라 이름을 '신라'로 정하였다.
> • 왕의 칭호를 '마립간'에서 '왕'으로 바꾸었다.

( )

중학교 시험 맛보기

3 법흥왕의 업적으로 알맞지 않은 것은 어느 것입니까? ( )

① 율령을 반포하였다.
② 불교를 공인하였다.
③ 금관가야를 흡수하였다.
④ 골품제과 관등제를 정비하였다.
⑤ 왕을 부르는 말을 마립간으로 바꾸었다.

4 다음에서 설명하는 신라의 신분 제도는 무엇인지 쓰시오.

> 왕족인 성골과 진골로 이루어진 골제와 그 아래 6두품에서 1두품까지의 두품제로 이루어져 있으며 관직 진출뿐만 아니라 일상생활까지도 엄격하게 제한하였다.

( )

11 신라의 전성기를 이끈 진흥왕

신라는 6세기 중반 **진흥왕 때에 큰 발전을 이루며 전성기**를 맞았습니다. 진흥왕은 불교를 적극적으로 장려하였고, 황룡사를 지어 불교 행사를 열었습니다. 그리고 신라의 청소년 수련 단체였던 **화랑도를 국가적인 조직으로 개편**하고 귀족의 자녀 중에 뛰어난 인물을 화랑으로 삼아 교육과 군사 훈련을 받도록 하였습니다. 화랑도에서 배출한 많은 인재는 신라의 영토 확장 과정에서 큰 역할을 하였습니다.

이러한 국가적 안정을 기반으로 진흥왕은 본격적으로 영토 확장에 나섰습니다. 동맹 관계에 있던 **백제의 성왕과 함께 고구려를 공격**하여 백제는 한강 하류 지역을 되찾았고, 신라는 한강 상류 지역을 차지하였습니다. 이후 진흥왕은 동맹을 깨고 백제가 확보한 한강 하류 지역을 빼앗았습니다. 이에 화가 나 공격해 온 백제 성왕과의 관산성 전투에서 진흥왕이 승리하였고, 신라는 **한강 유역을 모두 차지**하게 되었습니다.

그 뒤 진흥왕은 **고령의 대가야를 정복**하여 낙동강 서쪽 지역을 장악하였습니다. 그리고 북쪽으로는 고구려 영토였던 오늘날의 **함경도 일대까지 진출**하였습니다. 진흥왕은 정복한 각 지역에 **단양 신라 적성비와 4개의 진흥왕 순수비**를 세워 자신의 영토 확장을 기념하였습니다. 또한 진흥왕은 스스로를 '태왕'이라 칭하고, '개국'이라는 연호를 사용하는 등 강력해진 왕권과 국력에 대한 자신감을 나타냈습니다.

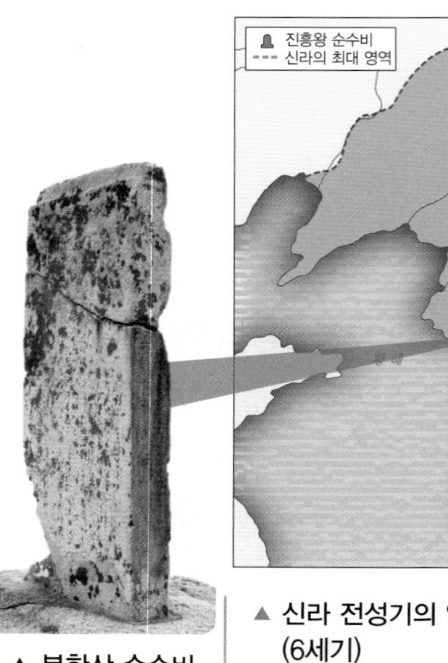

▲ 북한산 순수비

▲ 신라 전성기의 영토 확장 (6세기)

진흥왕 시기의 영토 확장으로 신라는 전성기를 누리며 삼국 간의 경쟁에서 주도권을 잡게 되었습니다.

한국사 용어 콕!

- **화랑도** 귀족 출신의 청소년 중에 선발된 화랑과 이를 따르는 다양한 신분의 낭도로 구성되었음.
- **배출** 인재가 계속해서 나옴.
  예문 뛰어난 인재 **배출**이 우리 학교의 목표예요.
- **단양 신라 적성비** 진흥왕 때 충청북도 단양군에 세워진 비석.

핵심 Point!

정답 및 풀이 166쪽

❶ 진흥왕은 ☐☐☐를 지어 불교 행사를 자주 열었다.

❷ ☐☐☐는 신라의 청소년 수련 단체로 교육과 군사 훈련을 실시하였다.

❸ 진흥왕은 백제 ☐☐과 함께 고구려를 공격하여 한강 유역을 차지하였다.

정답 및 풀이 166쪽

1 **다음에서 설명하는 신라의 단체는 무엇인지 쓰시오.**

- 진흥왕이 국가적인 조직으로 개편한 청소년 수련 단체이다.
- 귀족의 자녀 중에서 선발된 화랑과 이를 따르는 다양한 신분의 낭도로 구성되었다.

( )

2 **신라 진흥왕의 업적이 아닌 것은 어느 것입니까?** ( )

① 황룡사를 짓고 불교를 장려하였다.
② 화랑도를 국가 조직으로 개편하였다.
③ 단양 신라 적성비와 4개의 순수비를 세웠다.
④ 이차돈의 순교를 계기로 불교를 공인하였다.
⑤ 대가야를 정복하고 한강 유역 전체를 차지하였다.

3 **진흥왕이 영토 확장을 기념하여 세운 비석이 아닌 것은 어느 것입니까?** ( )

① 창녕 척경비
② 충주 고구려비
③ 황초령 순수비
④ 북한산 순수비
⑤ 단양 신라 적성비

4 **다음 ( ) 안에 들어갈 알맞은 말을 쓰시오.**

진흥왕은 영토 확장을 통한 자신감을 바탕으로 스스로를 '태왕'이라 칭하고, '( )'(이)라는 연호를 사용하였다.

( )

눈으로 읽는 딱 1분 개념정리

01 고구려의 성립과 건국 이야기 ~
11 신라의 전성기를 이끈 진흥왕

| 학습한 내용을 정리해 보며, 빈칸에 들어갈 키워드를 써 보세요.

• 정답 및 풀이 166쪽

❶ 삼국의 성립

① **삼국의 건국 이야기**

고구려	부여 출신 (❶)이 졸본 지역에 자리잡고 기원전 37년에 세웠음.
백제	고구려 계통의 온조가 한강 유역의 위례성에서 기원전 18년에 세웠음.
신라	박혁거세가 경주 지역에서 기원전 57년에 사로국(신라의 옛 이름)을 세웠음.

② **삼국의 귀족 회의:** 삼국은 건국 초기에 제가 회의(고구려), (❷) 회의(백제), 화백 회의(신라)의 귀족 회의를 통해 국가의 중요한 문제를 의논하여 결정하였음.

❷ 고구려의 성장과 발전

고국천왕	왕위 계승의 부자 상속을 확립하고 행정적 성격의 5부를 성립하였으며 진대법을 실시하였음.
소수림왕	불교를 수용하고 율령을 반포하였으며 (❸)을 설립하여 인재를 양성하였음.
광개토 대왕	• 신라를 침략한 왜를 물리치고 가야 지역까지 진출하였음. • 한반도 북부와 만주 일대까지 이르는 넓은 영토를 확보하게 되었음.
(❹)	• 중국 남북조 사이에서 실리를 추구하는 외교 정책으로 중국과의 관계를 안정시켰음. • 수도를 평양으로 옮기고 남진 정책을 추진하여 한강 유역을 점령하였음.

❸ 백제의 성장과 발전

고이왕	목지국을 정복하고, 관등제와 관복제를 제정하여 중앙 집권 체제를 마련하였음.
근초고왕	• 왕위 계승의 부자 상속을 확립하였음. • 마한을 정복하고 고구려를 공격하여 황해도 일부를 차지하였음.
침류왕	중국의 동진으로부터 (❺)를 받아들였음.
무령왕	지방의 22담로에 왕족을 파견하여 지방 통제를 강화하였음.
성왕	수도를 웅진에서 사비로 옮기고 나라 이름을 남부여로 고쳤으며 한때 한강 유역을 되찾았음.

❹ 신라의 성장과 발전

내물왕	왕의 칭호를 마립간으로 바꾸고 광개토 대왕의 도움을 받아 왜군을 물리쳤음.
지증왕	나라 이름을 '신라'로 정하고 처음으로 왕의 칭호를 사용하였음.
법흥왕	율령을 반포하고 관등제와 골품제를 정비하였으며 불교를 공인하였음.
(❻)	• 황룡사를 지어 불교를 장려하고 화랑도 제도를 개편하였음. • 한강 유역을 차지하고 대가야를 정복하였으며 함경도 일대까지 진출하였음.

한국사 생각쓰기

• 정답 및 풀이 166쪽

1 다음은 고구려와 신라의 건국 이야기를 나타낸 것입니다. 두 이야기에 공통적으로 담긴 의미는 무엇인지 쓰시오.

고구려를 세운 주몽은 유화 부인이 낳은 알을 깨고 나왔습니다.

신라를 세운 박혁거세는 우물가에 있던 커다란 알에서 나왔습니다.

생각 쓰기 Point

Point 1

고구려와 신라의 건국 이야기

	고구려	신라
세운 사람	주몽	박혁거세
세운 지역	졸본	경주 지역
공통점	나라를 세운 사람이 모두 알에서 태어남.	

2 다음은 5세기 고구려의 전성기 모습을 나타낸 자료입니다. 이러한 고구려의 영토 확장에 맞서 백제와 신라는 어떻게 대응하였는지 쓰시오.

▲ 충주 고구려비

▲ 고구려의 전성기

▲ 광개토 대왕릉비

Point 2

고구려 장수왕의 영토 확장

- 장수왕은 평양으로 천도한 이후 남진 정책을 추진하여 한강 유역을 차지하였습니다.
- 충주 고구려비를 통해 5세기 고구려의 영토 확장을 확인할 수 있습니다.

2 단원

12 가야의 성장과 멸망

변한이 있던 낙동강 하류 지역에서 철기 문화가 보급되면서 여러 나라들이 나타났습니다. 이 나라들이 모여서 가야 연맹을 이루었습니다. 가야의 건국에는 다음과 같은 이야기가 전해 내려옵니다.

▲ 구지봉(경남 김해)

아홉 명의 간(우두머리)과 마을 사람들은 구지봉에서 나는 신비한 소리를 들었다. 하늘에서 나는 소리를 따라 구지가를 부르며 춤을 추자 하늘에서 붉은 천이 덮인 금빛 상자가 내려왔다. 상자에는 황금색 알 여섯 개가 있었고 며칠 뒤 알에서 남자아이 여섯 명이 나왔다. 가장 먼저 태어난 아이가 김수로였고 금관가야의 왕이 되었다. 나머지 다섯 개의 알에서 태어난 아이들도 각각 가야국의 왕이 되었다.

가야 연맹은 6개의 나라로 이루어졌고, 건국 이야기에 의하면 그중 **금관가야는 김수로**가 세웠습니다.

초기에는 김해에 위치한 **금관가야가 연맹을 주도**하였습니다. 금관가야는 질 좋은 철을 많이 생산하여 **철기 문화가 발달**하였으며 낙랑과 왜 사이에서 중계 무역을 하며 성장하였습니다. 그러나 4세기 낙랑이 멸망하면서부터 선진 문물을 접하기가 어려워졌고, 5세기에 고구려 광개토 대왕의 공격을 받으면서 세력이 크게 약해졌습니다.

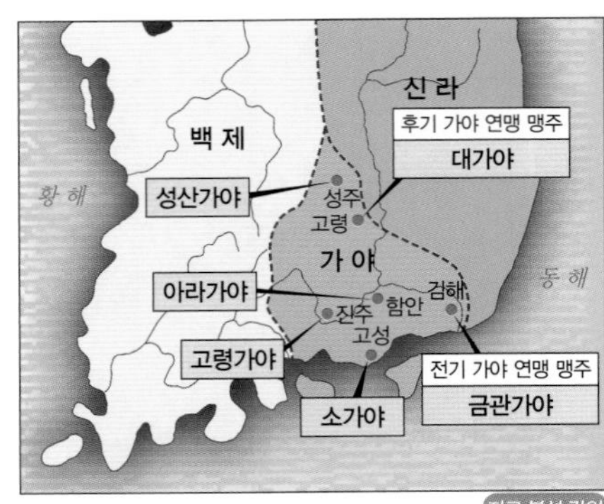

▲ 가야 연맹을 구성했던 6개 나라의 위치

금관가야가 약해진 이후 5세기 후반부터는 고령의 **대가야가 가야 연맹을 주도**하였습니다. 대가야는 삼국이 경쟁하는 틈을 이용하여 소백산맥 서쪽과 섬진강 방면으로 영역을 확대하였습니다. 그러나 6세기 초반 가야 연맹은 백제와 신라의 침략을 받아 세력이 약해졌고, 결국 **금관가야가 신라 법흥왕에게 항복**하였습니다(532년). 이후 **대가야가 신라 진흥왕의 침략을 받아 멸망**하였습니다(562년).

한국사 용어 콕!

● **보급** 널리 펴서 많은 사람들에게 골고루 미치게 하여 누리게 함.
예문 몇 년 사이에 스마트폰이 널리 **보급**되었어요.

● **구지가** '거북아 거북아, 머리를 내어놓아라. 내어놓지 않으면 구워 먹으리라.'라는 내용의 고대 가요.

핵심 Point!

정답 및 풀이 167쪽

❶ 낙동강 하류 지역에서 여러 나라들이 모여 ☐☐ 연맹을 이루었다.

❷ 건국 이야기에 따르면 알에서 가장 먼저 태어난 ☐☐☐가 금관가야를 세웠다.

❸ 가야는 풍부한 ☐을 바탕으로 성장하여 주변 지역과 교류하며 발전하였다.

정답 및 풀이 167쪽

2 단원

1 다음 보기 에서 가야의 건국 이야기를 통해 알 수 있는 것을 골라 기호를 쓰시오.

보기

㉠ 김수로가 금관가야를 세웠다.
㉡ 가야는 5개의 나라로 이루어졌다.
㉢ 가야는 철기를 만드는 기술이 우수했다.

( )

2 다음 ( ) 안에 들어갈 알맞은 말을 쓰시오.

금관가야에는 질 좋은 ( )을(를) 많이 생산하여 철기 문화가 발달하였다.

( )

3 초기 가야 연맹을 이끈 나라와 후기 가야 연맹을 이끈 나라를 각각 쓰시오.

(1) 초기 가야 연맹을 이끈 나라: ( )
(2) 후기 가야 연맹을 이끈 나라: ( )

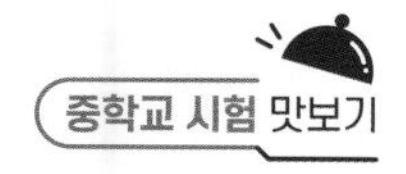

4 다음 역사적 사건들을 일어난 순서대로 나열한 것은 어느 것입니까? ( )

㉠ 대가야 가야 연맹 주도
㉡ 금관가야와 대가야 멸망
㉢ 금관가야 가야 연맹 주도
㉣ 고구려군의 금관가야 공격

① ㉠ - ㉡ - ㉢ - ㉣
② ㉡ - ㉢ - ㉣ - ㉠
③ ㉢ - ㉣ - ㉠ - ㉡
④ ㉢ - ㉠ - ㉡ - ㉣
⑤ ㉣ - ㉡ - ㉠ - ㉢

2 삼국의 성립과 발전

13 가야 문화의 발전

가야는 끊임없이 삼국의 견제를 받아 중앙 집권 국가로 발전하지 못하였으나 **풍부한 철을 바탕으로 철기 문화를 발전**시켰습니다. 가야에는 질 좋은 철이 많이 생산되어 다양한 철제 도구가 만들어졌습니다. 덩이쇠는 화폐로 사용되기도 하였고 불에 달궈 두드려 원하는 형태의 도구로 만들기도 하였습니다. **덩이쇠는 그 당시 인기가 많아서 낙랑과 왜로 수출**되었습니다. 가야의 판갑옷은 여러 장의 넓은 철판을 연결하여 만들었는데 이를 통해 당시 가야가 철을 다루는 기술이 뛰어났음을 알 수 있습니다.

▲ 덩이쇠

▲ 철제 판갑옷

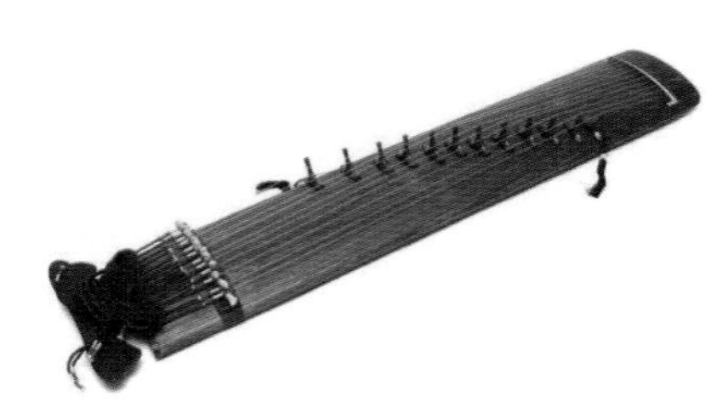
▲ 가야금

가야의 대표적인 악기에는 가야금이 있습니다. 가야금의 명인인 우륵이 당시 가야 연맹의 여러 나라에서 전해 내려오던 음악을 정리하여 열두 가락의 가야금 곡을 만들었습니다. 이 곡들은 가야 연맹의 결속을 다지는 기능을 하였습니다.

가야 연맹의 여러 나라들은 저마다 다양한 양식의 토기를 만들어 토기 문화를 발전시켰습니다. 가야의 토기는 날렵하고 세련되었으며, 일본에도 전해져 **일본의 스에키 토기의 발생에 영향**을 주기도 했습니다. 김해의 가야 무덤에서는 당시 가야의 대외 교류를 보여 주는 중국과 일본 계통의 유물들이 발굴되었습니다.

▲ 가야의 토기

▲ 일본의 스에키 토기

한국사 용어 쾩!

- **명인** 어떤 분야에서 재주가 뛰어나 유명한 사람.
- **가락** 일정한 리듬에 따라 이어져 있는 음을 세는 단위.
- **결속**(結 맺을 **결**, 束 묶을 **속**) 한 덩어리가 되게 묶음.

예문 사람들이 더욱 **결속**해야 위기를 극복할 수 있어요.

핵심 Point!

정답 및 풀이 **167쪽**

❶ 가야는 덩이쇠, 판갑옷 등 ☐을 이용한 다양한 유물을 남겼다.

❷ ☐☐☐은 가야의 대표적인 악기이다.

❸ 가야 토기는 일본의 ☐☐☐ 토기의 발생에 영향을 주었다.

정답 및 풀이 167쪽

1 다음 보기 에서 가야의 철기 문화 발달을 알 수 있는 유물을 모두 골라 기호를 쓰시오.

보기

㉠ ▲ 덩이쇠 ㉡ ▲ 말 머리 가리개 ㉢ ▲ 가야금

( )

2 다음에서 설명하는 인물은 누구인지 쓰시오.

가야금의 명인으로 가야 연맹의 여러 나라에서 전해 내려오던 음악을 정리하여 열두 가락의 가야금 곡을 만들었다.

( )

3 다음 ㉠, ㉡에 들어갈 알맞은 나라를 쓰시오.

(㉠) 토기의 영향을 받아 (㉡)의 스에키 토기가 제작되었다.

㉠ ( ), ㉡ ( )

중학교 시험 맛보기

4 가야에 대한 설명으로 옳지 않은 것은 어느 것입니까? ( )

① 가야는 중앙 집권 국가로 발전하였다.
② 가야에는 질 좋은 철이 많이 생산되었다.
③ 가야의 대표적인 악기에는 가야금이 있다.
④ 가야는 덩이쇠를 중국이나 일본으로 수출하였다.
⑤ 가야 무덤에서는 가야의 대외 교류를 알 수 있는 유물이 발견되었다.

14 삼국 시대 사람들의 생활 모습

삼국 시대는 귀족, 평민, 천민으로 나뉘는 **신분제 사회**였습니다. **귀족은 넓은 토지와 노비를 소유**하고 호화로운 생활을 하였습니다. 대부분의 평민들은 귀족의 땅을 빌려 농사를 지었고 수확한 곡식 대부분을 귀족에게 바쳐야 했습니다. 또한 국가에 **곡식이나 옷감 등을 세금**으로 바쳐야 했고, 궁궐을 짓거나 성을 쌓을 때 동원되기도 하였습니다. **노비는 가장 낮은 신분**으로 물건처럼 사고팔렸으며 주인의 지배를 받았습니다. 신라의 골품제는 삼국 중에서 가장 엄격한 신분 제도로 골품에 따라서 입을 수 있는 옷감의 종류, 집의 크기, 수레의 크기 등 세세한 것까지 정해 놓았습니다.

삼국 시대에는 신분에 따라 의식주 생활이 달랐습니다. **평민들은 얇고 거친 삼베옷**을 주로 입었고, 추운 겨울에는 삼베옷을 여러 겹 겹쳐 입거나 짐승 가죽이나 털로 만든 옷을 입기도 했습니다. 반면 **귀족들은 비단**으로 만든 화려한 옷을 입었습니다.

평민들은 조, 보리, 콩 등 잡곡을 주로 먹었습니다. 6세기 이후 보와 저수지, 철제 농기구를 사용하면서 벼농사가 발달하여 귀족들은 쌀밥을 먹기도 하였습니다. 평민들은 반찬으로 소금에 절여 만든 김치, 콩을 소금에 절인 된장 등을 먹었습니다. 왕이나 귀족들은 돼지고기, 닭고기, 꿩고기 등을 먹기도 했습니다.

또한 평민들은 통나무로 쌓아 만든 **귀틀집이나 초가집**에 살았습니다. 그러나 귀족들은 평민들이 사는 집과 달리 부엌과 우물, 수레, 창고, 마굿간을 갖춘 **기와집**에 살았습니다.

▲ **무용총 접객도(고구려)** 귀족은 크게 그렸고 시중드는 사람은 작게 그려서 신분 차이를 알 수 있음.

▲ **안악 3호분(고구려)** 부엌, 고깃간, 수레 창고가 있는 귀족의 집 모습이 나타나 있음.

한국사 용어 콕!

- **삼베옷** 삼의 껍질에서 뽑아낸 실로 만들어 짠 옷.

- **보** 둑을 쌓아 흐르는 냇물을 막고 그 물을 담아 두는 곳.
- **귀틀집** 통나무를 쌓아 올려 벽으로 삼은 집.

핵심 Point!

정답 및 풀이 167쪽

❶ 삼국 시대에는 귀족, 평민, 천민으로 ☐☐이 나뉘어 있었다.

❷ 삼국 시대에 평민들은 얇고 거친 ☐☐☐을 주로 입었다.

❸ 삼국 시대 ☐☐들은 부엌과 우물, 수레, 창고, 마굿간 등을 갖춘 기와집에서 살았다.

정답 및 풀이 167쪽

2 단원

1 다음과 같은 생활을 했던 삼국 시대의 신분을 쓰시오.

> 물건처럼 사고팔렸으며 주인의 지배를 받았다.

( )

2 삼국 시대 평민들의 생활 모습으로 알맞지 않은 것은 어느 것입니까? ( )

① 대부분 농사를 지었다.
② 국가에 세금을 바쳤다.
③ 궁궐을 짓거나 성을 쌓을 때 동원되었다.
④ 돼지고기, 닭고기, 꿩고기 등 고기를 자주 먹었다.
⑤ 삼베옷을 입고 조, 보리, 콩 등 잡곡을 주로 먹었다.

3 삼국 시대에 다음 신분이 살았던 집을 선으로 바르게 연결하시오.

(1) 평민 •   • ㉠ 기와집

(2) 귀족 •   • ㉡ 초가집

4 다음 고분 벽화에 대한 설명으로 옳지 않은 것은 어느 것입니까? ( )

▲ 무용총 접객도

① 고구려 사람들의 옷차림을 알 수 있다.
② 그림 속 사람의 크기는 신분을 나타낸다.
③ 고구려에서 유교가 발달한 것을 알 수 있다.
④ 고구려가 신분 사회였다는 것을 짐작할 수 있다.
⑤ 귀족은 크게 그리고 시중드는 사람은 작게 그렸다.

15 삼국의 불교문화

4세기 무렵 삼국은 중앙 집권 체제가 정비되면서, 이를 뒷받침할 지배 이념이 필요했습니다. 이에 왕실을 중심으로 불교를 적극 받아들이고 '왕이 곧 부처이다.'라는 이념을 바탕으로 왕권을 강화하고 백성을 통합하고자 하였습니다. 이에 따라 삼국은 도읍과 인근 지역에 많은 사찰을 세우고 탑과 불상을 만들면서 **불교문화가 크게 발전**하였습니다.

불교가 발전하면서 신라에는 황룡사와 분황사, 백제에는 미륵사와 정림사 등 많은 사찰이 건축되었습니다. 신라는 **황룡사에 9층 목탑**이 세워졌으나 고려 때 몽골의 침입으로 불타 버렸으며, 현재 돌을 벽돌 모양으로 다듬어 쌓은 **경주 분황사 모전 석탑**이 남아 있습니다. 백제의 탑으로는 목탑 양식을 지닌 석탑인 **익산 미륵사지 석탑과 부여 정림사지 5층 석탑**이 남아 있습니다. 고구려는 주로 목탑을 만들었으나 현재까지 남아 있는 것은 없습니다. 불상으로는 **고구려의 금동 연가 7년명 여래 입상, 백제의 서산 마애 여래 삼존상, 신라의 경주 배동 석조 여래 삼존 입상** 등이 있습니다.

삼국의 불교는 일본에까지 전달되어 한·중·일 동아시아 삼국의 공통된 문화 요소로 자리잡았고, 동아시아 국가 간의 교류에서 중요한 매개체 역할을 하였습니다. 가야에도 백제나 신라를 통해 불교가 전래되었을 것으로 추측되지만, 왕권이 약한 상태에서 멸망하여 불교 예술을 남기지 못하였습니다.

고구려

불상의 뒷면에 고구려와 관련된 글이 새겨져 있으며 신라 지역에서 발견되었습니다.

▲ 금동 연가 7년명 여래 입상

백제

▲ 익산 미륵사지 석탑

신라

▲ 경주 분황사 모전 석탑

한국사 용어 콕!

- **사찰** 규모가 큰 절
- **목탑과 석탑** 목탑은 나무로 만든 탑이고 석탑은 돌로 쌓은 탑임.
- **매개체** 둘 사이에서 어떤 일을 맺어 주는 역할을 하는 것.

예문 우리는 책을 **매개체**로 지식을 습득해요.

핵심 Point!

정답 및 풀이 167쪽

❶ 삼국은 중앙 집권 체제가 정비되면서 이를 뒷받침할 이념으로 [ ][ ]를 적극 받아들였다.

❷ 신라의 [ ][ ][ ] 9층 목탑은 고려 때 몽골의 침입으로 불타 버렸다.

❸ 금동 연가 7년명 여래 입상은 신라에서 발견된 [ ][ ][ ]의 불상이다.

정답 및 풀이 167쪽

2 단원

1 다음 (　　) 안에 들어갈 알맞은 말을 쓰시오.

> 삼국은 왕실을 중심으로 (　　　　)을(를) 적극 받아들여 왕권을 강화하고 백성을 통합하고자 하였다.

(　　　　　　　　　)

2 다음 보기 에서 삼국의 불교문화와 관련된 모습으로 알맞지 않은 것을 골라 기호를 쓰시오.

> 보기
> ㉠ 사찰이 많이 지어졌다.
> ㉡ 탑과 불상이 만들어졌다.
> ㉢ 금속 활자를 이용하여 불교 경전을 만들었다.

(　　　　　　　　　)

중학교 시험 맛보기

3 삼국의 탑에 대한 설명으로 옳지 않은 것은 어느 것입니까? (　　　　)

① 고구려 목탑은 남아 있는 것이 없다.
② 신라는 황룡사 9층 목탑을 만들었다.
③ 백제는 정림사지 5층 석탑을 만들었다.
④ 백제의 미륵사지 석탑은 목탑 양식으로 세워진 석탑이다.
⑤ 가야의 분황사 모전 석탑은 돌을 벽돌 모양으로 다듬어 쌓았다.

4 뒷면에 고구려에 관한 기록이 있고 신라 지역에서 발견된 고구려의 불상을 골라 ○표 하시오.

(1)

▲ 금동 연가 7년명 여래 입상
(　　　)

(2)
▲서산 마애 여래 삼존상
(　　　)

(3)

▲ 경주 배동 석조 여래 삼존 입상
(　　　)

16 삼국의 고분

삼국 시대 사람들은 살아서의 삶이 죽어서도 그대로 이어진다고 생각했습니다. 그래서 죽어서도 삶을 이어갈 수 있도록 그릇, 무기, 장신구 등의 껴묻거리를 넣고 화려하게 꾸민 거대한 무덤을 만들었습니다.

삼국의 고분은 나라마다 다양합니다. **고구려는 초기에 돌을 쌓아 만든 돌무지무덤**을 만들었습니다. 계단식으로 7층까지 쌓아올린 장군총은 대표적인 돌무지무덤입니다. 이후 중국의 영향을 받아 무덤 내부에 널(관)을 둘 수 있는 널방을 돌로 만들고 통로로 연결한 후, 그 위에 흙을 쌓은 굴식 돌방무덤으로 점차 바뀌었습니다. 고구려 사람들은 **굴식 돌방무덤의 벽면과 천장에 당시의 생활, 문화, 종교 등을 표현한 벽화**를 그렸습니다.

백제는 **한성 시기에 고구려와 유사한 형태인 계단식 돌무지무덤**을 만들었습니다. 이를 통해 백제를 건국한 세력이 고구려 계통이라는 사실을 알 수 있습니다. 웅진으로 천도한 이후에는 굴식 돌방무덤이나 **중국 남조의 영향으로 벽돌로 쌓은 벽돌무덤**을 만들었습니다. 벽돌무덤인 무령왕릉에서는 백제의 금제 관식과 중국 남조의 영향을 받은 석수, 일본 소나무로 만든 목관이 함께 발견되어 백제의 대외 관계를 알 수 있습니다. 사비 시기에는 굴식 돌방무덤을 만들었습니다.

신라는 **초기에 천마총 등 돌무지덧널무덤**을 많이 만들었습니다. 이 무덤은 나무 덧널 안에 껴묻거리 상자를 넣고 그 위에 돌을 쌓은 후, 다시 흙을 덮은 구조입니다. 이러한 구조 때문에 도굴이 어려워 유물이 많이 남아 있습니다. 신라는 이후 고구려와 백제의 영향을 받아 굴식 돌방무덤을 많이 만들었습니다.

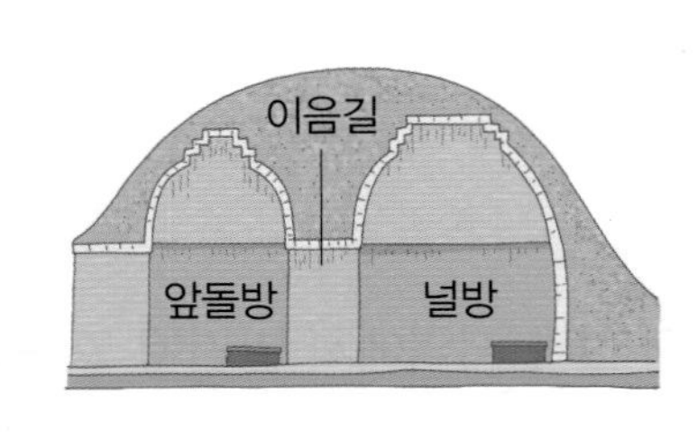

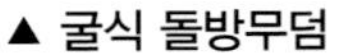
▲ 굴식 돌방무덤

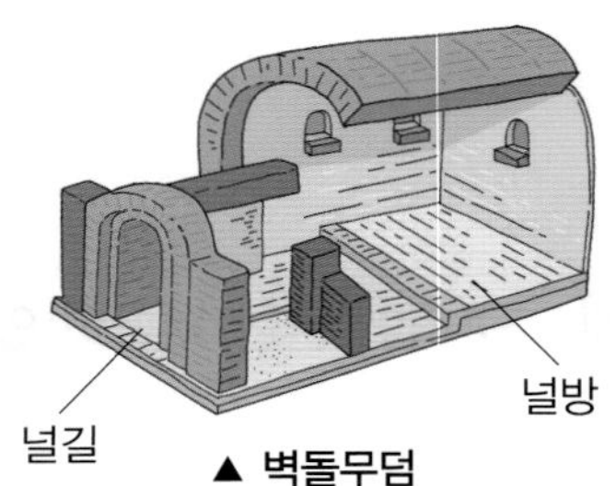

▲ 벽돌무덤

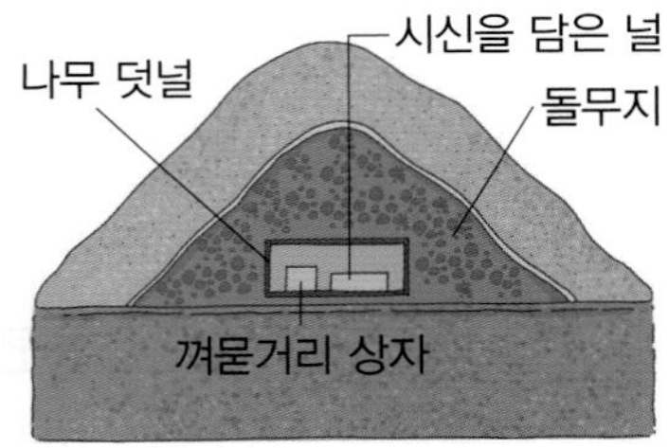

▲ 돌무지덧널무덤

한국사 용어 쿡

- **껴묻거리** 장례를 치를 때 시체와 함께 묻는 물건을 통틀어 이르는 말.
- **고분**(古 옛 **고**, 墳 무덤 **분**) 역사적 가치가 있는 옛날 무덤.
- **장군총** 중국 지린성에 위치하며 광개토 대왕이나 장수왕의 것으로 추측됨.
- **무령왕릉** 무령왕의 무덤으로 우리나라에 남아 있는 유일한 벽돌무덤.
- **석수** 무덤을 지키는 동물 모양의 돌.
- **덧널** 널(관)을 넣기 위하여 짜맞춘 시설.
- **도굴**(盜 훔칠 **도**, 窟 팔 **굴**) 유적이나 고분 속의 유물을 불법적으로 몰래 파내는 것.

핵심 Point!

정답 및 풀이 168쪽

❶ 고구려 초기에는 장군총과 같이 돌을 쌓아 만든 ☐☐☐무덤을 만들었다.

❷ 백제 무령왕릉은 중국 남조의 영향을 받은 ☐☐무덤이다.

❸ 신라의 돌무지☐☐☐☐은 도굴이 어려워서 유물이 많이 남아 있다.

정답 및 풀이 168쪽

1 삼국 시대에 왕들이 죽으면 여러 가지 껴묻거리와 함께 화려하게 꾸민 무덤을 만든 까닭은 무엇입니까? (　　　　)

① 불교의 가르침에 따르기 위해서
② 후대 사람들에게 자신을 알리기 위해서
③ 죽은 사람을 오랫동안 기억하기 위해서
④ 죽으면 동물로 다시 태어난다고 생각해서
⑤ 살아 있을 때의 삶이 죽어서도 이어진다고 생각해서

2 다음에서 설명하는 무덤 양식은 무엇인지 쓰시오.

> 고구려는 중국의 영향을 받아 무덤 내부에 돌로 널방을 만들고 통로로 연결한 후, 그 위에 흙을 쌓은 무덤으로 점차 바뀌었으며 벽면과 천장에 벽화가 그려졌다.

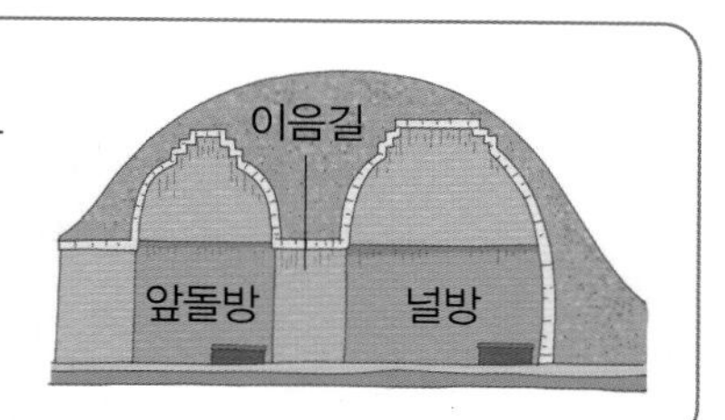

(　　　　　　　　　　)

3 다음과 같은 유물이 발견된 백제의 무덤은 무엇인지 쓰시오.

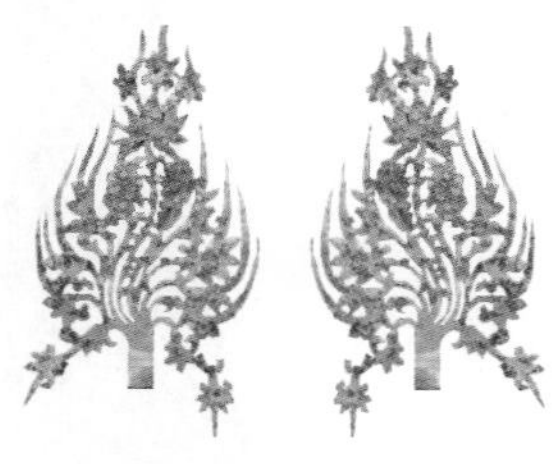
▲ 금제 관식

▲ 석수

▲ 목관

(　　　　　　　　　　)

4 삼국의 고분에 대한 설명으로 옳은 어느 것입니까? (　　　　)

① 고구려의 장군총은 대표적인 벽돌무덤이다.
② 신라는 초기에 굴식 돌방무덤을 많이 만들었다.
③ 돌무지무덤의 내부에는 벽화가 그려진 경우가 많다.
④ 백제는 한성 시기에 고구려와 유사한 형태인 돌무지무덤을 만들었다.
⑤ 돌무지덧널무덤은 도굴하기 쉬운 구조이기 때문에 유물이 많이 남아 있지 않다.

17 삼국의 학문과 과학 기술

신라의 청소년 두 명이 3년 안에 유교 경전을 익히기로 맹세한 내용이 적혀 있습니다.

▲ 임신서기석

삼국에서는 한자가 널리 사용되었고 유학이 발전하였습니다. 교육 기관도 설립되어 유교 교육이 활발히 이루어졌습니다. 고구려는 소수림왕 때 수도에 **국립 교육 기관인 태학을 설치**하였고, 지방에도 경당을 두어 유교 경전을 가르치게 했습니다. **백제는 오경박사**를 두어 유학을 교육하였습니다. 신라의 원광 법사는 화랑들에게 유교적 내용이 포함된 세속 오계를 가르쳤습니다. **신라의 임신서기석**의 내용을 보면 신라의 청소년들이 유교 경전을 공부하고 이를 실천하고자 애썼음을 보여 줍니다.

삼국은 학문이 발달하고 중앙 집권 체제가 안정되면서 **각 나라의 역사를 책으로 기록**하여 왕실의 권위를 높이고 백성들을 단결시키고자 하였습니다. 고구려는 일찍이 『유기』 100권을 만들었다가 이후에 『신집』 5권으로 간추려서 다시 썼고, 백제는 근초고왕 때 『서기』를 편찬하였습니다. 신라는 진흥왕 때 거칠부가 중심이 되어 『국사』를 편찬하였습니다. 그러나 이 책들은 현재 모두 전해지지 않고 있습니다.

삼국에서는 농업을 발전시키고 왕의 권위를 하늘에 연결하기 위해 천문학이 발달하였습니다. 고구려 고분 벽화에는 별자리 그림이 그려져 있고, 신라에서는 선덕 여왕 때 **여러 행성의 움직임을 관찰하기 위해 첨성대**를 만들었습니다.

▲ 첨성대(경북 경주)

▲ 금동 대향로

또한 금속 공예 기술도 발달하였습니다. **백제의 칠지도와 금동 대향로**, 신라 고분에서 나온 금관들과 각종 화려한 장신구들은 삼국 시대의 뛰어난 금속 공예 기술을 보여 줍니다. 특히 금동 대향로는 온갖 동식물과 신선으로 보이는 사람을 조각하여 **백제인의 뛰어난 예술 감각**을 알 수 있습니다.

한국사 용어 쿡!

- **경전** 학문의 가르침을 기록해 놓은 책.
- **오경박사** 백제에서 유교의 다섯 가지 경전을 모두 익힌 사람에게 준 관직.
- **세속 오계** 신라 화랑이 지켜야 할 다섯 가지의 계율로, 사군이충(임금을 충성으로 섬김.), 사친이효(부모를 효로 섬김.), 교우이신(친구는 믿음으로 사귐.), 살생유택(생명을 죽일 때는 가림이 있어야 함.), 임전무퇴(전투에 임해서는 물러나지 않음.)의 내용을 담고 있음.
- **단결** 여러 사람의 생각이나 힘이 한데 뭉친 것.
- **천문학** 우주 전체와 그 안에 있는 여러 별과 행성을 연구하는 학문.

핵심 Point!

정답 및 풀이 168쪽

❶ 고구려는 소수림왕 때 수도에 국립 교육 기관인 ☐☐을 설치하였다.

❷ ☐☐☐☐☐의 내용을 보면 신라 청소년들이 유교 경전을 공부했음을 알 수 있다.

❸ 신라에서는 여러 행성의 움직임을 관찰하기 위해 ☐☐☐를 만들었다.

정답 및 풀이 168쪽

2 단원

1 **다음에서 설명하는 백제의 관직은 무엇인지 쓰시오.**

백제에서 유교의 다섯 가지 경전을 통달한 사람에게 준 관직으로 교육을 담당하며 인재를 양성하였다.

( )

2 **삼국에 유학이 전해진 증거로 옳지 않은 것은 어느 것입니까?** ( )

① 태학
② 경당
③ 세속 오계
④ 임신서기석
⑤ 금동 대향로

3 **선덕 여왕 때 세워진 다음과 같은 신라의 천문대는 무엇인지 쓰시오.**

( )

중학교 시험 맛보기

4 **다음과 같은 문화유산을 통해 알 수 있는 것은 무엇입니까?** ( )

• 칠지도	• 금관총 금관	• 금동 대향로

① 천문학
② 인쇄술
③ 불교문화
④ 건축 기술
⑤ 금속 공예 기술

18 삼국의 대외 관계

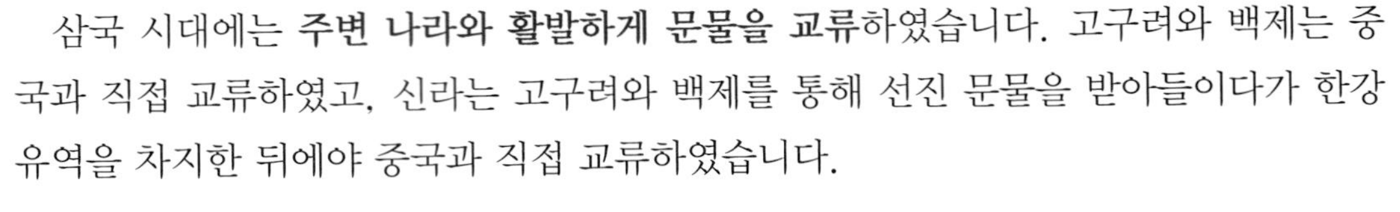

삼국 시대에는 **주변 나라와 활발하게 문물을 교류**하였습니다. 고구려와 백제는 중국과 직접 교류하였고, 신라는 고구려와 백제를 통해 선진 문물을 받아들이다가 한강 유역을 차지한 뒤에야 중국과 직접 교류하였습니다.

삼국은 중앙아시아의 **서역과도 교류**하였습니다. 고구려 각저총 고분 벽화인 씨름도에는 서역인으로 보이는 인물이 그려져 있고, 우즈베키스탄의 아프라시아브 궁전 벽화에는 고구려 사신으로 추측되는 사람들의 모습이 그려져 있습니다. 또 경주의 고분에서는 서역에서 만든 물건이 발견되어 신라가 서역과 교류하였음을 알 수 있습니다.

삼국은 중국과 서역의 문화를 받아들여 독자적으로 발전시킨 후, 이를 다시 일본에 전해 주었습니다. **일본과 가장 활발하게 교류한 나라는 백제**였으며, 한문과 유교 경전, 불교 등을 일본에 전해 주었습니다. 고구려는 종이와 먹을 만드는 방법을, 신라는 배 만드는 기술과 제방을 쌓아 저수지를 만드는 기술을 전해 주었습니다. 가야 또한 철제 갑옷과 토기 제작 기술을 전해 주었습니다.

다카마쓰 고분 벽화와 고구려 수산리 고분 벽화 속 사람들의 비슷한 옷차림과 우리나라의 금동 미륵보살 반가 사유상과 재료만 다를 뿐 그 모양이 거의 같은 일본 고류 사의 목조 미륵보살 반가 사유상을 통해 일본이 삼국의 영향을 받았음을 알 수 있습니다.

신라의 경주 고분에서 발견된 것으로 서역에서 전래된 것으로 보여요.

▲ 장식 보검

▲ 금동 미륵보살 반가 사유상

▲ 고류 사 목조 미륵보살 반가 사유상

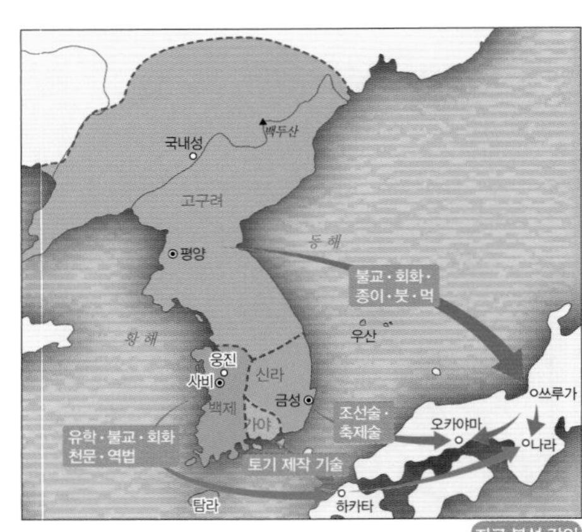

▲ 삼국 문화의 일본 전파

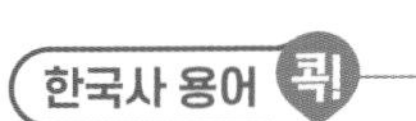

- **서역**(西 서쪽 **서**, 域 구역 **역**) 중국의 서쪽에 있던 지역으로 중앙아시아, 서아시아, 인도 등을 이르는 말.
- **아프라시아브 궁전 벽화** 오른쪽 끝에 있는 두 명이 고구려 사신으로 추측됨.

핵심 Point!

정답 및 풀이 168쪽

❶ ☐☐는 한강 유역을 차지하기 전까지 고구려와 백제를 통해 중국과 교류하였다.

❷ 아프라시아브 궁전 벽화를 통해 고구려가 ☐☐과 교류하였음을 알 수 있다.

❸ ☐☐는 일본과 가장 활발하게 교류하여 한문, 유학, 불교 등을 전해 주었다.

1 삼국이 서역과 교류하였음을 알 수 있는 유물이나 유적을 모두 골라 ○표 하시오.

(1) ▲ 각저총 씨름도 ( )
(2) ▲ 장식 보검 ( )
(3) ▲ 금동 미륵보살 반가 사유상 ( )

2 단원

2 삼국과 일본의 교류 내용을 선으로 바르게 연결하시오.

(1) 고구려 • • ㉠ 한문, 유교, 불교

(2) 백제 • • ㉡ 배 만드는 기술

(3) 신라 • • ㉢ 종이와 먹 만드는 방법

3 삼국 시대에 일본에 철제 갑옷과 토기 제작 기술을 전해 준 나라를 쓰시오.

( )

4 다음은 일본과의 교류를 알 수 있는 고분 벽화입니다. ( ) 안에 들어갈 알맞은 나라를 쓰시오.

▲ ( ) 수산리 고분 벽화 ▲ 일본 다카마쓰 고분 벽화

( )

눈으로 읽는 딱 1분 개념정리

12 가야의 성장과 멸망 ~
18 삼국의 대외 관계

| 학습한 내용을 정리해 보며, 빈칸에 들어갈 키워드를 써 보세요.

• 정답 및 풀이 168쪽

❶ 가야의 성립과 성장

① **가야의 건국 이야기:** 6개의 황금색 알 중에서 가장 먼저 나온 (❶   )가 금관가야의 왕이 되었고 나머지 다섯 명의 아이들이 각각 가야국의 왕이 되었다고 함.

② **가야의 성장과 멸망**

성립	⇨	금관가야(김해)	⇨	대가야(고령)	⇨	멸망
낙동강 하류 유역에서 가야 연맹 형성		초기 가야 연맹을 주도 → 광개토 대왕의 공격으로 쇠퇴		후기 가야 연맹 주도		금관가야(법흥왕 때), 대가야(진흥왕 때)

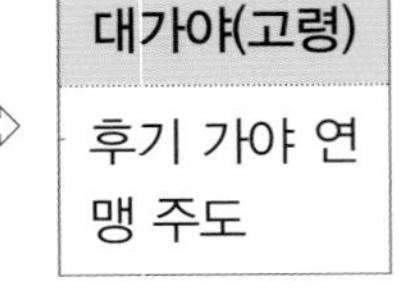

③ **가야의 문화**

- 우수한 (❷   ) 문화를 바탕으로 덩이쇠, 판갑옷 등 다양한 철제 도구를 만들었음.
- 가야 토기는 일본의 스에키 토기의 발생에 영향을 주었음.

❷ 삼국 사람들의 생활 모습

(❸)	넓은 땅과 노비를 가지고 기와집에 살면서 호화로운 생활을 하였음.
평민	대부분 농사를 지었고, 초가집이나 귀틀집에 살며 나라에 세금을 바쳤음.
천민	최하층의 신분으로 물건처럼 사고팔렸으며 주인의 지배를 받으며 살았음.

❸ 삼국의 문화와 대외 관계

① **삼국의 불교 문화유산**

사찰	황룡사와 분황사(신라), 미륵사와 정림사(백제)
석탑	경주 분황사 모전 석탑(신라), 익산 미륵사지 석탑(백제), 부여 정림사지 5층 석탑(백제)
불상	금동 연가 7년명 여래 입상(고구려), 서산 마애 여래 삼존상(백제), 경주 배동 석조 여래 삼존 입상(신라)

② **삼국의 고분**

고구려	초기에는 돌무지무덤(장군총)을, 후기에는 (❹)을 만들었음.
백제	• 한성 시기: 고구려와 유사한 형태인 계단식 돌무지무덤을 만들었음. • 웅진 시기: 굴식 돌방무덤이나 중국 남조의 영향을 받아 벽돌무덤(무령왕릉)을 만들었음. • 사비 시기: 굴식 돌방무덤을 만들었음.
신라	초기는 (❺)을, 후기에는 굴식 돌방무덤을 만들었음.

③ **삼국의 학문과 과학 기술**

- 학문: 삼국은 유학 교육을 활발하게 하였고, 고구려는 태학을 설치하여 유학을 가르쳤음.
- 과학 기술: 천문학(신라 첨성대), 금속 공예 기술(백제 칠지도와 금동 대향로, 신라 금관)이 발달했음.

④ **삼국의 대외 교류:** 삼국은 주변 나라와 활발히 교류하였으며 일본 문화 발전에 영향을 주었음.

한국사 생각쓰기

• 정답 및 풀이 168쪽

1 다음은 고구려의 굴식 돌방무덤과 신라의 돌무지덧널무덤의 구조를 나타낸 것입니다. 이를 보고, 각 무덤의 특징을 쓰시오.

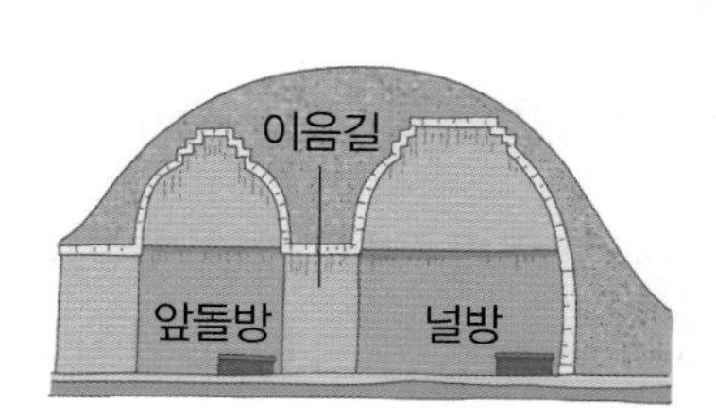

▲ 굴식 돌방무덤

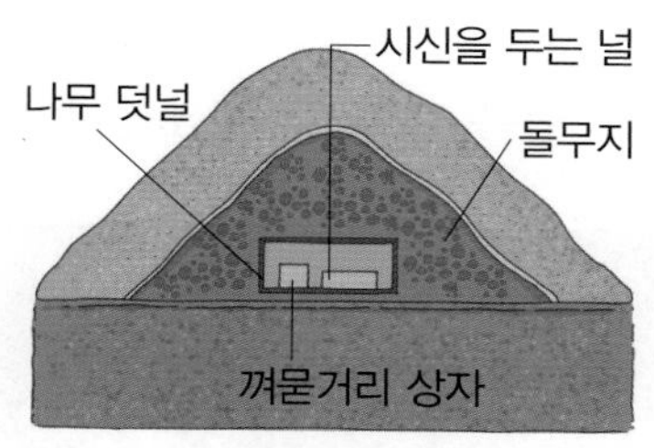

▲ 돌무지덧널무덤

2 다음은 우리나라와 일본의 문화유산입니다. 이를 통해 알 수 있는 것은 무엇인지 쓰시오.

▲ 고구려 수산리 고분 벽화

▲ 일본 다카마쓰 고분 벽화

▲ 금동 미륵보살 반가 사유상

▲ 고류 사 미륵보살 반가 사유상

생각 쓰기 Point

Point 1

굴식 돌방무덤과 돌무지덧널무덤

굴식 돌방 무덤	돌로 널방을 만들고 통로로 연결한 후 그 위에 흙을 쌓아서 만든 무덤.
돌무지 덧널 무덤	나무 덧널 안에 껴묻거리 상자를 넣고 그 위에 돌을 쌓은 후 다시 흙을 덮었음.

2 단원

Point 2

삼국과 일본의 문화 교류

고구려	종이와 먹의 제조 방법을 전해 주었음.
백제	한문, 유교 경전, 불교 등을 일본에 전해 주었음.
신라	배 만드는 기술과 제방 쌓는 기술을 전해 주었음.
가야	철제 갑옷과 토기 제작 기술을 전해 주었음.

고구려 사람들은 고분에 어떤 그림을 그렸을까?

삼국 시대 사람들은 무덤 안에 다양한 그림을 그렸어요. 그중에서 고구려 사람들이 주로 만들었던 굴식 돌방무덤은 널방이 있는 구조라서 무덤의 벽과 천장에 많은 그림을 그릴 수 있었어요. 고분에 그려진 그림을 보면 당시 살았던 사람들의 생활 모습을 짐작할 수 있어요.

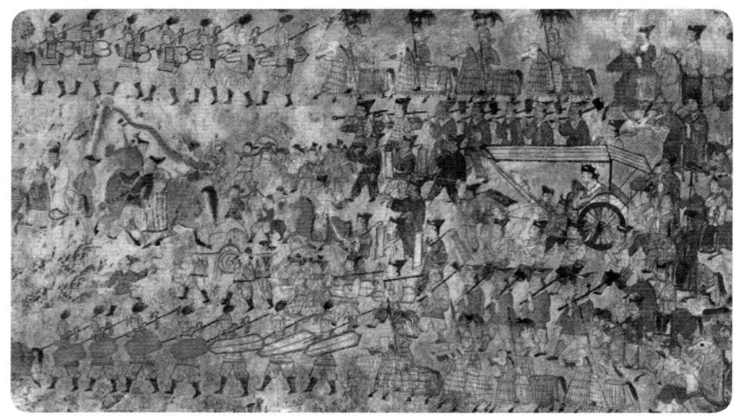

▲ 안악 3호분 행렬도

오른쪽 벽화에는 수많은 고구려 사람들이 그려져 있어요. 병사는 물론, 말까지 갑옷을 입은 것으로 보아 철기 문화가 발달한 것을 알 수 있어요. 또한 수레를 탄 사람과 걸어가는 사람이 나타나 있어 삼국 시대의 신분제에 따른 모습도 알 수 있어요.

▲ 무용총 수렵도

▲ 무용총 무용도

▲ 각저총 씨름도

사람들의 일상 생활의 모습이 나타난 벽화도 있어요. 수렵도를 보면 고구려 사람들의 씩씩한 기상을 느낄 수 있어요. 말을 타고 날쌘 짐승을 쫓아 화살을 쏘는 모습이 생생하게 나타나 있어요. 이를 통해 고구려 사람들이 활을 사용했고 사냥을 즐겨했다는 것을 알 수 있어요. 그리고 무용도에는 여러 명의 남녀가 열을 맞추어 춤을 추고 있는 모습이 나타나 있고, 씨름도에는 씨름을 하고 있는 사람의 모습이 나타나 있어요. 삼국 시대의 사람들도 오늘날 우리와 같이 춤을 추거나 스포츠 활동을 하며 여가 생활을 즐겼다는 것을 알 수 있어요.

그런데 씨름도에서 왼쪽에 있는 사람은 다른 사람들의 모습과 조금 다르게 생겼어요. 큰 눈과 높은 코를 가진 사람은 서역인으로 추측되고 있어요. 고구려 사람들이 멀리 있는 서역 사람들과도 교류를 했다는 것을 이를 통해서 알 수 있어요. 이렇게 고분에 그려진 그림을 통해서 많은 것을 알 수 있답니다.

3 통일 신라와 발해

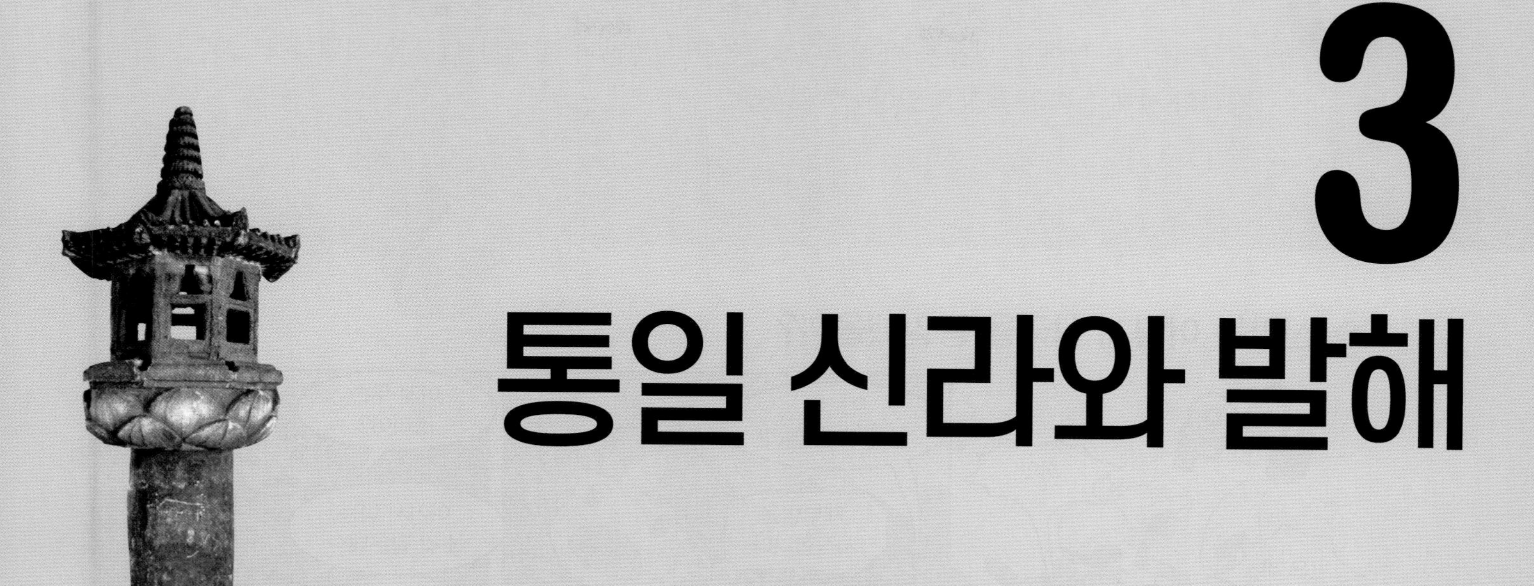

중학교에서는
삼국 통일 후 신라의 제도 정비 과정과
신라와 발해의 대외 교류에 대해서
자세하게 배우게 됩니다.

3 통일 신라와 발해

고구려는 수와 당의 침략에 맞서 한반도를 지켜 냈고, 신라는 삼국을 통일하였으며 고구려의 옛 땅에는 발해가 세워졌어요. 신라와 발해가 함께한 남북국 시대의 모습과 신라와 발해 문화의 특징을 알아보도록 해요.

신라는 어떻게 삼국을 통일했을까?

흐름 잡는 **한국사 연표**

612년
고구려, 살수 대첩

676년
신라, 삼국 통일

698년
발해 건국

900년
견훤, 후백제 건국

901년
궁예, 후고구려 건국

3 단원

01 수의 침입과 살수 대첩

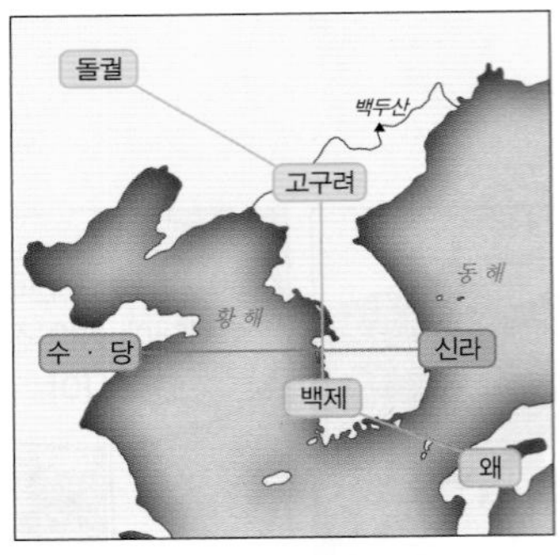

▲ 6세기 말 동아시아의 국제 관계

6세기 말 동아시아에서는 고구려와 백제, 왜, 돌궐을 연결하는 **남북 세력**과 신라, 수·당을 연결하는 **동서 세력이 대립**하게 되었습니다.

남북조로 분열되었던 중국을 통일한 수의 문제는 세력을 넓히면서 고구려에 복종을 요구하였습니다. 그러나 고구려는 이를 거절하고 수의 위협에 맞서 수의 요서 지역을 먼저 공격하였습니다. 그러자 **수의 문제**는 30만의 군대를 보내 **고구려를 침략**하였지만 수는 고구려군의 저항과 홍수, 전염병 등으로 피해를 입어 제대로 싸워 보지 못하고 돌아갔습니다.

이후 문제의 뒤를 이은 **수의 양제**는 612년 직접 113만의 군대를 이끌고 고구려 **요동성을 공격**하였으나 성을 차지하지 못했습니다. 그 뒤 수 양제는 우중문에게 30만의 별동대를 맡도록 하여 **평양성을 공격**하였습니다. 이에 고구려의 을지문덕은 여러 차례 전투를 벌여 수의 별동대를 고구려 영토 안으로 깊숙이 끌어들였습니다. 그리고 이미 긴 전투로 지친 수의 우중문에게 그를 조롱하는 시를 적어 보내 수 군대의 사기를 떨어뜨렸습니다.

▲ 고구려와 수의 전쟁

자료 분석 강의

결국 수의 군대는 후퇴하였고, **을지문덕은 수의 군대를 살수(청천강)에서 공격**하여 크게 무찔렀습니다. 이를 **살수 대첩(612년)**이라고 합니다. 수의 양제는 이후에도 여러 번 고구려를 침략하였으나 실패하였습니다. 결국 수는 무리한 전쟁으로 힘이 약해졌고, 나라 안에서 반란이 일어나 멸망하였습니다.

한국사 용어 콕!

- **돌궐** 6세기 중반부터 약 200년 동안 몽골고원을 중심으로 살았던 민족.
- **별동대** 특별한 작전을 위하여 구성된 군대.
- **조롱** 깔보고 비웃으며 놀리는 것.
- **사기** 어떤 일을 해내거나 이기고자 하는 집단의 씩씩한 기운.
  예문 관중들의 응원으로 우리 팀의 **사기**가 높아졌어요.
- **대첩**(大 클 대, 捷 이길 첩) 크게 이김. 또는 큰 승리.

핵심 Point!

정답 및 풀이 169쪽

❶ 6세기 말 ☐☐☐, 백제, 왜, 돌궐의 남북 세력과 신라, 수 · 당의 동서 세력이 대립하였다.

❷ 수의 ☐☐는 113만의 군대를 이끌고 고구려의 요동성을 공격하였다.

❸ 612년에 을지문덕은 수의 군대를 ☐☐에서 크게 무찔렀다.

• 정답 및 풀이 169쪽

1 다음 보기의 나라들을 6세기 말 동아시아의 국제 관계에 맞게 남북 세력과 동서 세력으로 나누어 기호를 쓰시오.

보기

㉠ 왜 ㉡ 백제 ㉢ 돌궐 ㉣ 신라 ㉤ 수·당 ㉥ 고구려

(1) 남북 세력: (　　　　　　　　　　)

(2) 동서 세력: (　　　　　　　　　　)

3 단원

2 고구려와 수의 전쟁을 일어난 순서대로 기호를 쓰시오.

㉠ 우중문이 이끈 30만의 별동대가 고구려의 평양성을 공격하였다.
㉡ 살수에서 을지문덕이 이끈 고구려 군대가 수군을 크게 무찔렀다.
㉢ 중국을 통일한 수 문제가 30만의 군대를 보내 고구려를 침략하였다.
㉣ 수 양제가 직접 113만의 군대를 이끌고 고구려 요동성을 공격하였다.

(　　　　　　) → (　　　　　　) → (　　　　　　) → (　　　　　　)

3 고구려와 수의 전쟁 과정에서 우중문에게 다음과 같이 조롱하는 시를 보내 수 군대의 사기를 떨어뜨린 사람은 누구인지 쓰시오.

신묘한 계책은 천문을 꿰뚫어 볼 만하고
오묘한 전술은 땅의 이치를 모조리 알도다.
전쟁에 이겨서 공이 이미 높아졌으니
만족함을 알거든 그만두기를 바라노라.
-『삼국사기』-

(　　　　　　　　　　)

4 3번 답의 인물이 612년 수의 군대를 살수에서 크게 물리친 전투는 무엇인지 쓰시오.

(　　　　　　　　　　)

02 당의 침입과 안시성 싸움

수의 뒤를 이어 세워진 당은 초기에는 고구려와 친선 관계를 맺었으나, 두 번째 황제인 당 태종은 고구려를 위협하였습니다. 이에 고구려는 **당의 공격을 대비하기 위해 국경 지역에 천리장성**을 쌓았습니다.

한편 고구려의 장군이었던 연개소문은 정변을 일으켜 영류왕과 귀족들을 죽이고 영류왕의 조카를 새로운 왕(보장왕)으로 세웠습니다. 그리고 스스로 최고 권력자의 자리인 대막리지에 올라 권력을 잡았습니다.

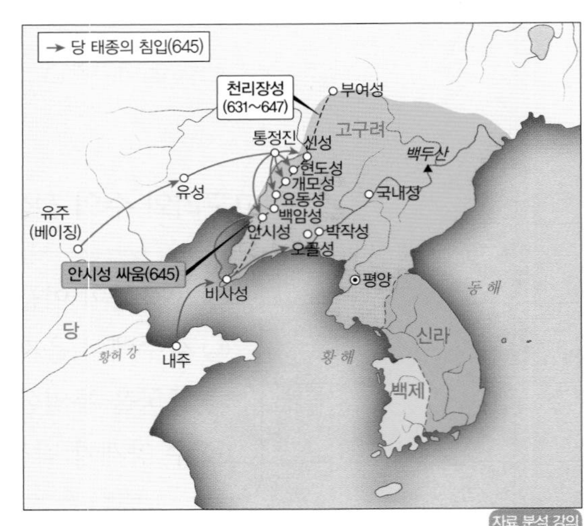

▲ 고구려와 당의 전쟁

자료 분석 강의

연개소문은 당과 신라에 대해 강경한 태도를 보였고, **당 태종은 연개소문의 정변을 핑계로 고구려를 침입**하였습니다. 당의 군대는 고구려를 침입하여 요동성과 백암성을 차례로 함락하였습니다.

그 후 당의 군대는 여러 차례에 걸쳐 안시성을 공격하였습니다. 그러나 안시성의 성주와 백성은 끈질기게 버티며 당에 저항하여 당은 안시성을 공격한 지 3개월 동안 성을 함락시키지 못하고 군대를 철수하였습니다. 이를 **안시성 싸움(645년)**이라고 합니다. 이후에도 당은 여러 차례 고구려를 침략하였지만 고구려는 이를 모두 막아 냈습니다.

고구려가 수와 당의 계속된 침략을 막을 수 있었던 것은 성곽을 이용한 전술과 강력한 철제 무기 등을 바탕으로 한 강한 군사력이 있었기 때문입니다. 그 결과 고구려는 동아시아의 주도권을 차지하려는 수와 당에게 맞서 세력을 유지하고 **중국의 침입으로부터 한반도 전체를 보호**하였습니다. 하지만 계속된 전쟁으로 인해 고구려의 국력은 점차 약해졌습니다.

한국사 용어 쾍!

- **천리장성** 연개소문이 631년부터 647년까지 당의 침입을 막기 위해 요동 지방에 쌓은 산성.
- **정변** 비합법적인 수단으로 생긴 정치상의 큰 변화. 예문 **정변**이 일어나서 사회가 혼란해졌어요.
- **강경하다** 강직하고 지조가 굳음.
- **성주** 성의 우두머리.
- **철수** 있던 곳에서 장비나 시설물을 거두어 가지고 물러나는 것.
- **전술**(戰 싸움 **전**, 術 방법 **술**) 전투나 경기에서 작전을 지휘하고 수행하는 방법이나 기술.

핵심 Point!

정답 및 풀이 169쪽

❶ 고구려는 ☐의 침입에 대비하기 위해 천리장성을 쌓았다.

❷ 당 태종은 ☐☐☐☐의 정변을 핑계로 고구려를 침략하였다.

❸ ☐☐☐의 성주와 백성들은 끝까지 저항하여 당의 공격을 막아 냈다.

• 정답 및 풀이 169쪽

1 **고구려가 631년부터 당의 침입을 대비하기 위해 국경 지역에 쌓은 성은 무엇인지 쓰시오.**

( )

2 **연개소문에 대한 설명으로 알맞은 것은 어느 것입니까?** ( )

① 안시성을 함락하였다.
② 중국을 다시 통일하였다.
③ 당과 친선 관계를 유지하였다.
④ 영류왕을 죽이고 스스로 왕이 되었다.
⑤ 정변을 일으켜 최고 권력자의 자리를 차지하였다.

3 **다음에서 설명하는 전투는 무엇인지 쓰시오.**

고구려 안시성의 성주와 백성들은 당의 계속된 공격에도 끝까지 저항하였고, 결국 당군은 철수하였다.

( )

중학교 시험 맛보기

4 **다음 보기 에서 고구려와 당의 전쟁이 가지는 역사적 의미로 알맞은 것을 골라 기호를 쓰시오.**

보기

㉠ 중국을 통일하게 되었다.
㉡ 고구려의 국력이 더욱 강해지는 계기가 되었다.
㉢ 중국의 침입으로부터 한반도 전체를 보호하였다.

( )

03 나당 동맹과 백제와 고구려의 멸망

고구려가 수·당과 전투를 하는 동안 신라는 백제와 대립하고 있었습니다. 백제의 의자왕은 신라를 공격하여 대야성을 비롯해 40여 개의 성을 빼앗았습니다. 위기에 빠진 신라는 김춘추를 고구려에 보내 군사를 요청하였습니다. 그러나 **연개소문은 김춘추의 요청을 거절**하였고, 김춘추는 당으로 건너가 당 태종에게 함께 백제와 고구려를 공격하자고 제의했습니다. 고구려 공격에 실패했던 **당은 고구려를 다시 정복할 생각으로 신라와 동맹**을 맺었습니다. 당은 신라에 군대를 보내 주는 대신 대동강 이북의 땅을 가지기로 하였고, 고구려와 백제는 신라와 당의 동맹에 맞섰습니다.

신라와 당의 연합군은 먼저 지배층의 분열로 혼란한 백제를 공격하였습니다. 계백이 이끈 5천의 백제군은 황산벌에서 김유신이 이끈 5만의 신라군에 끈질기게 버텼지만 결국 패배하였습니다. 이후 백제는 나당 연합군에 의해 **수도인 사비성이 함락**되었고, **의자왕이 항복하여 멸망**하였습니다(660년).

백제가 멸망한 후 나당 연합군은 고구려를 공격하였습니다. 당시 고구려는 수·당과의 전쟁으로 힘이 약해져 있었고, 연개소문이 죽은 후 세 아들 사이에 일어난 권력 다툼으로 혼란스러웠습니다. 결국 고구려는 나당 연합군의 공격으로 **평양성까지 함락되면서 멸망**하였습니다(668년).

▲ 백제와 고구려의 부흥 운동

백제와 고구려가 멸망한 후, 각 나라의 유민들은 나라를 되살리고자 부흥 운동을 전개하였습니다. 백제에서 복신과 도침은 왜에 있던 백제의 왕자 풍을 내세워 백제 부흥 운동을 일으켰습니다. 고구려에서는 고연무가 당 군대와 계속하여 싸웠고, 검모잠은 보장왕의 아들인 안승을 내세워 고구려 부흥 운동을 전개하였습니다. 그러나 **백제와 고구려의 부흥 운동은 지도층의 분열로 모두 실패**하였습니다.

한국사 용어 콕!

- **연합군** 전쟁에서 둘 이상의 국가가 힘을 합하여 만든 군대.
- **유민**(遺 남길 **유**, 民 백성 **민**) 망하여 없어진 나라의 백성.
- **부흥** 쇠퇴하였던 것이 다시 일어남.

예문 대통령은 경제 **부흥**을 위해 노력하고 있어요.

핵심 Point!

정답 및 풀이 169쪽

❶ 신라의 ☐☐☐는 당으로 건너가 당 태종과 동맹을 맺었다.

❷ 계백이 이끈 백제군은 ☐☐☐에서 김유신이 이끈 신라군에 패배하였다.

❸ 백제와 고구려의 유민들은 멸망한 나라를 되살리고자 ☐☐ 운동을 전개하였다.

정답 및 풀이 169쪽

1 다음 보기에서 신라가 당과 동맹을 맺게 된 배경을 모두 골라 기호를 쓰시오.

보기

㉠ 고구려의 연개소문이 김춘추의 요청을 거절하였다.
㉡ 고구려의 연개소문이 죽은 후 세 아들 사이에 권력 다툼이 벌어졌다.
㉢ 백제의 의자왕이 신라를 공격하여 대야성을 비롯해 40여 개의 성을 빼앗았다.

( )

2 백제의 멸망에 대한 설명으로 옳지 않은 것은 어느 것입니까? ( )

① 의자왕이 신라에 항복하였다.
② 평양성이 함락되면서 멸망하였다.
③ 황산벌 전투에서 백제는 신라에 패배하였다.
④ 멸망 후 백제 유민들은 부흥 운동을 전개하였다.
⑤ 지배층의 분열로 혼란한 상황에서 나당 연합군의 공격을 받았다.

3 다음 역사적 사건들을 일어난 순서대로 기호를 쓰시오.

㉠ 백제의 멸망　　㉡ 고구려의 멸망
㉢ 신라와 당의 동맹　　㉣ 백제와 고구려의 부흥 운동

( ) → ( ) → ( ) → ( )

4 백제와 고구려의 부흥 운동과 관련된 인물이 아닌 사람은 누구입니까? ( )

① 복신　　② 도침
③ 안승　　④ 검모잠
⑤ 김유신

04 나당 전쟁과 신라의 삼국 통일

백제와 고구려가 멸망하자 당은 신라와의 약속을 저버리고 고구려의 옛 땅에 안동 도호부, 백제의 옛 땅에 웅진 도독부를 설치하였습니다. 그리고 신라에도 계림도독부를 두고 한반도 전체를 차지하려고 하였습니다.

그러자 신라는 당에게 맞서기 위해 백제와 고구려의 유민들을 포용하고, 백제 유민들에게는 관직을 내려 주고, 고구려의 부흥 운동을 지원하기도 하였습니다. 이와 함께 당의 군대를 물리치기 위해 병사와 무기를 강화하는 등 군사력을 키웠습니다.

670년에 신라는 고구려 유민들까지 포함한 군대를 이끌고 당과 전쟁에 나섰습니다. 백제의 옛 땅인 사비성을 되찾은 신라는 **매소성에서 당의 군대를 물리치면서 승리**를 거두었습니다(675년).

매소성에서 패배한 당은 서해안을 통하여 신라 수군을 공격하였습니다. 처음에는 신라군이 패하였으나, 여러 번의 싸움 끝에 **신라군은 기벌포에서 당의 수군을 물리치고 승리**를 거두었습니다(676년). 이 기벌포 전투를 마지막으로 7년 동안 계속된 전쟁은 끝났습니다. 이후 당의 군대가 한반도에서 물러나면서, **신라는 676년에 삼국 통일**을 이루었습니다.

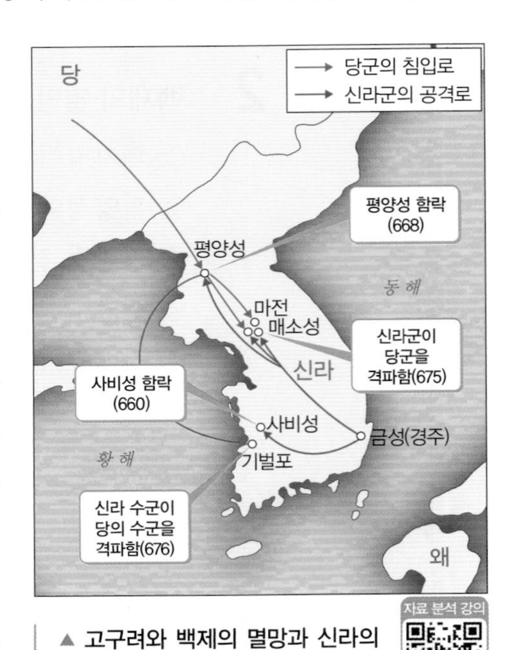

▲ 고구려와 백제의 멸망과 신라의 삼국 통일 과정

자료 분석 강의

신라는 삼국을 통일하는 과정에서 **당의 세력을 이용하였고, 대동강 이북의 고구려 땅 대부분을 잃었다는 점에서 한계**를 갖고 있습니다. 그러나 신라가 고구려와 백제 유민과 힘을 합쳐 당을 몰아내었다는 점에서 **자주 의식**을 찾을 수 있습니다. 또한 우리 민족 최초로 통일을 이루면서 삼국의 문화가 통합되어 **민족 문화가 발전하는 계기**가 되었습니다.

한국사 용어 퀵

- **도호부와 도독부** 당이 점령한 지역을 통치하기 위해 설치한 기관. 도호부 아래에 몇 개의 도독부를 두었음.
- **포용** 남을 너그럽게 감싸주거나 받아들임.
  예문 세계 여러 나라의 다양한 문화를 **포용**하는 자세를 가져야 해요.

핵심 Point!

정답 및 풀이 169쪽

❶ 백제와 고구려가 멸망한 뒤 ☐은 한반도 전체를 지배하려고 하였다.

❷ 신라가 당의 수군을 ☐☐☐에서 물리치면서 당의 군대는 한반도에서 철수하였다.

❸ 신라의 ☐☐ ☐☐은 대동강 이북의 땅 대부분을 잃었다는 점에서 한계를 갖고 있다.

정답 및 풀이 169쪽

1 백제와 고구려가 멸망한 후 당이 한반도에 설치한 것을 모두 고르시오. (　　　)

① 동녕부
② 쌍성총관부
③ 계림도독부
④ 안동도호부
⑤ 웅진도독부

2 신라가 670년에 당과 전쟁을 벌인 까닭은 무엇입니까? (　　　)

① 당이 고구려를 공격했기 때문에
② 당이 신라와 동맹을 맺었기 때문에
③ 당이 한반도 전체를 차지하려고 했기 때문에
④ 신라가 당의 영토를 차지하려고 했기 때문에
⑤ 당이 백제와 고구려의 부흥 운동을 지원했기 때문에

3 나당 전쟁의 과정을 일어난 순서대로 기호를 쓰시오.

> ㉠ 당이 한반도에서 군대를 철수하였다.
> ㉡ 신라가 당과 벌인 매소성 전투에서 승리하였다.
> ㉢ 당이 옛 백제와 고구려 땅에 통치 기구를 세웠다.
> ㉣ 신라의 수군이 당의 수군을 기벌포에서 물리쳤다.

(　　　) → (　　　) → (　　　) → (　　　)

4 신라의 삼국 통일의 의의와 한계로 알맞지 <u>않은</u> 것은 어느 것입니까? (　　　)

① 우리 민족 최초의 통일이다.
② 대동강 이남 지역에서 통일을 이루었다.
③ 민족 문화가 발전하는 기틀을 마련하였다.
④ 신라의 힘으로만 이룬 자주적인 통일이다.
⑤ 백제 및 고구려 유민들과 힘을 합쳐 통일을 이루었다.

3 단원

통일 신라의 발전

삼국 통일의 발판을 마련한 무열왕(김춘추)은 그동안 성골만이 왕이 될 수 있었던 원칙을 깨고 최초로 진골 출신의 왕이 되었습니다. 무열왕의 뒤를 이은 **문무왕은 당과의 전쟁을 승리로 이끌고 삼국 통일을 완성**하여 왕실의 권위를 높였습니다.

문무왕 다음으로 왕위에 오른 **신문왕은 귀족 세력을 견제하고 왕권을 강화**해 나갔습니다. 그는 관리들에게 관료전을 지급하고, 귀족들의 경제적 기반인 **녹읍을 폐지**하였습니다. 관료전은 나랏일을 하는 대가로 관리에게 지급한 토지로, 토지에서 세금만 거둘 수 있는 권리를 주었다는 점에서 토지에 딸린 노동력과 특산물까지 거둘 수 있는 녹읍과는 달랐습니다. 또한 인재를 키우기 위해 교육 기관인 **국학을 설치**하였습니다.

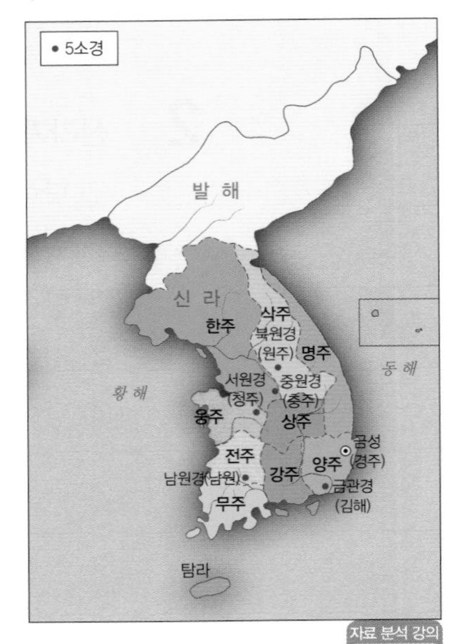

▲ 통일 신라의 지방 행정 제도

신라는 통일 이후 넓어진 영토와 늘어난 인구를 다스리기 위해 통치 제도를 정비하였습니다. 중앙에서는 왕이 **집사부라는 기관을 통해 정치를 운영**함으로써 귀족 중심의 화백 회의의 기능은 줄어들었습니다. 지방 제도도 새롭게 정비하여 옛 고구려, 백제, 신라 땅에 3주씩 **9주를 설치**하고, 주 아래에는 지방관이 다스리는 군과 현을 두었습니다. 또 신라의 수도인 금성(경주)이 동남쪽으로 치우쳐 있는 점을 보완하기 위해 **지방에 5소경을 설치**하고, 이곳에 옛 고구려, 백제 출신의 귀족을 옮겨 살게 하여 지방의 정치와 문화의 중심지로 삼았습니다. 그리고 지방 세력가나 그 자녀를 일정 기간 동안 수도에 머물게 하는 **상수리 제도를 실시하여** 지방 세력을 견제하였습니다.

군사는 **중앙군인 9서당, 지방군인 10정**을 두었는데, 9서당에는 신라인 외에도 고구려와 백제의 유민, 말갈인을 포함하여 여러 민족이 함께 편성되어 민족을 통합하고자 하였습니다.

한국사 용어 콕!

- **관료전과 녹읍** 관료전은 토지에서 세금만 거둘 수 있었으나 녹읍은 세금과 특산물 및 노동력까지 거둘 수 있는 제도였음.
- **정비**(整 가지런할 **정**, 備 갖출 **비**) 흐트러진 것을 정리하여 제대로 갖춤.
- **집사부** 왕의 명령을 실행하고 보고하며 중요한 나라의 일을 처리하는 신라 시대 최고 기관.
- **지방관** 각 지방에 머물면서 행정 업무를 맡아보는 관리.

핵심 Point!

정답 및 풀이 169쪽

❶ 신라는 무열왕의 뒤를 이은 ☐☐☐ 때 삼국을 통일하였다.

❷ 신문왕은 귀족들의 경제적 기반인 ☐☐을 폐지하였다.

❸ 신라는 지방의 주요 지역에 ☐☐☐을 설치하여 지방의 중심지로 삼았다.

• 정답 및 풀이 169쪽

1 **다음 통일 신라 초기 왕에 대한 설명을 선으로 바르게 연결하시오.**

(1) 무열왕 •

(2) 문무왕 •

• ㉠ 나당 전쟁에서 승리하고 삼국 통일을 완성했음.

• ㉡ 최초의 진골 출신 왕으로 삼국 통일의 발판을 마련했음.

3 단원

2 **다음과 같은 정책을 실시한 신라의 왕은 누구인지 쓰시오.**

- 인재를 키우기 위해 교육 기관인 국학을 설치하였다.
- 녹읍을 폐지하여 진골 귀족들의 경제 기반을 약하게 만들었다.

( )

3 **다음 ( ) 안에 들어갈 알맞은 기관을 쓰시오.**

통일 이후 신라는 왕의 명령을 실행하고 보고하는 기관인 ( )을(를) 통해 중앙 정치를 운영함으로써 그동안 귀족들을 대표하던 화백 회의는 그 역할이 축소되었다.

( )

4 **통일 이후 신라의 제도에 대한 설명으로 옳지 않은 것은 어느 것입니까?** ( )

① 중앙군에 9서당을 두었다.
② 옛 백제 땅에 9주를 설치하였다.
③ 주 아래에는 군과 현을 두어 지방관을 파견하였다.
④ 지방 세력을 견제하기 위해 상수리 제도를 실시하였다.
⑤ 9서당에는 고구려와 백제의 유민, 말갈인도 포함하였다.

06 통일 신라의 불교문화

통일 신라는 삼국의 문화를 통합하고 발전시키며 당의 선진 문화를 받아들였습니다. 특히 당에서 불교를 배우고 온 승려가 늘어나고, 교리에 대한 이해가 깊어지면서 불교가 발달하고 백성들에게까지 널리 퍼졌습니다.

통일 신라의 **불교 발전에 큰 역할을 한 사람은 원효와 의상**이었습니다. 원효는 의상과 함께 당으로 유학을 가던 중 해골에 고인 물을 마신 후 깨달음을 얻었습니다.

원효와 의상이 불교를 공부하기 위해 당으로 향했습니다.

밤이 깊어 동굴에서 잠을 잤고 잠결에 원효는 목이 말라 물을 마셨습니다.

아침에 일어나 보니 그 물이 해골에 고인 썩은 물임을 알게 되었고 원효는 깨달음을 얻었습니다.

원효는 깨달음을 얻은 후 전국을 돌아다니면서 사람들에게 '나무아미타불'이라고 외우면 죽어서 부처의 나라에 갈 수 있다고 가르쳐 **불교의 대중화에 큰 역할**을 하였습니다. 또한 원효는 '모든 것은 오직 한 마음에서 비롯된다.'라는 생각을 바탕으로 불교 종파 간의 대립을 줄이고자 **화쟁 사상을 주장**하였습니다.

한편 의상은 당에서 모든 사물의 조화를 중요시하는 화엄 사상을 공부하고 돌아와 **신라에 화엄종을 전파**하였습니다. 의상은 화엄종을 바탕으로 '하나가 전체요, 전체가 하나다.'라는 가르침을 널리 알렸습니다. 이 사상은 통일 이후 신라를 구성하는 다양한 세력을 아울러 사회를 통합하는 데 도움을 주었습니다. 의상은 **부석사와 낙산사**와 같은 절을 짓고 많은 제자를 길러 신라의 불교 발전을 위해 노력했습니다.

▲ 부석사(경북 영주)

한국사 용어 쿡!

- **교리**(敎 가르칠 **교**, 理 다스릴 **리**) 종교상의 이치나 원리.
- **대중화** 사람들에게 많이 알려지는 것.
- **종파** 같은 종교 안에서 생각의 차이에 따라 갈라져 나간 갈래.
  예문 어떤 **종파**이든 부처의 가르침을 따르고 있어요.
- **화쟁**(和 화할 **화**, 爭 다툴 **쟁**) '다툼을 화해시킨다.'라는 뜻으로 다양한 종파와 이론의 대립을 통합하려는 원효의 핵심 사상.
- **화엄종** 중국 당나라 때 성립된 불교의 한 종파.

핵심 Point!

정답 및 풀이 170쪽

❶ 원효는 불교의 가르침을 백성에게 가르쳐 불교의 ☐☐☐에 큰 역할을 하였다.

❷ 원효는 ☐☐ 사상을 통해 다양한 불교 종파 간의 대립을 줄이고자 하였다.

❸ ☐☐은 부석사와 낙산사를 짓고 화엄종을 전파하였다.

정답 및 풀이 170쪽

1 원효에 대한 설명으로 옳은 것에 ○표, 옳지 않은 것에 ×표 하시오.

(1) 당으로 유학을 가던 중 깨달음을 얻었다. ( )

(2) 다양한 유교 종파 간의 대립을 줄이고자 노력하였다. ( )

(3) '모든 것은 오직 한 마음에서 비롯된다.'라고 주장하였다. ( )

2 다음 ( ) 안에 들어갈 알맞은 말을 쓰시오.

> 원효는 전국을 돌아다니면서 대중에게 '( )'(이)라고 외우면 죽어서 부처의 나라에 갈 수 있다고 가르쳐 불교의 대중화에 큰 역할을 하였다.

( )

3 단원

3 원효와 의상의 핵심 사상을 선으로 바르게 연결하시오.

(1) 
▲ 원효

•  ㉠ 화엄 사상

(2) 
▲ 의상

•  ㉡ 화쟁 사상

중학교 시험 맛보기

4 의상에 대한 설명으로 옳지 않은 것은 무엇입니까? ( )

① 불교의 대중화에 반대하였다.
② 신라에 화엄종을 전파하였다.
③ 당에서 화엄 사상을 공부하였다.
④ 부석사와 낙산사를 짓고 많은 제자를 길렀다.
⑤ '하나가 전체요, 전체가 하나다.'라고 주장하였다.

07 석굴암과 불국사

경주에 있는 석굴암과 불국사는 통일 신라의 불교 문화를 대표하는 것으로 『삼국유사』에 따르면 통일 신라 시대 재상 출신인 김대성이 만들었다고 전해집니다.

석굴암은 **인공으로 만든 석굴 사원**으로, 석굴암의 앞쪽에는 네모난 입구가 있고, 뒤쪽에는 여러 개의 네모난 돌을 짜맞추어 쌓아올린 돔 형태의 천장이 있는 둥근 방이 있습니다. 그 안의 벽면에는 여러 신과 함께 불교와 관련된 인물들을 조각하였으며 그 **가운데에는 석굴암 본존 불상**이 있습니다. 석굴암의 바닥에는 차가운 물이 흐르도록 하여 석굴 안의 습도를 스스로 맞출 수 있도록 하였는데 이를 통해 통일 신라의 뛰어난 과학 기술을 엿볼 수 있습니다.

▲ 석굴암(경북 경주)

▲ 불국사(경북 경주)

불국사의 '불국(佛國)'은 '부처님의 나라'라는 뜻으로 신라 땅에 부처가 사는 이상적인 세계를 재현하여 만들었습니다. **청운교와 백운교**는 계단처럼 보이지만 예전에는 아래에 물을 흐르게 한 다리였습니다. 아래 돌계단인 백운교를 지나 구름다리를 건너서 위쪽 돌계단인 청운교를 건너면 부처의 세계로 갈 수 있는 자하문을 만나게 됩니다. 이 문을 열고 들어가면 **다보탑과 불국사 3층 석탑(석가탑)**이 서 있어 아름다움을 더합니다.

불국사 3층 석탑을 수리하는 과정에서 네모난 사리함과 그 안에서 사리 및 무구정광대다라니경이 발견되었습니다. 특히 **무구정광대다라니경은 세계에서 가장 오래된 목판 인쇄본**으로서 역사적 가치가 매우 높습니다. 석굴암과 불국사는 그 역사적 가치와 아름다움을 인정받아 유네스코 세계 유산으로 지정되었습니다.

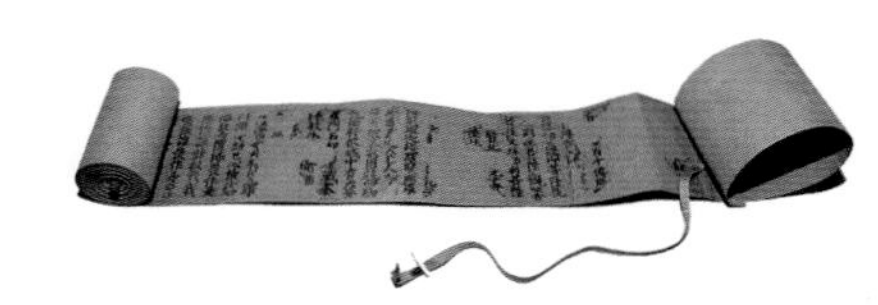
▲ 무구정광대다라니경

한국사 용어 쾩!

- **인공**(人 사람 **인**, 工 장인 **공**) 사람의 힘으로 만들어 낸 것.
  예문 이 호수는 작년에 만든 **인공** 호수예요.
- **석굴**(石 돌 **석**, 窟 굴 **굴**) 바위에 뚫린 굴.
- **돔** 반구 모양의 지붕.

▲ 석굴암의 돔 천장

- **사리** 부처나 스님을 화장한 뒤에 남은 구슬 모양의 작은 뼈 조각.

핵심 Point!

정답 및 풀이 170쪽

❶ ☐☐☐은 인공으로 만든 석굴 사원으로 신라의 뛰어난 과학 기술을 엿볼 수 있다.

❷ ☐☐☐는 신라 땅에 부처의 세계를 재현하여 만든 통일 신라 시대 사찰이다.

❸ 석굴암과 불국사는 ☐☐☐☐ 세계 유산으로 지정되기도 하였다.

정답 및 풀이 170쪽

1 다음과 같은 구조로 만들어진 신라의 불교 사원은 무엇인지 쓰시오.

앞쪽에는 네모난 입구가 있고, 뒤쪽에는 여러 개의 돌을 쌓아서 만든 돔 천장이 있는 둥근 방이 있다. 그 내부에는 본존 불상과 함께 여러 신과 불교와 관련된 인물들이 조각되어 있다.

( )

중학교 시험 맛보기

2 석굴암에 대한 설명으로 옳지 않은 것은 어느 것입니까? ( )

① 인공으로 만든 석굴 사원이다.
② 유네스코 세계 유산으로 지정되었다.
③ 네모난 입구 앞에는 다보탑이 세워져 있다.
④ 신라인의 뛰어난 과학 기술을 엿볼 수 있다.
⑤ 석굴 안의 습도를 스스로 맞출 수 있도록 하였다.

3 단원

3 다음 중 불국사 안에 있는 탑을 모두 골라 ○표 하시오.

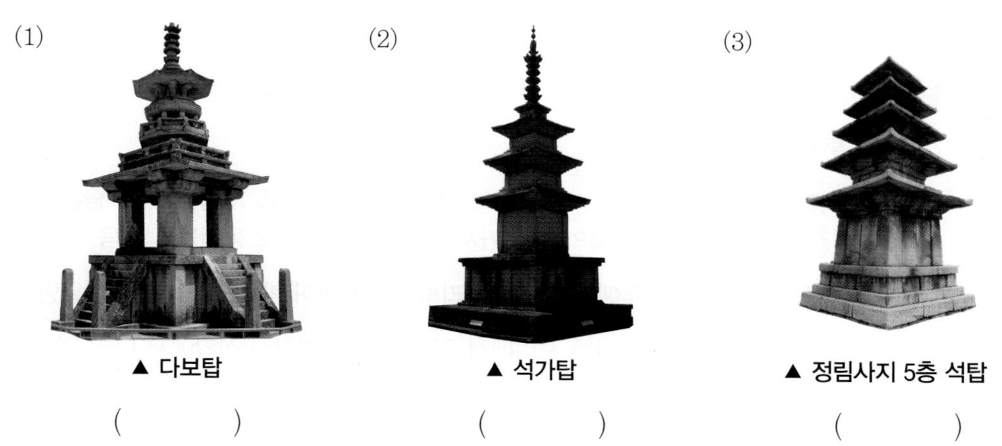

(1) ▲ 다보탑 ( )
(2) ▲ 석가탑 ( )
(3) ▲ 정림사지 5층 석탑 ( )

4 다음에서 설명하는 문화유산은 무엇인지 쓰시오.

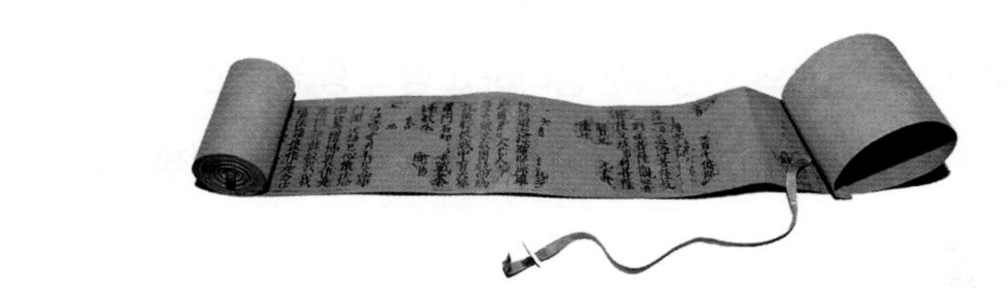

불국사 3층 석탑을 수리하는 과정에서 발견되었으며, 세계에서 가장 오래된 목판 인쇄본으로 역사적 가치가 매우 높다.

( )

딱

눈으로 읽는 1분 개념정리

| 학습한 내용을 정리해 보며, 빈칸에 들어갈 키워드를 써 보세요.

정답 및 풀이 170쪽

1 고구려와 수·당의 전쟁

① 수의 침입

수 문제의 침입	남북조를 통일한 수의 문제가 고구려를 침입하였으나 정복에 실패했음.
수 양제의 침입	• 수 양제가 직접 고구려의 요동성을 공격하였으나 고구려군이 승리했음. • (❶): 우중문이 이끄는 별동대가 평양성을 공격하였으나 을지문덕이 이끄는 고구려군이 살수에서 수군을 크게 물리쳤음.

② 당의 침입

배경	연개소문이 정변을 일으키자 당 태종이 이를 이유로 고구려를 침입했음.
침입	• 당의 군대가 요동성과 백암성을 함락하였음. • (❷) 싸움: 당의 군대가 안시성을 공격하였음. → 안시성의 성주와 백성들의 저항으로 안시성을 함락하지 못하고 군대를 철수하였음.

⇨ 고구려는 중국의 침입으로부터 한반도 전체를 보호하는 역할을 하였음.

2 신라의 삼국 통일과 발전

① 삼국 통일 과정

나당 동맹 체결	신라의 (❸)가 당 태종에게 동맹을 제의했음. → 당은 신라에 군대를 보내 주고 당은 대동강 이북의 땅을 가지기로 하는 조건으로 동맹을 맺었음.
백제 멸망	황산벌 전투에서 신라가 승리하고 의자왕이 항복하면서 백제가 멸망했음.
고구려 멸망	연개소문의 아들 사이에서 권력 다툼이 벌어진 상황에서 나당 연합군이 평양성을 함락하면서 고구려가 멸망했음.
나당 전쟁	당이 한반도 전체를 지배하려고 하자 나당 전쟁이 일어났음. → 매소성 전투에서 신라가 승리했음. → 기벌포 전투에서 신라가 승리하고 당이 물러나면서 신라가 삼국 통일을 이루었음(676년).

② 통일 신라의 발전

무열왕	최초의 진골 출신 왕으로 삼국 통일의 발판을 마련했음.
문무왕	당과의 전쟁에서 승리하고 삼국 통일을 완성했음.
(❹)	녹읍 폐지, 관료전 지급, 국학 설치 등의 정책으로 왕권을 강화하였음.

③ **통치 체제의 정비**: 전국을 9주로 나누고 지방에 5소경을 설치하였음.

④ 삼국의 불교문화

불교의 발전	원효는 불교의 대중화에 큰 역할을 하였고, (❺)은 화엄종을 전파하였음.
문화유산	통일 신라 시대 불교문화를 대표하는 석굴암과 불국사가 만들어졌음.

• 정답 및 풀이 170쪽

1 다음은 신라의 통일 과정과 통일 신라의 영토를 나타낸 지도입니다. 이를 보고 삼국 통일의 의의와 한계를 쓰시오.

▲ 신라의 통일 과정

▲ 통일 신라의 영토

2 다음 인물들이 신라의 불교에 어떤 영향을 끼쳤는지 쓰시오.

▲ 원효

▲ 의상

생각 쓰기 Point

Point 1
신라의 삼국 통일 과정

신라와 당이 동맹을 맺음.
⬇
나당 연합군의 공격으로 백제와 고구려가 멸망함.
⬇
당이 한반도 전체를 지배하려 하자 나당 전쟁이 일어남.
⬇
매소성, 기벌포 전투에서 신라가 당을 물리치고 삼국 통일을 이룩함.

Point 2
원효와 의상

원효	'나무아미타불'만 외치면 죽어서 부처의 나라로 갈 수 있다고 가르쳤음.
의상	'하나가 전체요, 전체가 하나다'라는 화엄 사상을 주장하였음.

3 단원

08 발해의 건국

고구려가 멸망한 뒤 당은 고구려 세력이 다시 힘을 모으는 것을 막기 위해 당의 영토로 옛 고구려 땅에 살던 유민들을 강제로 이주시켰습니다. 요서 지방의 영주에는 고구려 유민과 •말갈족, •거란족도 강제로 끌려와 당의 지배를 받고 있었습니다.

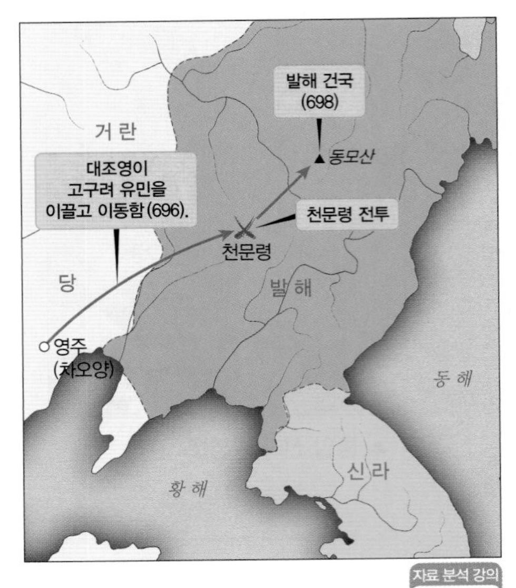

▲ 발해의 건국 과정

자료 분석 강의

그러나 당의 지배를 견디지 못한 거란족이 •반란을 일으키자 고구려 유민 걸걸중상과 말갈인 걸사비우는 고구려 유민과 말갈족을 각각 이끌고 당의 지배에서 벗어나기 위해 영주를 탈출하였습니다. **고구려 유민인 대조영**은 걸걸중상의 아들로 아버지와 함께 고구려 세력을 이끌고 탈출하였으며, 추격해 오는 당의 군대를 천문령에서 크게 물리치고 **동모산 근처를 도읍으로 정해 발해**를 세웠습니다(698년).

발해의 건국으로 남쪽의 신라와 북쪽의 발해로 이루어진 남북국의 모습을 갖추게 되었고, 이 시기를 '남북국 시대'라고 부릅니다.

발해는 **고구려 유민이 중심이 되어 말갈족의 도움**으로 세워진 나라였습니다. 발해 주민의 다수는 말갈족이었고, 고구려 유민도 포함되었으며 **발해의 지배층은 고구려 출신**이 많았습니다. 발해는 고구려 유민이 중심이 되어 세워진 만큼 **고구려 계승 의식**이 강하였습니다. 발해에서 일본에 보낸 외교 문서에서 발해 왕이 자신을 스스로 '고구려 왕'이라 불렀고 일본도 이를 인정하였습니다. 또한 일본에서 발견된 •목간의 기록에 따르면 일본에서 발해에 보낸 사신을 '견고려사(遣高麗使)'라고 부르기도 하였습니다.

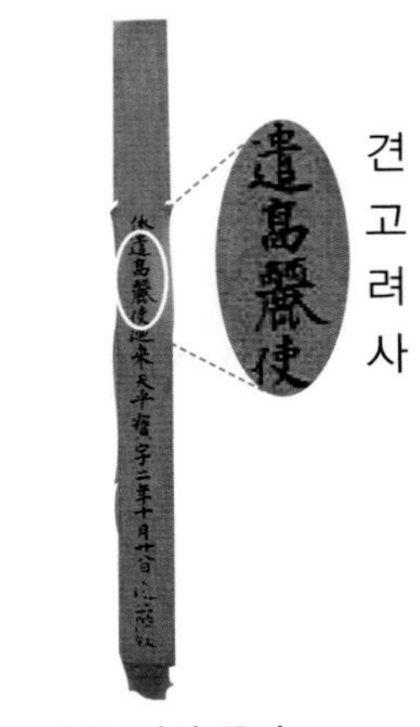

▲ 견고려사 목간

한국사 용어 콕!

- **말갈족** 중국 수·당 시대에 한반도 북부에 거주했던 여러 민족을 통틀어 이르는 말.
- **거란족** 5세기 이후부터 만주 지역에 흩어져 살던 여러 부족으로 10세기에 요나라로 발전하였음.
- **반란** 정부나 지도자에 반대하여 큰 싸움을 일으킴. 예문 그들은 왕을 몰아내기 위해서 **반란**을 일으켰어요.
- **목간** 종이를 발명하기 이전에 기록을 남기려고 사용했던 판자 모양으로 자른 나무.

핵심 Point!

정답 및 풀이 170쪽

❶ ☐☐☐은 고구려 유민을 이끌고 동모산 근처를 도읍으로 정하여 발해를 세웠다.

❷ 발해의 건국으로 남쪽의 신라와 북쪽의 발해로 이루어진 ☐☐☐의 모습을 갖추게 되었다.

❸ 발해는 스스로 ☐☐☐를 계승한 나라임을 내세웠다.

정답 및 풀이 170쪽

1 다음 ㉠, ㉡에 들어갈 알맞은 나라를 쓰시오.

7세기 말부터 10세기 초까지 남쪽의 (㉠)와(과) 북쪽의 (㉡)(으)로 이루어진 시기를 '남북국 시대'라고 한다.

㉠ ( ), ㉡ ( )

2 발해의 건국 과정을 일어난 순서대로 기호를 쓰시오.

㉠ 동모산 근처에 도읍을 정하고 발해를 세웠다.
㉡ 당은 고구려 유민들을 요서 지방의 영주로 이주시켰다.
㉢ 대조영은 추격해 오는 당의 군대를 천문령에서 크게 물리쳤다.

( ) → ( ) → ( )

3 발해의 주민 구성에 대한 설명으로 옳은 것은 어느 것입니까? ( )

① 지배층에는 고구려 출신이 많았다.
② 주민의 다수는 고구려 유민이었다.
③ 말갈족은 주민으로 인정하지 않았다.
④ 지배층에는 말갈족이 포함되지 않았다.
⑤ 고구려 유민과 거란족으로 구성되었다.

4 다음 ( ) 안에 공통으로 들어갈 알맞은 나라를 쓰시오.

발해는 ( ) 유민이 중심이 되어 세워진 나라로 ( ) 계승 의식이 강하였다. 발해에서 일본에 보낸 외교 문서에는 '고려'라는 명칭을 사용하였으며 발해 왕은 자신을 스스로 ( ) 왕이라 불렀다.

( )

발해의 발전

고왕(대조영) 다음의 **무왕은 나라의 영토 확장**을 위해 노력하였습니다. 그는 '인안'이라는 독자적인 연호를 사용하여 당과 대등한 국가임을 나타냈습니다. 발해의 세력이 커지자 당은 신라와 말갈을 끌어들여 발해를 견제하였습니다. 이에 무왕은 돌궐, 일본과 친선 관계를 맺고, 장문휴를 보내 **당의 산둥 반도를 공격**하였습니다.

무왕을 이은 **문왕은 수도를 상경 용천부**로 옮기고, **당과 친선 관계**를 맺어 선진 문물과 제도를 받아들였습니다. 또한 **신라와도 교통로**를 마련하여 교류하였습니다. 문왕은 '대흥', '보력' 등의 연호와 황제를 뜻하는 '황상'이라는 칭호를 사용하였습니다. 이는 발해가 스스로를 황제국이라 여길 만큼 강대국이 되었음을 나타내는 것입니다.

발해의 **선왕은 옛 고구려 영토의 대부분과 연해주까지 차지**하였습니다. 그리하여 발해는 9세기 초에 당으로부터 '바다 동쪽의 기운차게 일어나 번성하는 나라'라는 뜻의 **'해동성국'이라 불리는 전성기**를 맞았습니다.

발해는 선진적인 당의 문물을 받아들이고, 말갈의 전통을 흡수하여 독자적인 통치 제도를 마련하였습니다. 중앙 정치 기구는 당의 제도를 본떴으나 이름과 운영 방식은 다른 **3성과 6부**를 두었습니다. 지방 행정 구역은 **5경 15부 62주**로 구성하였으며, 5경은 지방의 중심지 역할을 하였습니다. 지방 행정 구역의 가장 아래에는 주로 말갈족이 다스리는 **말갈족 촌락**으로 이루어져 말갈족과의 통합을 꾀하였습니다.

▲ 발해의 영토

자료 분석 강의

9세기 후반부터 발해는 귀족들의 권력 다툼으로 분열과 혼란을 겪으면서 국력이 크게 약해졌습니다. 결국 거란의 공격을 받아 멸망하였고(926년), 발해 유민의 일부는 고려로 흡수되었습니다.

핵심 Point!

정답 및 풀이 171쪽

❶ 대조영 다음의 ☐☐은 영토 확장을 위해 노력하였다.

❷ 발해는 9세기 초에 당으로부터 ☐☐☐☐이라고 불렸다.

❸ 발해는 지방 행정 구역을 ☐☐ 15부 62주로 나누어 다스렸다.

한국사 용어 콕!

● **대등** 서로 높고 낮음이 나 낫고 못함이 없이 비슷함.

● **번성** 기운이나 세력이 한창 왕성하게 일어남.

• 정답 및 풀이 171쪽

1 **다음과 같은 업적을 남긴 발해의 왕은 누구인지 쓰시오.**

- '인안'이라는 연호를 사용하여 당과 대등한 국가임을 나타냈다.
- 돌궐, 일본과 친선 관계를 맺고, 장문휴를 보내 당의 산둥 반도를 공격하였다.

( )

3 단원

2 **다음 보기 에서 문왕의 업적이 아닌 것을 골라 기호를 쓰시오.**

보기

㉠ 수도를 상경 용천부로 옮겼다.
㉡ 신라와 교통로를 막고 대립하였다.
㉢ 당과 친선 관계를 맺고 선진 문물과 제도를 받아들였다.

( )

3 **9세기 초 발해를 가르켜 당에서 부른 '해동성국'의 뜻은 무엇입니까?** ( )

① 산 남쪽의 큰 나라
② 산 동쪽의 작은 나라
③ 바다 남쪽의 별처럼 빛나는 나라
④ 바다 동쪽의 힘이 약해지고 있는 나라
⑤ 바다 동쪽의 기운차게 일어나 번성하는 나라

4 **발해의 통치 제도에 대한 설명으로 옳지 않은 것은 어느 것입니까?** ( )

① 말갈족의 전통과 풍습을 받아들였다.
② 5경은 지방의 중심지 역할을 하였다.
③ 말갈족 촌락은 고구려인이 다스리도록 하였다.
④ 지방 행정 구역은 5경 15부 62주로 나누어 다스렸다.
⑤ 중앙 정치 기구는 당의 영향을 받은 3성과 6부를 두었다.

10 발해의 문화와 학문의 특징

발해는 **고구려 문화를 바탕으로 당의 문화를 받아들이고, 말갈의 문화도 흡수**하여 독특한 문화를 발전시켰습니다. 발해의 수도였던 상경성과 중경성에서 다양한 유물이 발견되었는데, 그중에 고구려의 것과 생김새가 비슷한 유물들이 있어서 발해가 고구려 문화의 영향을 받은 것을 알 수 있습니다.

▲ 고구려 수막새

▲ 발해 수막새

▲ 정효 공주 묘

발해의 대표적인 고분으로는 문왕의 딸인 **정혜 공주와 정효 공주의 무덤**이 있습니다. 정혜 공주 묘는 고구려의 영향을 받아 굴식 돌방무덤 양식과 모줄임천장 구조를 갖추고 있습니다. 모줄임천장 구조는 돌을 계단처럼 쌓아서 천장을 완성하는 방법입니다. 정효 공주 묘는 벽돌무덤으로, 당의 영향으로 벽돌로 무덤을 쌓고 고구려의 영향으로 모줄임천장 구조로 천장을 만들었습니다.

발해는 왕실과 귀족의 지원을 받아 **불교문화가 발달**하였습니다. 상경성의 절터에는 불상, 석등 등 많은 불교 관련 유물이 발견되었습니다. 석등은 절에 불을 밝히기 위해 돌을 깎아 세운 것으로, **상경성의 절터에 남아 있는 석등**은 높이가 6m에 이르러 크고 웅장합니다.

한편 발해는 유학을 중요하게 생각하여 통치 이념으로 유학을 받아들이고 **교육 기관인 주자감**을 설치하여 유학을 가르쳤습니다. 발해에서 당으로 유학을 가서 과거에 합격한 사람도 있었는데, 이들은 뛰어난 한문 문장을 남기기도 하였습니다.

▲ 발해 석등

한국사 용어 콕!

- **수막새** 기왓등의 끝에 붙여 만든 기와.
- **모줄임천장** 네 귀에서 세모의 돌을 걸치는 식으로 반복해 천장을 좁혀 올라가는 방식.

- **통치 이념** 나라나 지역을 다스리는 데에 이상적으로 여겨지는 생각.
- **주자감** 발해의 교육 기관으로 왕족과 귀족을 대상으로 교육하였음.

핵심 Point!

정답 및 풀이 171쪽

❶ 상경의 절터에 남아 있는 [ ][ ]은 높이가 6m로 거대하여 웅장한 느낌을 준다.

❷ 정혜 공주 묘는 [ ][ ][ ]의 영향을 받은 고분으로 모줄임천장 구조를 갖추고 있다.

❸ 발해는 교육 기관인 [ ][ ][ ]을 설치하여 유학을 가르쳤다.

정답 및 풀이 171쪽

1 **발해의 문화에 영향을 준 나라를 모두 고르시오.** (　　　　　　)

① 당　　② 왜
③ 돌궐　　④ 말갈
⑤ 고구려

2 **오른쪽 유물을 통해 알 수 있는 발해 문화의 특징은 무엇입니까?** (　　　　)

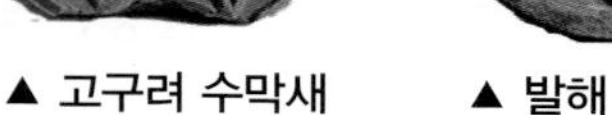
▲ 고구려 수막새　▲ 발해 수막새

① 불교문화가 발달했다.
② 신라 문화를 수용하였다.
③ 고구려 문화를 계승하였다.
④ 유학을 통치 이념으로 삼았다.
⑤ 말갈인의 문화를 바탕으로 이루어졌다.

3 **다음 ㉠, ㉡에 들어갈 알맞은 나라를 쓰시오.**

발해 문왕의 딸인 정효 공주의 무덤을 벽돌로 쌓아서 만든 것은 (　㉠　)의 영향을 받았지만, 모줄임천장 구조로 천장을 만든 것은 (　㉡　)의 영향을 받았다.

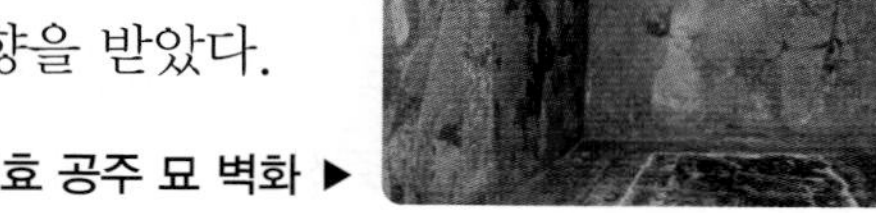
정효 공주 묘 벽화 ▶

㉠ (　　　　　　　　　), ㉡ (　　　　　　　　　)

4 **발해의 문화와 학문에 대한 설명으로 옳지 않은 것은 어느 것입니까?** (　　　　)

① 주자감을 설치하여 유학을 가르쳤다.
② 상경성에서 높이가 6m에 이르는 석등이 발견되었다.
③ 정혜 공주 묘는 고구려의 영향을 받은 굴식 돌방무덤이다.
④ 발해에서 당으로 유학을 가서 과거에 합격한 사람도 있었다.
⑤ 상경성과 중경성에는 신라 문화의 영향을 받은 유물이 발견되었다.

3 단원

3 통일 신라와 발해

11 통일 신라와 발해의 대외 교류

신라는 나당 전쟁을 겪으며 서로 대립하였던 **당과의 관계를 회복하고 활발히 교류**하였습니다. 신라는 당에 금, 은 등의 세공품을 수출하고, 당으로부터 비단, 서적 등을 수입하였습니다. 교류가 활발해지면서 당의 산둥 반도를 중심으로 중국 동쪽 해안 지역에 **신라 사람들이 모여 사는 지역인 신라방**이 만들어졌고, 신라인을 위한 감독 관청(신라소), 절(신라원), 숙박 시설(신라관)도 만들어졌습니다. 또한 신라는 일본에 금, 은, 모직물 등을 수출하였고, 당과 일본 사이에서 중계 무역을 하였습니다.

당시 교류의 중심지였던 **당항성과 울산항은 국제 무역항**으로 발전하여 이곳으로 아라비아 상인까지 찾아왔습니다. 이들을 통해 신라는 서역의 보석, 약재, 향료 등을 들여올 수 있었고 멀리 아라비아에까지 신라의 이름이 알려지기도 하였습니다.

▲ 통일 신라와 발해의 대외 교류

자료 분석 강의

9세기 이후 **장보고는 완도에 청해진을 설치**하여 사람들을 괴롭히고 피해를 주던 황해와 남해안 부근의 해적을 물리쳤습니다. 청해진은 군사 시설이었으나 무역을 하기 위해 지나가는 길목으로도 활용되었습니다. 장보고는 청해진을 중심으로 당과 신라, 일본을 연결하는 해상 무역을 장악하였습니다.

발해는 당, 거란, 일본 및 신라로 향하는 교통로를 설치하고 주변 나라들과 교류하였습니다. 발해는 당과 친선 관계를 맺으면서 많은 발해인이 당을 오고갔습니다. 이에 당은 발해 사신을 맞이하기 위해 **당의 산둥 반도에 발해관을 설치**하였습니다. 발해는 일본과도 일찍부터 활발하게 교류하였고, 신라와는 초기에는 대립하였으나 이후에는 발해의 동남쪽에서부터 신라에 이르는 교통로를 통해 꾸준히 교류하였습니다.

한국사 용어 콕!

- **세공품** 정교하고 세밀하게 만든 물건.
- **모직물** 털실로 짠 물건.
- **아라비아 상인** 아시아, 유럽, 아프리카 북부에 걸쳐 무역 활동을 하던 이슬람 상인.
- **향료** 향기를 내는 데 쓰는 물질.
- **해적**(海 바다 **해**, 賊 도둑 **적**) 배를 타고 다니면서 다른 배나 해안 지방을 공격하여 물건을 빼앗는 사람.

핵심 Point!

정답 및 풀이 **171쪽**

❶ 당의 산둥 반도에 신라인의 거주지인 □□□이 만들어졌다.

❷ 장보고는 완도에 □□□을 설치하고 해적을 물리쳐 해상 무역을 장악했다.

❸ 당은 발해 사신을 맞이하기 위해 산둥 반도에 □□□을 설치하였다.

• 정답 및 풀이 171쪽

1 **통일 신라와 다음과 같은 교류를 했던 ㉠에 해당하는 나라를 쓰시오.**

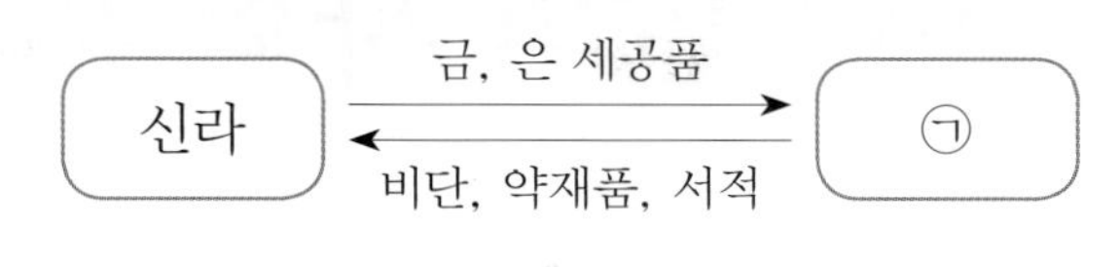

(　　　　　　　　　　)

중학교 시험 맛보기

2 **통일 신라의 대외 교류에 대한 설명으로 옳은 것은 무엇입니까?** (　　　　)

① 울산항을 통해 아라비아 상인이 오고갔다.
② 나당 전쟁으로 인해 당과는 교류하지 않았다.
③ 발해와는 대립 관계였기 때문에 교류하지 않았다.
④ 산둥 반도에 신라인의 거주지인 신라원이 만들어졌다.
⑤ 발해와의 교류를 위해 신라 영토에 발해관을 설치하였다.

3 단원

3 **다음 (　　) 안에 공통으로 들어갈 알맞은 인물을 쓰시오.**

황해와 남해안 부근에서 해적이 나타나자 (　　　　)은(는) 완도에 청해진을 설치하여 해적을 물리쳤다. 이를 계기로 (　　　　)은(는) 청해진을 중심으로 당과 신라, 일본을 연결하는 해상 무역을 장악하였다.

청해진 ▶

(　　　　　　　　　　)

4 **다음 밑줄 친 '이 나라'는 어디인지 쓰시오.**

• 이 나라는 초기에는 발해와 대립하는 관계였다.
• 발해의 동남쪽에서 이 나라로 이어진 교통로를 통해 발해와 꾸준히 교류하였다.

(　　　　　　　　　　)

12 신라 말의 사회 혼란과 갈등

신라는 8세기 후반부터 **소수의 진골 귀족에게 권력이 집중**되고 왕권이 약해지면서 귀족들 사이에 대립과 갈등이 심해졌습니다. 결국 어린 나이에 왕이 된 혜공왕은 귀족들의 권력 다툼 속에서 죽임을 당하였고, 이후 약 150년 동안 20여 명의 왕이 바뀌는 혼란이 이어졌습니다.

계속되는 왕위 다툼으로 나라의 정치가 혼란에 빠지자 지방에서는 반란이 일어났습니다. **웅주의 도독이었던 김헌창**은 자신의 아버지가 왕이 되지 못한 것에 불만을 품고 반란을 일으켰습니다. 김헌창의 세력은 한때 신라 지배층의 절반 가까이를 차지할 정도로 커지기도 하였지만, 결국 실패로 끝났습니다. 청해진에서 세력을 키운 **장보고도 왕위 다툼에 참여하여 반란**을 일으켰으나 실패하였고 목숨을 잃었습니다.

한편 신라 말이 되자 왕권이 약해지면서 신문왕 때 폐지되었던 **녹읍이 다시 시행**되어 귀족들은 넓은 땅을 소유하였습니다. 왕실과 귀족의 사치로 부족해진 재정을 보충하기 위해 정부는 농민으로부터 각종 세금을 거두었습니다. 이런 상황에서 흉년과 자연재해가 겹치자 농민들은 가진 것을 잃고 노비가 되거나, 고향을 떠나 떠돌다가 도적이 되기도 하였습니다.

9세기 말 진성 여왕에 이르러 농민의 삶은 더욱 힘들어졌습니다. 농민들의 삶이 어려운데도 정부는 지방에 관리를 보내 세금을 내라고 재촉하였습니다. 결국 **농민들은 전국 각지에서 봉기**를 일으켰습니다. 농민 봉기는 889년 상주 지역에서 일어난 **원종과 애노의 봉기**를 시작으로 전국 곳곳으로 퍼졌습니다. 원주에서는 양길이, 죽주에서는 기훤이 봉기를 일으켰습니다. **붉은 바지를 입은 도적(적고적)**이라 불리는 무리들은 수도인 금성까지 쳐들어갔습니다. 그러나 정부는 이들을 진압하지 못하고 더욱 힘이 약해졌습니다.

▲ 신라 말의 사회적 혼란(9세기)

자료 분석 강의

한국사 용어 콕!
- **도독** 신라 시대에 지방을 다스렸던 지방 장관.
- **재정** 국가가 필요한 재산을 관리하고 이용하는 경제 활동.
- **흉년**(凶 흉할 **흉**, 年 해 **년**) 농사가 이전보다 잘 되지 않아 굶주리는 해.
- **봉기** 많은 사람들이 옳지 못한 일에 반대하여 한꺼번에 일어나는 것.

예문 사회의 혼란으로 많은 사람들이 **봉기**했어요.

핵심 Point!

정답 및 풀이 171쪽

❶ 신라는 8세기 후반부터 소수의 진골 귀족에게 권력이 집중되어 ☐☐이 약해졌다.

❷ 신라 말에 신문왕 때 폐지되었던 ☐☐이 다시 시행되어 귀족들이 넓은 땅을 소유하였다.

❸ 9세기 말 진성 여왕 때 상주 지역에서 원종과 ☐☐가 봉기를 일으켰다.

정답 및 풀이 171쪽

1 신라 말 사회 모습에 대한 설명으로 알맞은 것은 어느 것입니까? (　　　)

① 혜공왕의 노력으로 왕권이 강화되었다.
② 풍년이 들어 나라의 재정이 튼튼해졌다.
③ 귀족들이 혜공왕을 죽이려다 실패하였다.
④ 소수의 진골 귀족에게 권력이 집중되었다.
⑤ 녹읍이 폐지되어 귀족들이 넓은 땅을 소유하였다.

2 다음 (　　) 안에 공통으로 들어갈 알맞은 인물은 누구인지 쓰시오.

> 웅주의 도독이었던 (　　　)은(는) 자신의 아버지가 왕이 되지 못한 것에 불만을 품고 반란을 일으켰다. 한때 (　　　)의 세력이 커지기도 하였지만 결국 실패하였다.

(　　　　　　　　)

3 다음 보기에서 신라 말 농민이 봉기를 일으키게 된 배경으로 알맞은 것을 모두 골라 기호를 쓰시오.

> **보기**
> ㉠ 흉년이 들고 자연재해가 발생하였다.
> ㉡ 6두품 세력이 새로운 지배 세력으로 등장하였다.
> ㉢ 정부는 부족한 재정을 보충하기 위해 농민들을 수탈하였다.

(　　　　　　　　)

3 단원

4 신라 말에 일어난 농민 봉기가 아닌 것은 어느 것입니까? (　　　)

① 양길의 봉기
② 기훤의 봉기
③ 장보고의 난
④ 원종·애노의 봉기
⑤ 적고적의 금성 약탈

13 새로운 세력의 등장과 후삼국의 성립

신라 말 귀족들이 서로 권력을 차지하기 위해 다투면서 왕권은 약화되고 전국 각지에서 봉기가 끊이지 않았습니다. 정치의 혼란으로 정부는 지방을 ●통제하기 어려워졌고 이 틈을 타서 **지방에서는 호족이 성장**하였습니다. 호족은 **자신의 군대를 가지고 지방을 지배**하면서 스스로를 '성주' 또는 '장군'이라 칭하였습니다. 이들은 지방의 ●촌주 출신이 많았으며 중앙에서 내려온 귀족들도 있었습니다.

한편 신라의 골품제로 인해 높은 관직에 오르지 못하는 것에 불만을 품었던 **6두품은 골품제의 잘못된 점을 비판**하고, 신라의 정치를 개혁하고자 하였습니다. 6두품이었던 ●**최치원은 능력에 따라서 인재를 뽑아야 한다고** ●**건의**하였으나 진골 귀족의 반대로 인해 받아들여지지 않았습니다. 개혁을 이루지 못한 6두품은 호족과 손을 잡고 새로운 사회를 만들고자 하였습니다.

9세기 말 신라는 힘이 크게 약해져서 수도인 금성과 그 주변 지역을 제외한 지역은 대부분 호족이 지배하였습니다. 결국 견훤과 궁예가 새로운 국가를 세워 신라에 맞서게 되었습니다.

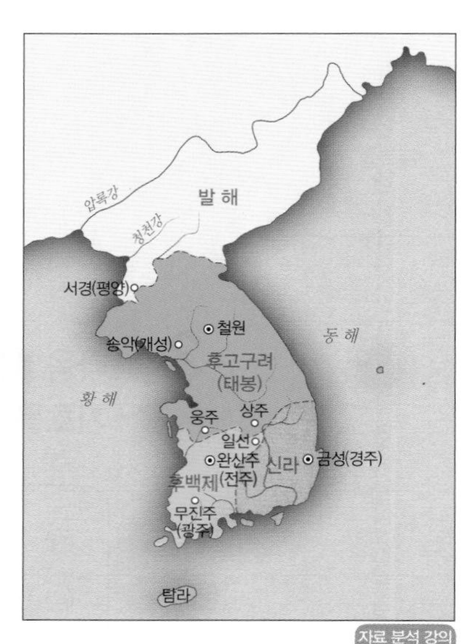

▲ 후삼국의 성립(10세기)

자료 분석 강의

견훤은 서남 해안을 지키는 군인으로 전라도 지역의 호족 세력을 모아 힘을 키워 나갔습니다. **견훤은 완산주(전주)에 도읍**을 정하고 백제의 부흥을 내세우며 **후백제**를 세웠습니다(900년). 신라의 왕족 출신으로 알려진 **궁예**는 왕건 등 중부 지방의 호족 세력을 모아 **송악(개성)을 도읍으로 하고 후고구려**를 세웠습니다(901년). 이후 궁예는 철원으로 도읍을 옮기고 나라 이름을 태봉으로 고쳤습니다. 이로써 한반도에는 신라, 후백제, 후고구려의 삼국이 자리잡게 되는 후삼국 시대가 시작되었습니다.

한국사 용어 쿡!

- **통제** 질서, 제도, 규범 등을 어기지 않게 다스리는 것.
- **촌주** 신라 시대 말단 행정 구역인 촌의 우두머리.
- **최치원** 당에서 문장가로 이름을 떨치고 신라로 돌아온 뒤, 진성 여왕에게 개혁안을 건의하였으나 받아들여지지 않자 전국을 떠돌다가 일생을 마쳤음.
- **건의** 어떤 문제에 대해 의논할 수 있도록 의견을 내놓는 것.

핵심 Point!

정답 및 풀이 172쪽

❶ 신라 말 □□은 스스로를 '성주' 또는 '장군'이라 칭하며 지방을 지배하였다.

❷ 6두품이었던 □□□은 능력에 따라서 인재를 뽑을 것을 건의하였다.

❸ □□은 완산주에 도읍을 정해 후백제를 세웠고, □□는 송악을 도읍으로 정해 후고구려를 세웠다.

정답 및 풀이 172쪽

1 다음 보기에서 신라 말 새롭게 등장한 호족에 대한 설명으로 옳은 것을 모두 골라 기호를 쓰시오.

보기

㉠ 스스로 '성주' 또는 '장군'이라고 칭했다.
㉡ 자신의 군대를 가지고 지방을 지배하였다.
㉢ 중앙 귀족으로 높은 관직에 올라 권력을 독점하였다.

( )

2 다음에서 설명하는 신라의 계층은 무엇인지 쓰시오.

- 신라 말 골품제의 모순을 비판하였다.
- 중앙 귀족이면서도 관직 승진에 제한을 받았다.

( )

3 오른쪽 후삼국을 나타낸 지도에서 ㉠, ㉡에 들어갈 알맞은 나라를 쓰시오.

㉠ ( )
㉡ ( )

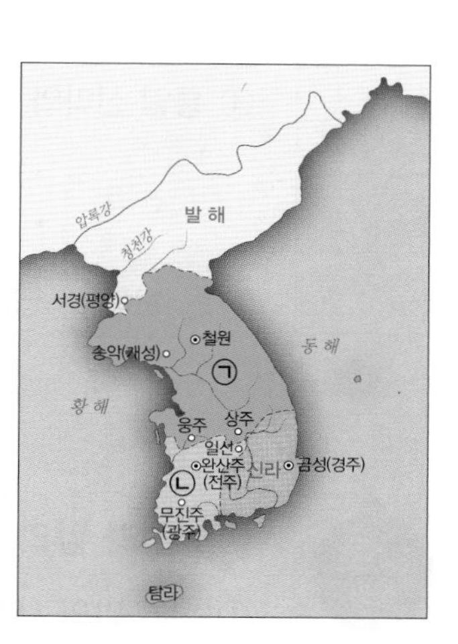

후삼국의 성립 ▶

4 후백제와 후고구려를 비교한 내용 중 잘못된 것은 어느 것입니까? ( )

	구분	후백제	후고구려
①	배경	호족의 성장, 농민 봉기로 인한 사회 혼란	
②	건국	견훤	궁예
③	세력 기반	서남 해안의 해상 세력, 전라도 호족의 지원	왕건, 중부 지방의 호족 세력
④	도읍	송악(개성)	완산주(전주)
⑤	지배	전라도, 충청도, 경상도 서부 지역	강원도, 충청도, 경기도, 황해도 일대

눈으로 읽는 딱 1분 개념정리

| 학습한 내용을 정리해 보며, 빈칸에 들어갈 키워드를 써 보세요.

• 정답 및 풀이 172쪽

1 발해의 성립과 발전

① 발해의 건국 과정

고구려가 멸망하자 고구려 유민들이 당의 영주로 끌려갔음. ⇨ 고구려 유민과 말갈족이 영주를 탈출하였음. ⇨ 대조영이 이끈 고구려 유민과 말갈족이 천문령 전투에서 당의 군대를 물리쳤음. ⇨ 대조영이 이끈 무리가 동모산 근처에 도읍을 정하고 발해를 세웠음(698년).

② 발해의 발전

무왕	영토 확장을 위해 노력하였으며 당의 산둥 반도를 공격하였음.
문왕	수도를 상경 용천부로 옮기고 당, 신라와 활발히 교류하였음.
선왕	영토를 더욱 넓혀 당으로부터 (❶)이라고 불리는 전성기를 맞이하였음.

③ 발해의 문화

- 발해는 (❷   ) 문화를 바탕으로 당과 말갈의 문화를 받아들여 독특한 문화를 발전시켰음.
- 발해의 수도였던 상경성과 중경성에는 발해의 문화를 알 수 있는 여러 유물이 남아 있음.

④ 통일 신라와 발해의 대외 교류

신라	• 당, 일본 등 주변 나라와 활발히 교류하였고 당항성, 울산항은 국제 무역항으로 발전하였음. • (❸)는 청해진을 설치하여 해적을 물리치고 해상 무역을 장악하였음.
발해	당, 거란, 일본 및 신라로 향하는 교통로를 설치하고 주변 나라들과 활발하게 교류하였음.

2 신라 말의 혼란과 후삼국의 성립

① 신라 말의 사회 혼란

- 소수 진골 귀족들 간의 권력 다툼으로 왕권이 약화되었음.
- 지방에서의 반란(김헌창의 난, 장보고의 난), 농민 봉기(원종과 애노의 난, 양길의 봉기, 기훤의 봉기, 적고적의 금성 약탈 등)가 일어났음.

② 새로운 세력의 등장

(❹)	자신의 군대를 가지고 성을 쌓아 지역을 지키며 지역 백성에게 세금을 걷었음. → 지방에서 실질적인 지배력을 행사하였음.
6두품	최치원은 골품제를 비판하고, 능력 위주의 인재 선발을 건의하였으나 받아들여지지 않았음.

③ 후삼국 성립: 신라, 후백제, 후고구려로 형성되는 시기를 후삼국 시대라고 함.

후백제	견훤이 완산주(전주)에 도읍을 정하고 후백제를 세웠음(900년).
후고구려	(❺)가 송악(개성)을 도읍으로 하고 후고구려를 세웠음(901년).

한국사 생각쓰기

• 정답 및 풀이 172쪽

1 다음 자료를 보고, 발해가 우리나라 역사인 까닭은 무엇인지 쓰시오.

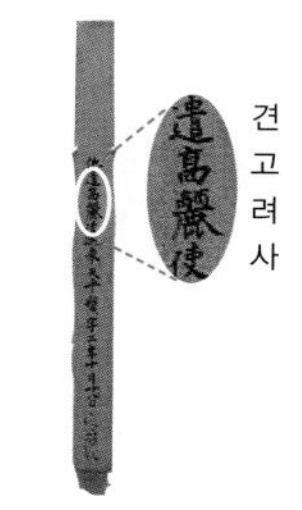

▲ 견고려사 목간

▲ 고구려 수막새(왼쪽)과 발해의 수막새(오른쪽)

2 다음은 신라 말의 상황을 나타난 자료입니다. 신라 말에 이러한 혼란이 일어난 까닭은 무엇인지 쓰시오.

- 헌덕왕 14년 3월, 웅천주 도독 헌창이 아버지 주원이 왕이 되지 못함을 이유로 반란을 일으켜, 국호를 장안이라 하고 연호를 세워 경운 원년이라 하였다. -『삼국사기』-
- 진성 여왕 3년, 여러 주와 군에서 공물과 조세를 바치지 않으니, 창고가 비고 나라의 씀씀이가 궁핍해졌다. 왕이 관리를 보내어 독촉하자, 이로 인해 곳곳에서 도적이 벌떼 같이 일어났다. -『삼국사기』-

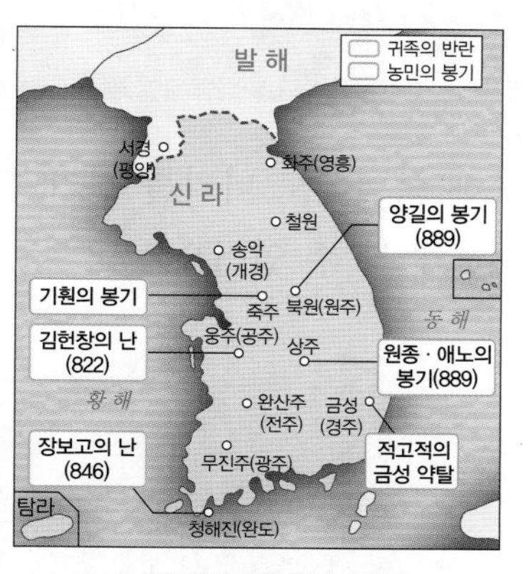

▲ 봉기가 일어난 지역

생각 쓰기 Point

Point 1

발해의 성립과 문화

- 발해는 고구려 유민인 대조영이 고구려 유민과 말갈족을 이끌고 동모산 지역에 세운 나라입니다.
- 발해의 문화는 고구려 문화를 바탕으로 당, 말갈족의 문화를 받아들여 형성되었습니다.

Point 2

신라 말에 일어난 지방의 반란과 농민 봉기

지방 반란	• 웅천주 도독 김헌창이 반란을 일으켰음. • 청해진을 중심으로 장보고가 반란을 일으켰음.
농민 봉기	• 원종과 애노(상주), 양길(원주), 기훤(죽주)이 봉기를 일으켰음. • 적고적이 수도인 금성까지 쳐들어갔음.

3 단원

문무왕의 무덤은 왜 바다에 만들어졌을까?

삼국 통일이라는 큰 업적을 남긴 문무왕은 죽으면서 이런 유언을 남겼어요.

“내가 죽거든 열흘 후 화장해라. 예는 지키되 검소하게 하길 바란다. 내가 죽어서 바다의 용이 되어 신라를 지킬 것이다.”

신하들은 문무왕의 뜻을 받들어 문무왕을 화장하였고 동해의 큰 바위에서 장사를 지냈어요. 그 바위가 현재 경상북도 경주시 양북면 봉길리 앞바다에 있는 문무 대왕릉이에요.

문무왕의 아들이었던 신문왕은 아버지를 그리워하며 문무 대왕릉이 잘 보이는 해변에 감은사를 짓고 자주 찾아 갔어요. 그런데 어느 날, 문무왕이 정말 용이 되어 신문왕 앞에 나타났어요. 용이 된 문무왕은 신문왕에게 대나무를 주며 이것으로 피리를 만들면 평화가 찾아올 것이라고 말했어요.

신문왕이 대나무로 피리를 만들어 불자 신기한 일이 생겼어요. 적군이 물러가고 병이 나았으며 가뭄에는 비가 오고 요동치던 파도가 잔잔해졌어요. 신문왕은 그 피리를 ‘만 개의 파도를 가라앉히는 피리’라는 뜻에서 ‘만파식적(萬波息笛)’이라고 불렀어요.

이 이야기를 통해 죽어서도 나라를 지키려고 했던 문무왕과 신라에 평화가 오기를 바라는 신문왕의 마음을 짐작해 볼 수 있어요.

▼ 문무 대왕릉(경북 경주)

4 고려의 성립과 변천

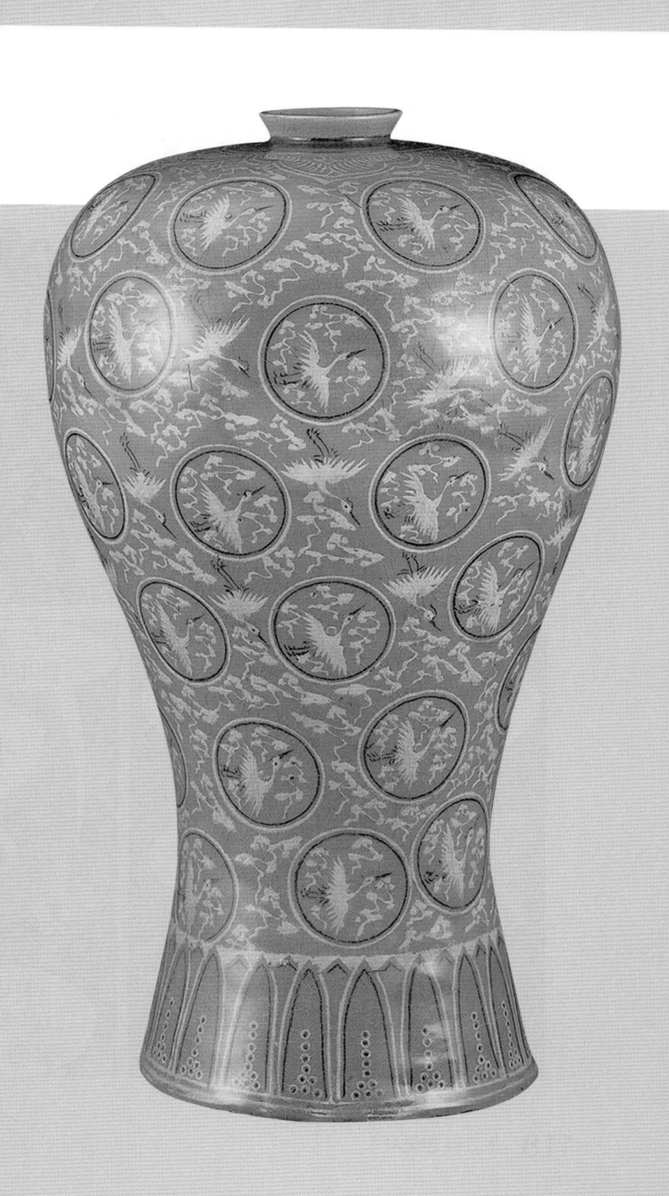

중학교에서는

문벌 귀족부터 신진 사대부와 신흥 무인 세력까지
고려의 지배 세력을 중심으로 고려의 성립과 변천 과정에
대해서 배우게 됩니다.

고려의 성립과 변천

고려는 후삼국을 통일한 뒤, 문벌 귀족 사회와 무신 정권 시대를 거쳤으며 거란과 몽골 등 북방 민족의 침입을 받기도 하였어요. 고려 사회의 변천 과정을 살펴보고, 고려와 주변 국가와의 대외 교류에 대해서도 알아보도록 해요.

>> 후삼국을 통일한 사람은 누구일까?

흐름 잡는 **한국사 연표**

918년	936년	1019년	1126년	1170년	1231년
왕건, 고려 건국	고려, 후삼국 통일	귀주 대첩	이자겸의 난	무신 정변	몽골의 침입

| 초고필 한국사 2권에서 계속됩니다.

4 단원

후삼국을 통일한 고려

송악의 호족이었던 왕건은 궁예의 신하로, 많은 ●공을 세워 가장 높은 관직에 올랐습니다. 궁예는 후고구려를 세운 후 호족을 억압하고 스스로를 ●미륵불이라고 하며 죄없는 사람들을 죽이기도 하였습니다. 궁예의 이러한 행동이 계속되자 신하들은 궁예를 몰아내고 왕건을 왕으로 받들었습니다. 왕이 된 **왕건은 고구려를 계승했다는 뜻에서 나라 이름을 '고려'**라 하고(918년), 도읍을 철원에서 송악으로 옮겼습니다.

고려는 후삼국의 주도권을 놓고 후백제와 대결하였고, 신라와는 ●우호적인 관계를 유지하였습니다. 왕건은 **공산(대구) 전투**에서 후백제가 신라를 공격하자 신라를 도와 후백제군과 전투를 벌였지만 패배하였습니다. 그러나 이후 후백제와 벌인 **고창(안동) 전투**에서 고창 지역 호족들의 도움을 받아 전투를 승리로 이끌었습니다.

한편 후백제에서는 왕위 계승을 둘러싸고 다툼이 일어났습니다. 견훤의 큰아들 신검은 아버지를 가두고 스스로 왕이 되었고, 견훤은 후백제를 탈출하여 고려로 가 항복하였습니다. 이러한 상황에서 신라의 경순왕도 더 이상 나라를 지키기 어렵다고 생각하여 스스로 고려에 항복하였습니다. 이후 **고려는 신검이 이끈 후백제군에게 승리**를 거두며 **후삼국을 통일**하였습니다(936년).

고려는 후삼국 통일 과정에서 호족 등 지방 세력의 도움을 받았기 때문에 진골 귀족 중심으로 운영되었던 신라에 비해 **정치에 참여하는 세력이 확대**되었습니다. 그리고 후백제와 신라를 통일했을 뿐만 아니라 발해가 거란에 멸망하자 발해 유민까지 적극적으로 받아들여 **민족의 재통일**을 이루었습니다. 이로써 고려는 옛 삼국과 발해의 다양한 문화를 흡수하여 새로운 민족 문화를 발전시킬 토대를 마련하였습니다.

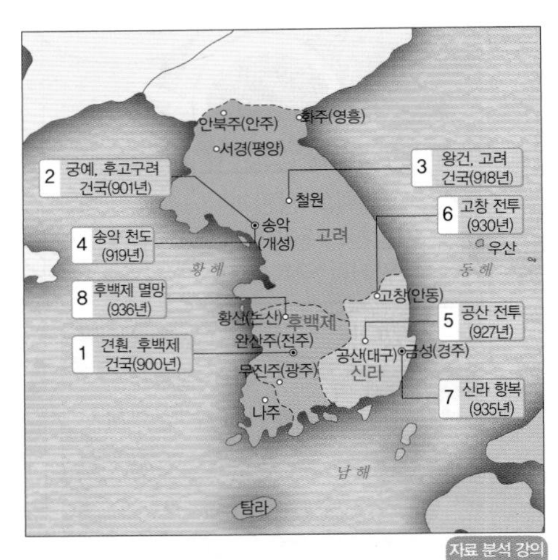

▲ 고려의 후삼국 통일 과정

자료 분석 강의

한국사 용어 콕

● **공** 일을 마치거나 목적을 이루는 데 들인 노력과 수고.

예문 이번 일이 성공한 데에는 그의 **공**이 컸어요.

● **미륵불** 석가모니에 이어 사람들을 구원할 미래의 부처.

● **우호**(友 벗 **우**, 好 좋을 **호**) 개인끼리나 나라끼리 서로 사이가 좋은 일.

핵심 Point!

정답 및 풀이 172쪽

❶ 궁예를 몰아내고 왕이 된 ☐☐은 고려를 세웠다.

❷ 936년에 고려는 후백제를 물리치고 후삼국을 ☐☐하였다.

❸ 고려는 거란에게 멸망한 ☐☐ 유민까지 받아들여 민족의 재통일을 이루었다.

정답 및 풀이 172쪽

1 **신하들이 궁예를 몰아내고 왕건을 왕으로 받든 까닭은 무엇입니까?** (　　　)

① 왕건이 신하들을 협박해서
② 궁예가 병들어 건강이 나빠져서
③ 왕건과 궁예의 사이가 좋아져서
④ 궁예 자식들 사이에 왕위 다툼이 생겨서
⑤ 궁예가 호족을 억압하고 죄 없는 사람들을 죽여서

2 **다음 (　　) 안에 들어갈 알맞은 나라를 쓰시오.**

> 왕건은 고구려를 계승했다는 뜻에서 나라 이름을 (　　　　)(이)라 하였고, 도읍을 철원에서 송악으로 옮겼다.

(　　　　　　　　)

4 단원

3 **후삼국 통일 과정을 일어난 순서대로 기호를 쓰시오.**

> ㉠ 신라의 경순왕이 고려에 항복하였다.
> ㉡ 왕건이 고창 전투에서 크게 승리하였다.
> ㉢ 왕건은 신검이 이끈 후백제군을 물리쳤다.
> ㉣ 왕건이 후백제와 벌인 공산 전투에서 패배하였다.

(　　　　) → (　　　　) → (　　　　) → (　　　　)

4 **다음 보기 에서 고려의 후삼국 통일의 의의로 알맞은 것을 모두 골라 기호를 쓰시오.**

> **보기**
> ㉠ 옛 삼국의 다양한 문화를 흡수하였다.
> ㉡ 지방 세력의 도움을 받으면서 신라보다 정치 참여 세력이 확대되었다.
> ㉢ 후백제와 신라는 받아들였으나 발해의 유민은 배제하여 삼국만의 통일을 이루었다.

(　　　　　　　　)

02 태조 왕건의 정책

후삼국을 통일한 태조는 나라의 기틀을 마련하기 위한 다양한 정책을 실시하였습니다. 먼저 백성들의 생활을 안정시키기 위해 세금을 줄이고, 곡식을 빌려주는 기관인 **흑창을 설치**하여 가난한 사람들을 보살폈습니다. 또한 신라, 백제, 발해의 유민을 받아들여 민족을 통합하고자 하였습니다.

또한 태조는 지방에서 각자의 세력을 가지고 있던 호족을 포섭하기 위해 노력하였습니다. **호족의 딸과 혼인**하여 자신의 편으로 만들었고, 성씨, 관직, 토지를 내려 주었습니다. 아울러 호족을 견제하기 위한 제도도 실시하였습니다. **사심관 제도**는 호족에게 사심관이라는 직위를 주고 그들의 출신 지역을 다스리도록 한 것으로 사심관이 다스리는 지역에 잘못된 일이 일어났을 때 책임을 지도록 하였습니다. **기인 제도**는 지방을 맡아 다스리는 호족의 자제를 수도에 머물도록 한 것입니다. 이 제도는 지방의 호족들의 자녀를 인질로 삼아 지방 호족들이 반란을 일으키지 못하도록 견제하기 위한 것이었습니다.

▲ 사심관 제도

▲ 기인 제도

태조는 고려 건국 직후부터 고구려 계승 의식과 자주 의식을 드러내며 옛 고구려의 영토를 되찾기 위해 **북진 정책을 실시**하였습니다. 이에 고구려의 수도였던 서경(평양)을 기지로 삼아 북쪽으로 나아가 청천강에서 영흥만에 이르는 지역까지 영토를 넓혔습니다.

태조는 이처럼 다양한 정책을 통해 나라의 기틀을 마련하였고 후대의 왕에게 지켜야 할 일들을 담은 **'훈요 10조'**라는 글을 남겼습니다.

한국사 용어 콕!

- **흑창** 고려 초 설치되었던 빈민 구제 기관. 가난한 사람에게 곡식을 빌려주었다가 추수 후에 갚도록 하였음.
- **포섭** 상대편을 자기 편으로 끌어들임.
- **자제** 남의 아들 또는 자식을 높여 부르는 말.
- **인질** 자신의 요구를 들어주지 않으면 해치겠다고 위협하며 강제로 붙잡아 둔 사람.
- **기지**(基 터 기, 地 땅 지) 어떤 특별한 활동을 벌이기 위해 근거로 삼은 장소. 예문 독립 운동가들은 간도에 독립 운동의 **기지**를 마련했어요.

핵심 Point!

정답 및 풀이 172쪽

❶ 태조는 지방 호족을 자신의 편으로 끌어들이기 위해 ☐☐ 관계를 맺었다.

❷ ☐☐ 제도는 호족의 자제를 수도에 머물도록 하여 호족을 견제하기 위한 제도였다.

❸ 태조는 후대의 왕이 지켜야 할 일들을 담은 ☐☐ 10조를 남겼다.

정답 및 풀이 172쪽

1 다음 **보기** 에서 태조가 호족을 포섭하고 견제하기 위해 실시한 정책을 모두 골라 기호를 쓰시오.

보기

㉠ 진대법　㉡ 기인 제도　㉢ 남진 정책
㉣ 혼인 정책　㉤ 사심관 제도　㉥ 상수리 제도

(　　　　　　　　)

2 태조 때 설치한 것으로, 가난한 사람에게 곡식을 빌려주고 추수 후에 갚도록 한 고려의 기관은 무엇인지 쓰시오.

(　　　　　　　　)

4 단원

3 다음에서 설명하는 정책은 무엇인지 쓰시오.

태조는 고구려의 수도였던 서경(평양)을 기지로 삼아 북쪽으로 나아가고자 하는 정책을 펼쳤다. 그 결과 청천강에서 영흥만에 이르는 지역까지 영토를 넓혔다.

(　　　　　　　　)

중학교 시험 맛보기

4 다음은 태조가 남긴 훈요 10조의 일부입니다. 이를 통해 알 수 있는 정책이 아닌 것은 어느 것입니까? (　　　)

제4조 거란은 짐승과 같은 나라이므로 그들의 의관 제도는 따르지 말 것
제5조 서경을 중요시할 것
제6조 연등회와 팔관회를 성실하게 열 것
제9조 관리들의 녹봉을 함부로 줄이지 말고, 농민의 부담을 가볍게 할 것

- **연등회와 팔관회** 삼국 시대에 시작되어 고려 때 국가적으로 치러진 불교 행사.
- **녹봉** 관리에게 봉급으로 준 쌀, 명주, 돈 등을 이르는 말.

① 북진 정책　② 민생 안정 정책
③ 호족 포섭 정책　④ 불교 숭상 정책
⑤ 거란 배척 정책

03 왕권 강화를 위한 광종과 성종의 정책

태조가 많은 호족과 혼인을 맺은 결과, 그가 죽은 뒤 여러 왕자들 사이에서 왕위 계승을 두고 다툼이 벌어졌습니다. 이러한 상황에서 왕위에 오른 **광종은 호족 세력을 약화시키고 왕권을 강화**하기 위해 노력하였습니다.

먼저 광종은 호족이 부당하게 차지한 노비를 양인으로 해방시켜 주는 **노비안검법을 실시**하였습니다. 노비는 주인의 재산처럼 취급되어 호족의 경제력을 뒷받침하였는데, 이들을 양인으로 해방시켜 호족들의 경제적 기반을 약화시켰습니다. 또한 광종은 중국에서 온 쌍기의 건의로 **과거제를 처음 실시**하여 왕에 대한 충성심과 유교의 지식을 갖춘 인재를 뽑았습니다. 이러한 정책을 통해 왕권을 강화한 광종은 자신을 황제라 칭하고, '광덕', '준풍' 등의 독자적인 연호를 사용하여 나라의 위상을 높였습니다.

이후 **성종은 안정된 왕권을 바탕으로 통치 제도를 정비**하고자 하였습니다. 성종은 관리들에게 새로운 정책을 건의하는 글을 올리게 하였습니다. 이때 **최승로**는 '나라에서 지금 해야 할 정책 28가지'라는 뜻의 **'시무 28조'**를 올려 유교를 바탕으로 나라를 다스릴 것을 주장하였습니다.

성종은 최승로의 건의를 받아들여 **유교를 바탕으로 통치 제도를 정비**하였습니다. 유학 교육 기관인 국자감을 설치하고 지방에 지방관을 파견하였으며, 2성 6부 중심으로 중앙 정치 기구도 개편하였습니다.

「시무 28조」

7조 임금이 백성을 다스리는 데 집집마다 가거나 날마다 볼 수는 없습니다. 때문에 각 지방에 수령을 파견해야 합니다.

20조 불교를 믿는 것은 자신을 다스리는 근본이며, 유교를 행하는 것은 나라를 다스리는 근원을 구하는 것입니다. 자신을 다스리는 것은 내세에 복을 구하는 일이며, 나라를 다스리는 것은 오늘의 급한 일입니다. 오늘은 아주 가까운 것이고, 내세는 지극히 먼 것입니다. 가까운 것을 버리고 먼 것을 구하는 것은 또한 그릇된 것이 아니겠습니까?

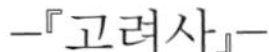
–『고려사』–

한국사 용어 콕!

- **노비안검법** 양인이었으나 전쟁이나 빚으로 노비가 된 사람들을 원래 신분으로 되돌려 주는 제도.
- **과거제** 옛날에 관리를 뽑기 위해 실시한 시험.
- **위상** 어떤 개인이나 단체에 대하여 사회의 많은 사람이 인정해 주는 수준이나 지위.
- **파견** 일정한 임무를 주어 사람을 보냄.

예문 정부는 다른 나라에 군대를 **파견**하였어요.

핵심 Point!

정답 및 풀이 172쪽

❶ 광종은 호족이 부당하게 차지한 ☐☐를 양인으로 해방시켜 주었다.

❷ 광종은 ☐☐☐를 실시하여 인재를 뽑아 왕권을 강화하였다.

❸ 최승로는 시무 28조에서 ☐☐를 바탕으로 나라를 다스릴 것을 주장하였다.

정답 및 풀이 172쪽

1 다음에서 설명하는 정책은 무엇인지 쓰시오.

> 광종은 호족이 부당하게 차지한 노비를 양인으로 해방시켜 줌으로써 호족들의 경제적 기반을 약화시켰다.

( )

2 광종이 다음과 같은 정책을 실시한 목적은 무엇입니까? ( )

> • 과거제 • 노비안검법

① 민족을 통합하기 위해서
② 왕권을 강화하기 위해서
③ 북진 정책을 실시하기 위해서
④ 호족의 세력을 강화하기 위해서
⑤ 불교를 통치 이념을 삼기 위해서

3 성종에게 다음과 같은 건의안을 제시한 인물은 누구인지 쓰시오.

> **20조** 불교를 믿는 것은 자신을 다스리는 근본이며, 유교를 행하는 것은 나라를 다스리는 근원을 구하는 것입니다. 자신을 다스리는 것은 내세에 복을 구하는 일이며, 나라를 다스리는 것은 오늘의 급한 일입니다. －『고려사』「시무 28조」－

( )

4 위 3번의 건의안을 받아들여 성종이 실시한 정책은 무엇입니까? ( )

① 과거제를 실시하였다.
② 불교 행사를 크게 열었다.
③ 호족 세력을 대대적으로 제거하였다.
④ 노비를 해방시켜 평민의 수를 늘렸다.
⑤ 유교 사상을 바탕으로 나라를 다스렸다.

04 고려의 중앙 및 지방 행정 제도

고려는 중앙 정치 기구로 당의 3성 6부제를 고려의 상황에 맞게 고친 **2성 6부제**를 두었습니다. 2성은 중서문하성과 상서성으로 구성되었으며 **중서문하성은 국가의 중요한 정책을 의논**하여 결정하였고, 상서성은 결정된 정책을 6부를 통해 실행하였습니다. 중추원은 ●군사 기밀을 다루고 왕의 명령을 전달하는 기관이었습니다. 어사대는 관리가 잘못을 저지르지는 않는지 감독하였고, 삼사는 나랏돈에 관한 일을 맡았습니다. **도병마사와 식목도감**은 높은 지위의 관리들이 국가의 중요한 일에 대하여 의논하는 회의 기구였습니다.

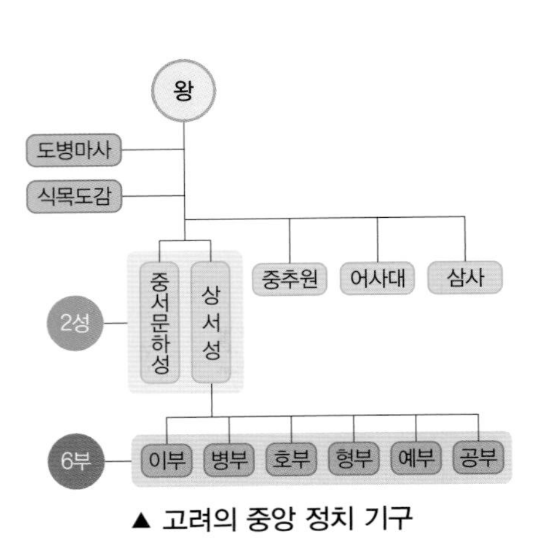

▲ 고려의 중앙 정치 기구

고려 초기에는 호족들이 각 지방을 다스렸으나 **성종 때 지방의 주요 지역인 12목에 지방관을 파견**하여 지방을 감독하였습니다. 이후 고려는 **전국을 5도 양계**로 나누었습니다. 북쪽 국경 지대에 북계와 동계의 양계를 두고, 그 아래쪽에는 5도를 설치하였으며, 수도인 개경과 그 주변을 경기라 하였습니다. 5도는 일반 행정 구역으로 안찰사를 파견하였고, 도 아래에는 주, 군, 현 등을 두어 지방관을 파견하였습니다. 국경 지역인 **양계는 군사 행정 구역**으로 군대를 ●지휘할 수 있는 병마사를 파견하였습니다.

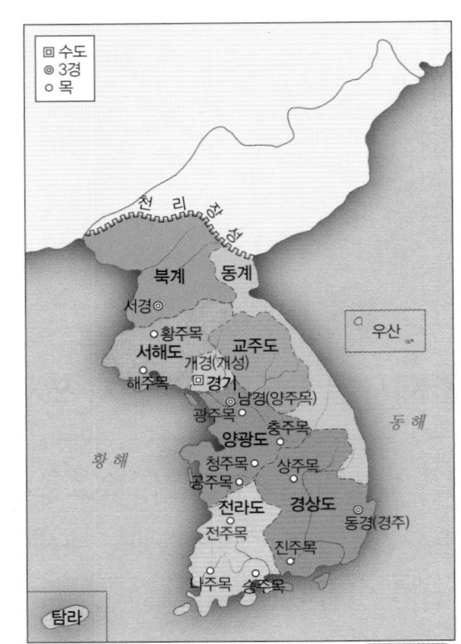

▲ 고려의 지방 행정 제도

이 외에도 신분이 낮은 사람들이 모여 사는 ●**향, 부곡, 소라는 특수 행정 구역**이 있었습니다. 이곳에 사는 사람들은 다른 지역에 사는 사람보다 세금을 많이 냈고, 다른 지역으로 이사가지 못 하는 등 차별을 받았습니다.

한국사 용어 콕!

● **군사 기밀** 국가의 안전을 위하여 지켜야 할 군사에 관한 비밀.

● **지휘** 어떤 단체를 목적에 맞게 일을 하도록 지시하고 다스리는 일.
예문 그는 장군의 **지휘** 아래 전쟁을 준비했어요.

● **향, 부곡, 소** 향, 부곡의 주민은 농사를 지었고, 소의 주민은 국가에 필요한 물품을 만들었음.

핵심 Point!

정답 및 풀이 173쪽

❶ 고려는 중앙 정치 기구로 ☐☐ ☐☐제를 두었다.

❷ ☐☐☐☐와 식목도감은 국가의 중요한 일을 의논하는 고려의 회의 기구였다.

❸ 고려는 전국을 ☐☐ 양계로 나누어 다스렸다.

• 정답 및 풀이 173쪽

1 다음은 고려의 중앙 정치 기구를 나타낸 것입니다. 국가의 중요 정책을 의논하여 결정하는 일을 하는 ㉠은 무엇인지 쓰시오.

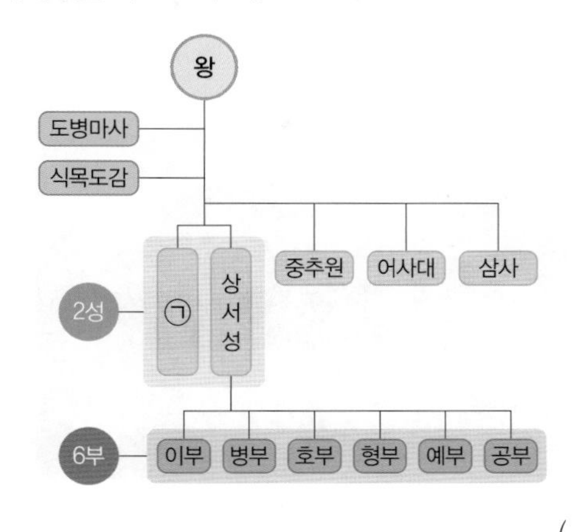

( )

2 1번 자료에서 다음에서 설명하는 정치 기구를 두 가지 찾아 쓰시오.

> 고려에는 높은 지위의 관리들이 모여 국가의 중요한 일을 의논하는 회의 기구가 있었다. 이와 같은 회의 기구는 고려의 정치가 귀족 중심으로 이루어졌음을 보여 준다.

( )

3 고려의 지방 행정 제도에 대한 설명으로 옳지 않은 것을 골라 기호를 쓰시오.

> 고려는 ㉠전국을 5도 양계로 나누었다. ㉡수도인 개경과 그 인근 지역은 12목이라 하였다. ㉢5도는 일반 행정 구역으로 안찰사가 파견되었고, 도 아래에는 ㉣주, 군, 현을 설치하고 지방관을 두었다. 국경 지역인 ㉤양계에는 병마사가 파견되었다.

( )

4 다음에서 설명하는 고려의 지방 행정 구역을 모두 고르시오. ( )

> • 신분이 낮은 사람들이 모여 사는 특수 행정 구역이었다.
> • 다른 지역에 비해서 세금을 많이 내는 등 차별 대우를 받았다

① 향 ② 소 ③ 개경
④ 부곡 ⑤ 북계

05 고려의 교육 제도와 관리 선발 제도

성종 때 세운 최고 교육 기관인 국자감은 충선왕 때 성균관으로 이름을 고쳤습니다.

▲ 성균관(개성)

고려는 능력 있는 인재를 키우기 위해 교육에 관심을 기울였습니다. 수도인 **개경에는 최고 교육 기관인 국자감**을 세워 주로 유교 경전을 가르쳤습니다. 지방에는 향교를 세워 지방 교육을 담당하게 하였습니다. 고려 중기에는 개경에 사학 12도와 같은 사립 학교도 세워졌습니다. 사학 12도를 세운 사람들은 주로 높은 관직에 오른 뛰어난 학자들이었기 때문에 귀족의 자제들이 사학으로 몰리기도 하였습니다.

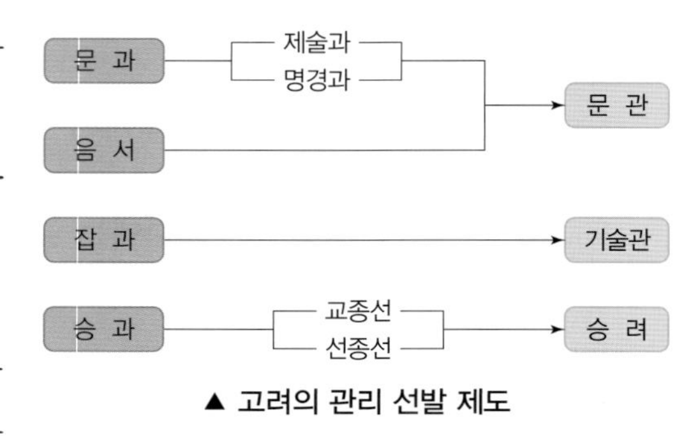

▲ 고려의 관리 선발 제도

고려에는 관리를 선발하는 여러 제도가 있었는데, 가장 대표적인 것이 **음서와 과거**가 있었습니다. **과거에는 문과, 잡과, 승과**가 있었습니다. 문과는 문학적 재능을 시험하는 제술과와 유교 경전에 대한 이해를 시험하는 명경과로 나뉘었으며 이를 통해 나라 정책과 관련된 일반적인 일을 하는 문관을 선발하였습니다. 잡과에서는 법률, 지리 등 기술을 담당하는 기술관을 뽑았고, 승과에서는 불교 행정을 담당하는 승려를 뽑았습니다. 한편 고려는 군사 일을 맡아 보는 무관을 뽑기 위한 무과는 시행하지 않고, 무예와 신체 조건이 좋은 사람을 따로 가려서 뽑았습니다.

음서는 왕족, 나라에 공을 세운 후손, 5품 이상의 고위 관리의 자손에게 **과거에 합격하지 않아도 관직을 주는 제도**였습니다. 따라서 귀족들은 음서를 통해 일찍부터 높은 관직에 오를 수 있었습니다. 이러한 **음서는 귀족의 정치적 기반**이 되었으며 고려가 귀족 사회였음을 보여 주는 제도입니다. 그러나 음서를 통해 관직에 오르는 것보다 과거에 합격하는 것을 더 큰 영광으로 여겼다는 점에서 과거의 영향력이 컸음을 알 수 있습니다.

한국사 용어 콕!

- **사학 12도** 고려 시대에 개경에 설립된 12개의 사립 학교. 그중에서 최충이 세운 9재 학당이 유명하였음.
- **무예** 칼·활·몸 등을 써서 싸우는 기술에 관한 재주.
- **후손**(後 뒤 **후**, 孫 손자 **손**) 자기 세대에서 여러 세대가 지난 뒤의 자녀를 통틀어 이르는 말.
- **자손**(子 아들 **자**, 孫 손자 **손**) 자식과 손자를 이르는 말.

핵심 Point!

정답 및 풀이 173쪽

❶ □□□은 수도인 개경에 세워진 고려의 최고 교육 기관이다.

❷ 고려 시대 관리를 뽑는 과거는 □□, 잡과, 승과로 나뉘었다.

❸ 귀족들은 □□를 통해 과거에 합격하지 않아도 관직에 오를 수 있었다.

1 **다음 고려의 교육 기관의 특징을 선으로 바르게 연결하시오.**

(1) 국자감 •　　　　• ㉠ 지방 교육 기관

(2) 향교 •　　　　• ㉡ 개경의 최고 기관

2 **다음에서 설명하는 고려의 교육 기관은 무엇인지 쓰시오.**

- 고려 중기에 개경에 세워진 12개의 사립 학교이다.
- 뛰어난 학자들이 세웠으며 귀족의 자제들이 이곳으로 몰리기도 하였다.

(　　　　　　　　)

3 **고려 시대에 관리를 뽑는 과거에 없었던 시험은 어느 것입니까?** (　　　　)

① 무과　　② 승과
③ 잡과　　④ 명경과
⑤ 제술과

4 **고려의 관리 선발 제도에 대해 잘못 발표한 사람은 누구입니까?** (　　　　)

① 정화: 과거는 문과, 잡과, 승과로 나뉘었어.
② 효민: 과거와 음서를 통해 관리가 될 수 있었어.
③ 민영: 제술과와 명경과를 통해 문관을 선발하였어.
④ 해림: 귀족들은 과거보다는 음서를 통해 관직을 얻는 것을 좋아했어.
⑤ 주영: 왕족이나 고위 관리의 자손들은 과거를 보지 않아도 관리가 될 수 있었어.

| 학습한 내용을 정리해 보며, 빈칸에 들어갈 키워드를 써 보세요.

• 정답 및 풀이 173쪽

❶ 후삼국 통일과 고려의 발전

① **고려의 건국:** (❶)이 궁예를 몰아내고 송악을 도읍으로 삼아 고려를 세웠음(918년).

② **후삼국 통일 과정:** 공산 전투 → 고창 전투 → 후백제의 왕위 다툼과 신라의 항복 → 신검이 이끈 후백제군과의 전투에서 고려가 승리함. → 후삼국 통일(936년)

③ **왕건의 정책**

호족 포섭 정책	• 호족의 딸들과 혼인하여 호족을 포용하였음. • 사심관 제도와 기인 제도를 실시하여 호족을 견제하였음.
민생 안정 정책	백성들의 세금을 줄이고 빈민 구제 기관인 흑창을 설치하였음.
민족 통합 정책	발해 유민을 받아들이고 옛 신라와 백제 세력을 받아들임.
북진 정책	(❷)을 기지로 삼아 북쪽으로 나아가는 정책을 벌였음.

④ **광종과 성종의 정책**

광종	• 노비안검법 실시: 호족들이 부당하게 차지한 노비를 양인으로 해방시켰음. • (❸) 실시: 왕에 대한 충성심과 유교의 지식을 갖춘 인재를 뽑았음.
성종	• 최승로의 시무 28조를 채택하여 유교 사상을 바탕으로 나라를 다스렸음. • 지방관을 파견하고 통치 제도를 정비하였음.

❷ 고려 통치 체제의 정비

① **중앙 정치 제도의 정비**
- 당의 3성 6부를 받아들여 (❹)(중서문하성, 상서성) 6부제로 운영하였음.
- 중추원(군사 기밀, 왕명 전달), 어사대(관리 감독), 삼사(국가 재정 관리), 도병마사와 식목도감(회의 기구)이 있었음.

② **지방 행정 제도의 정비**

(❺)	일반 행정 구역으로 안찰사를 파견하였고 도 아래에 군, 현 등을 두었음.
양계	국경 지역에 있는 군사 행정 구역으로 병마사를 파견하였음.
향, 부곡, 소	특수 행정 구역으로 신분이 낮은 사람들이 모여 살았고 차별 대우를 받았음.

③ **교육 기관:** 국자감(수도 개경에 있는 최고 교육 기관), 향교(지방 교육 기관), 사학 12도(사립 학교)

④ **관리 선발 제도**

과거	문관을 뽑는 문과(제술과, 명경과), 기술관을 뽑는 잡과, 승려를 뽑는 승과가 있었음.
(❻)	왕족, 나라에 공을 세운 사람의 후손, 5품 이상의 고위 관리의 자손에게 과거에 합격하지 않아도 관직을 주는 제도 → 귀족들의 권력 기반이 되었음.

한국사 생각쓰기

• 정답 및 풀이 173쪽

1 다음은 왕건이 실시한 제도를 나타낸 것입니다. 이와 같은 제도를 실시한 목적은 무엇인지 쓰시오.

▲ 사심관 제도

▲ 기인 제도

생각 쓰기 Point

Point 1

사심관 제도와 기인 제도

사심관 제도	호족에게 사심관이라는 직위를 주고 그들의 출신 지역을 다스리도록 한 제도
기인 제도	지방을 다스리는 호족의 자녀를 수도에 머물도록 한 제도

2 다음 고려의 관리 선발 제도를 보고, 고려 시대에 관리가 되기 위한 방법에는 무엇이 있는지 쓰시오.

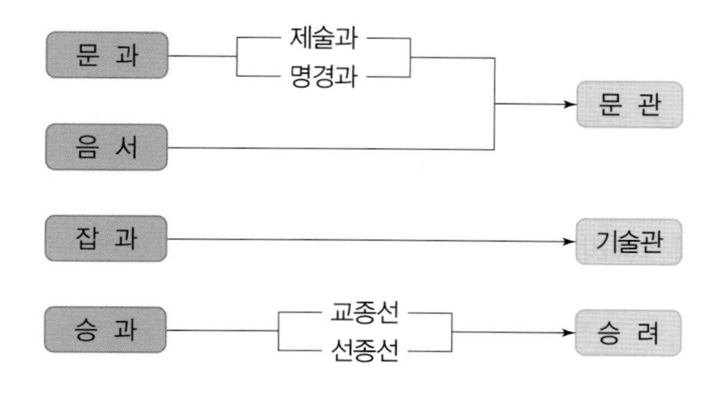

Point 2

과거와 음서 제도

과거	광종 때 중국에서 온 쌍기의 건의로 처음 실시되었으며, 인재를 뽑을 수 있었음.
음서	귀족이 신분을 세습할 수 있게 하여 귀족의 권력 기반이 되었음.

06 거란의 침입

10세기 초 당이 멸망하고 중국 대륙이 혼란해지자 거란이 발해를 멸망시키고 세력을 넓혔습니다. 그 뒤 중국을 통일한 송은 거란과 대립하였습니다. 고려는 거란이 발해를 멸망시킨 것에 불만을 품었고, 북진 정책을 실시하는 과정에서도 거란과 충돌하여 거란과 사이가 좋지 않았습니다. 송은 거란을 견제하기 위해 고려와 외교 관계를 맺고 고려와 우호적인 관계를 이어 나갔습니다. 고려가 **거란을 배척하고 송과 친하게 지내자** 거란은 중국을 차지하기 위해 송을 공격하기에 앞서 고려를 먼저 공격하였습니다.

거란이 공격해 오자 고려의 일부 신하들은 서경 이북의 땅을 거란에게 내어 주고 거란을 물러나게 하자고 주장하였습니다. 그러나 **서희**는 거란이 침입한 것은 고려와 송의 관계를 끊게 하기 위한 것임을 알아차렸습니다. 그래서 **거란의 장수 소손녕을 만나 담판**을 벌였습니다. 서희는 소손녕에게 고려가 거란과 교류하기 위해서는 거란으로 가는 길목에 있는 압록강 동쪽의 땅이 필요하므로 여진이 차지하고 있는 땅을 고려가 정복하도록 해 준다면 송과 관계를 끊고 거란과 교류할 것이라고 약속하였습니다. 그 결과 고려는 여진을 몰아내고 **압록강 동쪽의 강동 6주**를 얻어냈습니다.

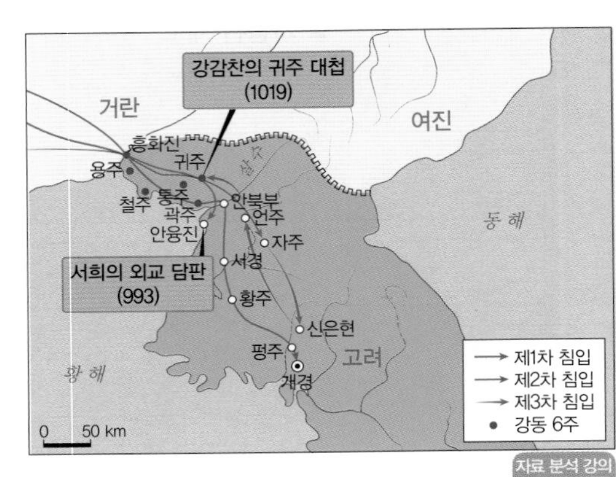

▲ 거란의 침입 과정

그러나 고려는 송과 계속 교류하였고 거란은 고려를 다시 침입하였습니다. 이로 인해 한때 개경이 함락되는 등 어려움을 겪었으나 **양규 등이 이끄는 고려군과 백성들의 활약**으로 거란군을 물리쳤습니다.

거란은 강동 6주를 돌려줄 것을 요구하며 세 번째로 침입해 왔습니다. 이때 **강감찬이 이끄는 고려군은 거란군을 귀주**에서 크게 물리쳤습니다(귀주 대첩, 1019년). 이후 고려는 북쪽 국경에 천리장성을 쌓아 북방 민족의 침입에 대비하였습니다.

한국사 용어 쿡!

- **배척**(排 밀칠 **배**, 斥 물리칠 **척**) 거부하여 물리침. 예문 나와 다르다고 해서 친구를 **배척**하면 안 돼요.
- **담판**(談 말씀 **담**, 判 판가름할 **판**) 쌍방이 의논하여 옳고 그름을 판단함.
- **강동6주** 고려 시대에 있던 행정 구역으로 현재의 평안도 지역에 있는 흥화진, 용주, 통주, 철주, 귀주, 곽주 등 6개 지역을 말함.
- **천리장성** 고려 시대 거란과 여진의 침입에 대비하여 압록강 입구에서 도련포까지 쌓은 성.
- **북방 민족** 한반도를 기준으로 북쪽 지역에 사는 민족.

핵심 Point!

정답 및 풀이 173쪽

❶ 발해를 멸망시킨 ☐☐은 중국을 차지하기 위해 송과 대립하였다.

❷ ☐☐는 거란의 장수 소손녕과 담판을 벌여 거란을 물러나게 했다.

❸ ☐☐☐이 이끄는 고려군이 귀주에서 거란군을 크게 물리쳤다.

정답 및 풀이 173쪽

1 다음 보기 에서 10세기에 고려, 송, 거란에 대한 설명으로 옳은 것을 골라 기호를 쓰시오.

보기
㉠ 거란은 고려를 멸망시키고 세력을 넓히고 있었다.
㉡ 송은 거란을 견제하고자 고려와 외교 관계를 맺었다.
㉢ 고려는 남진 정책을 실시하는 과정에서 거란과 충돌하였다.

( )

2 고려 시대에 다음 인물들이 공통적으로 물리쳤던 북방 민족을 쓰시오.

서희, 양규, 강감찬

( )

3 서희가 소손녕과의 담판을 통해 차지한 오른쪽 지도의 ㉠에 해당하는 지역을 쓰시오.

( )

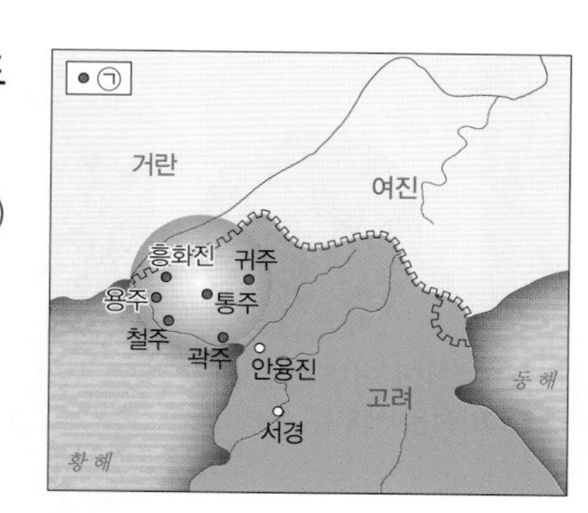

중학교 시험 맛보기

4 다음 연표의 ㉠ ~ ㉣ 시기에 있었던 역사적 사건으로 옳은 것은 어느 것입니까? ( )

거란의 1차 침입 / 거란의 2차 침입 / 거란의 3차 침입
㉠ ㉡ ㉢ ㉣

① ㉠ – 강동 6주 획득
② ㉡ – 양규의 거란군 격파
③ ㉢ – 천리장성 축조
④ ㉢ – 서희의 외교 담판
⑤ ㉣ – 귀주 대첩

07 여진의 침입과 별무반

여진족은 만주 지역에서 여러 부족으로 나뉘어 있었습니다. 고려 초기 여진은 고려를 부모의 나라로 생각하고 고려에 말과 가죽 등을 바쳤습니다. 고려는 이들을 회유하기 위해 교류를 허락하고, 귀화하는 사람에게는 집과 토지, 관직 등을 주었습니다. 이러한 회유 정책을 통해 고려와 여진은 평화로운 상태를 유지하였으나 12세기 이후 여진이 점차 세력을 확대하여 고려의 국경을 침략하였고, **국경 지역에서 고려와 여진의 충돌**이 잦아졌습니다.

고려는 처음에 여진의 침입을 막아 내지 못하였습니다. 여진은 말을 타고 싸우는 부대가 많았는데 걸으며 싸우는 고려군이 이를 막기는 힘들었기 때문입니다. 이에 윤관은 여진을 물리치기 위한 **특별 부대인 별무반을 조직**하였습니다. 별무반은 말을 타고 싸우는 신기군, 걸으며 싸우는 신보군, 승려로 이루어진 항마군으로 구성되었습니다. **윤관은 별무반을 이끌고 여진을 몰아낸 후, 동북 지방에 9개의 성**을 쌓았습니다.

▲ 별무반

▲ '고려의 영토'라고 새긴 비석을 세우는 모습

▲「척경입비도」 윤관이 여진족을 정벌하고 9성을 쌓는 모습이 그려져 있음

고려는 북쪽의 백성들을 9성으로 옮겨 살게 하여 성을 지키려고 하였습니다. 그러나 여진의 공격이 계속되어 수비에 어려움이 있었고, 여진이 이 땅을 돌려주기를 계속해서 요구하여 결국 9성을 돌려주었습니다.

그 뒤 여진은 더욱 세력을 넓혀 금을 세우고, 거란족이 세운 요를 멸망시켰습니다. **금은 고려에 임금과 신하의 관계를 맺자고 요구**하였습니다. 고려의 여러 신하들은 이에 반대하였으나, 당시 권력을 잡고 있던 이자겸의 주장에 따라 금의 요구를 받아들였습니다.

한국사 용어 콕!

- **회유** 남을 달래고 추켜서 시키는 말을 따르게 하는 것.
  예문 온갖 위협과 **회유**에도 굴복하지 않았어요.
- **귀화** 다른 나라의 국적을 얻어 그 나라의 국민이 되는 일.
- **부대** 일정한 규모로 만들어진 군대 조직을 이르는 말.

핵심 Point!

정답 및 풀이 174쪽

❶ 여진을 정복하기 위하여 특별 부대인 ☐☐☐이 구성되었다.

❷ 윤관은 여진족을 정벌한 뒤 동북 지방에 ☐개의 성을 쌓았다.

❸ 여진은 세력을 넓혀 ☐을 세우고 고려에 임금과 신하의 관계를 맺자고 요구하였다.

정답 및 풀이 174쪽

1 고려가 여진을 회유하기 위해 한 일을 두 가지 고르시오. (　　　　　)

① 별무반을 조직하였다.
② 여진과의 교류를 허락하였다.
③ 고려가 여진에게 말과 가죽을 바쳤다.
④ 고려로 귀화하는 사람에게 집과 토지를 주었다.
⑤ 여진이 나뉘어 있던 부족들을 통일하도록 도와 주었다.

2 다음에서 설명하는 군대는 무엇인지 쓰시오.

- 여진을 막아 내기 위해 조직된 특별 부대였다.
- 말을 타고 싸우는 신기군, 걸으며 싸우는 신보군, 승려로 이루어진 항마군으로 구성되었다.

(　　　　　　　　)

3 다음 (　　) 안에 들어갈 알맞은 인물은 누구인지 쓰시오.

(　　　　)은(는) 별무반을 이끌고 여진을 몰아낸 후, 새로 차지한 동북 지방에 9개의 성을 쌓았다.

(　　　　　　　　)

4 다음 역사적 사건을 일어난 순서대로 옳게 나열한 것은 어느 것입니까? (　　　　)

㉠ 여진이 금을 세웠다.
㉡ 특별 부대인 별무반을 조직하였다.
㉢ 정복한 동북 지방에 9개의 성을 쌓았다.
㉣ 여진이 고려의 국경 지역을 침략하여 충돌이 잦아졌다.

① ㉠ － ㉡ － ㉢ － ㉣　　② ㉡ － ㉠ － ㉣ － ㉢
③ ㉢ － ㉡ － ㉠ － ㉣　　④ ㉣ － ㉢ － ㉡ － ㉠
⑤ ㉣ － ㉡ － ㉢ － ㉠

08 이자겸의 난과 묘청의 난

고려의 귀족은 **음서와 과거**를 통해 대대로 높은 관직을 독차지하였습니다. 그리고 지위가 높은 관리들에게 주는 **공음전이라는 토지**를 바탕으로 넓은 땅을 차지하여 경제적 부를 누렸습니다. 이들은 권력을 가진 다른 가문이나 왕실과 혼인하여 더욱 세력을 키웠습니다. 이러한 과정을 통해 귀족들은 자신들의 문벌을 형성하여 **문벌 귀족**이 되었습니다.

경원 이씨 집안은 왕실과의 혼인을 통해 대표적인 문벌 귀족으로 성장하였습니다. **경원 이씨 집안의 이자겸**은 예종과 인종에게 자신의 딸들을 계속해서 시집을 보내 왕의 장인이자 외할아버지가 되어 큰 권력을 가지게 되었습니다. 이자겸의 권력이 커지는 것에 위협을 느낀 인종이 이자겸을 죽이려고 하자 **이자겸은 스스로를 왕이라 부르며 난**을 일으켰고 궁궐까지 불태웠습니다(1126년). 인종은 이자겸이 일으킨 난을 진압하였고 이자겸의 난은 실패로 끝났습니다.

16대 예종

문경 태후 (이자겸의 딸)

17대 인종

폐비 이씨 (이자겸의 딸)

폐비 이씨 (이자겸의 딸)

인종은 이자겸의 난 이후 문벌 귀족 세력을 약화시키고 왕권을 강화하고자 하였습니다. 이때 서경 출신의 승려 묘청은 풍수지리설에 근거하여 **서경으로 수도를 옮길 것을 건의**하였습니다. 이와 더불어 왕을 황제라 부르고, 독자적인 연호를 쓰며 여진이 세운 금을 정벌할 것을 주장하였습니다. 인종은 묘청의 주장대로 서경에 궁궐을 짓고 여러 번 찾아갔습니다. 그러나 김부식을 중심으로 하는 개경의 귀족들은 묘청의 주장에 반대하였습니다. 이들의 반대로 서경으로 수도를 옮기기 어려워지자 **묘청은 서경에서 난**을 일으켰습니다(1135년). 묘청의 난은 김부식이 이끄는 관군에 의해 진압되었습니다.

이자겸의 난은 문벌 귀족 사회의 한계를 드러낸 사건이고, 묘청의 난은 문벌 귀족에 대한 반발을 나타낸 사건입니다. 이로 인해 문벌 귀족 중심의 사회가 흔들리게 되었고 왕권은 약해졌습니다.

한국사 용어 콕!

- **공음전** 고려 시대에 고위 관리에게 지급되었던 토지로 자손에게 물려줄 수 있었음.
- **문벌**(門 집안 **문**, 閥 가문 **벌**) 대대로 내려오는 그 집안의 사회적 신분이나 지위.
- **진압** 강압적인 힘으로 억눌러 진정시킴.
  예문 시위를 **진압**하기 위해 경찰이 출동하였어요.
- **풍수지리설** 지형이나 방위를 인간의 삶과 연결시켜 죽은 사람을 묻거나 집을 짓는 데 알맞은 장소를 구하는 이론.

핵심 Point!

정답 및 풀이 174쪽

❶ 고려 초기에 음서와 공음전을 바탕으로 한 ☐☐ 귀족이 권력을 독점하였다.

❷ ☐☐☐은 예종과 인종에게 자신의 딸들을 시집보내면서 강한 권력을 가지게 되었다.

❸ 서경 출신의 승려 ☐☐은 서경으로 수도를 옮기자고 주장하였다.

• 정답 및 풀이 174쪽

1 다음 ㉠ ~ ㉢에 들어갈 알맞은 말을 쓰시오.

고려의 귀족들은 (㉠)와(과) 과거를 통해 대대로 관직에 오르고 (㉡)을(를) 통해 경제적 부를 쌓았다. 또한 다른 가문이나 왕실과의 (㉢)을(를) 통해 세력을 더욱 키워 문벌 귀족으로 성장하였다.

㉠ ( ), ㉡ ( ), ㉢ ( )

2 다음 ( ) 안에 공통으로 들어갈 알맞은 인물을 쓰시오.

( )의 세력 확대에 위협을 느낀 인종이 그를 제거하려 하자, 이를 눈치 챈 ( )은(는) 스스로를 왕이라 부르며 난을 일으켰고 궁궐까지 불태웠다.

( )

4 단원

중학교 시험 맛보기

3 난을 일으킨 묘청이 주장한 내용으로 옳지 않은 것은 어느 것입니까? ( )

① 금을 정벌하자.
② 이자겸을 몰아내자.
③ 왕을 황제라 부르자.
④ 우리만의 연호를 쓰자.
⑤ 서경으로 수도를 옮기자.

4 다음 ( ) 안에 들어갈 알맞은 말에 ○표 하시오.

이자겸의 난과 묘청의 난으로 인해 왕권은 (강화 / 약화)되었고, 귀족 중심의 사회는 (단결 / 분열)되었다.

09 무신 정변과 농민·천민의 봉기

고려의 무신은 문신에 비해 차별을 받았습니다. 군대의 가장 높은 관직을 문신이 맡았고 무신은 관직의 •승진에 제한이 있었습니다. 이자겸의 난과 묘청의 난 이후 혼란스러운 상황에서 왕이 된 의종 또한 문신 위주의 정치를 하자, 정중부와 이의방 등의 무신들은 많은 문신을 죽이고 의종을 왕의 자리에서 내쫓았습니다(**무신 정변, 1170년**). 무신들은 명종을 새로운 왕으로 세우고 국가의 중요한 일을 **무신들의 회의 기구인 중방**에서 처리하였습니다.

정변 이후 무신들 간의 권력 다툼으로 최고 권력자가 자주 바뀌면서 사회가 혼란스러웠으나 최충헌이 권력을 잡으면서 안정을 찾았습니다. **최충헌은 교정도감을 설치**하여 국가의 중요한 일을 결정하였고, •사병으로 구성된 도방을 확대하여 자신을 •호위하도록 하였습니다. 최충헌의 아들인 최우는 정방을 설치하여 관리를 뽑거나 평가했고, **삼별초라는 부대를 만들어 군사적 기반**으로 삼았습니다. 최씨 정권은 60여 년 동안 4대째 지속되다가 몽골과의 전쟁 중에 최의가 죽으면서 막을 내렸습니다.

무신 정권 하에서 무신들은 백성들에게 과도한 세금을 거두었고, 농민의 토지를 불법적으로 빼앗아 불만이 높아졌습니다. 또한 권력을 잡은 무신 중에는 천민 출신도 있어 신분 질서가 흔들리자 신분 상승에 대한 백성들의 기대감이 커졌습니다. 이에 **농민과 천민이 전국 곳곳에서 봉기**하였습니다. 공주 명학소의 망이·망소이 형제는 과도한 세금에 불만을 품고 봉기하여 한때 충청도 지역을 점령하기도 하였습니다. 경상도에는 김사미와 효심이 농민들과 함께 난을 일으켰고, 개경에서는 **최충헌의 노비였던 만적이 신분 해방을 주장**하였습니다. 그러나 이러한 농민과 천민의 봉기는 모두 실패로 끝났습니다.

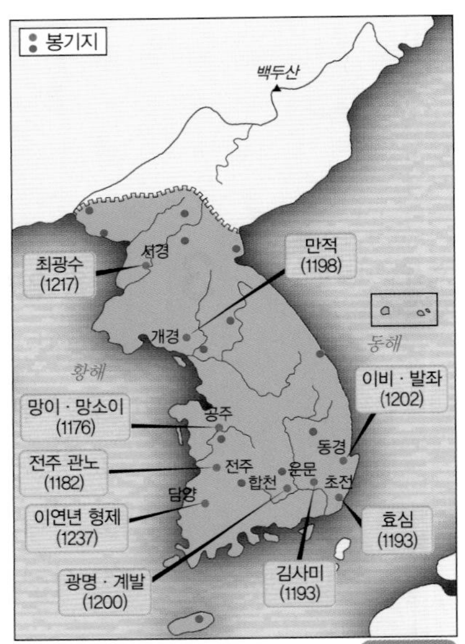

▲ 무신 정권기에 봉기가 일어난 지역

자료 분석 강의

한국사 용어 콕!

- **승진** 직위의 등급이나 계급이 오름.
- **사병**(私 개인 **사**, 兵 병사 **병**) 권력를 가진 개인이 자신의 뜻대로 부리는 병사.
- **호위** 따라다니며 곁에서 보호하고 지킴.

예문 장군은 병사들의 **호위**를 받으며 위풍당당하게 지나갔어요.

핵심 Point!

정답 및 풀이 174쪽

❶ 고려 시대에 문신에 비해 차별을 받던 ☐☐이 정변을 일으켜 권력을 잡았다.

❷ ☐☐☐이 권력을 잡으면서 최씨 정권이 60여 년 간 이어졌다.

❸ 개경에서는 최충헌의 노비였던 ☐☐이 신분 해방을 주장하며 봉기하였다.

정답 및 풀이 174쪽

1 다음 보기에서 무신 정변의 배경으로 알맞은 것을 모두 골라 기호를 쓰시오.

보기

㉠ 묘청의 난 이후 왕권이 강화되었다.
㉡ 의종은 문신 위주의 정치를 하였다.
㉢ 무신은 문신에 비해 차별 대우를 받았다.
㉣ 최씨 가문이 60여 년 간 권력을 독점하였다.

( )

2 다음 중 무신 정권 하에서 만들어진 기구가 아닌 것은 어느 것입니까? ( )

① 중방
② 정방
③ 도방
④ 교정도감
⑤ 식목도감

4 단원

3 최우가 조직하여 최씨 정권의 군사적 기반이 된 군대는 무엇인지 쓰시오.

( )

중학교 시험 맛보기

4 무신 정권 시기 사회 모습에 대한 설명으로 옳은 것은 어느 것입니까? ( )

① 백성들의 삶이 안정되었다.
② 농민과 천민의 봉기는 모두 성공을 거두었다.
③ 무신들은 백성들에게 과도한 세금을 거두었다.
④ 무신들은 모두 양반 출신으로 신분 질서가 더욱 강해졌다.
⑤ 공주 명학소에서는 김사미와 효심이 농민들과 함께 난을 일으켰다.

10 몽골의 침입과 고려의 저항

13세기 초 **칭기즈 칸이 몽골의 여러 부족을 통일한 후 세력을 확대**하는 과정에서 금을 공격하였습니다. 이때 금의 지배를 받고 있던 거란이 몽골에 쫓겨 고려를 침입하였고, 고려는 몽골군과 힘을 합쳐 거란족을 물리쳤습니다. 이를 계기로 고려는 몽골과 외교 관계를 맺었습니다.

▲ 몽골을 통일한 칭기즈 칸

그 뒤 몽골이 고려에 많은 ●공물을 요구하자 고려의 불만이 커졌습니다. 이러한 상황에서 고려에 왔던 **몽골 사신이 돌아가던 도중 죽게 되는 사건**이 발생하였습니다. 몽골은 이를 문제 삼아 고려를 침입하였습니다(1231년).

몽골이 침입하자 ●관군과 백성들은 필사적으로 몽골에 저항하였습니다. **충주성에서는 노비들이 중심**이 되어 몽골군을 물리쳤고, **귀주성에서는 박서가 이끄는 관군과 백성**들이 함께 성을 지켜 냈습니다. 그러나 몽골군의 공격으로 개경이 점령되자 고려는 어쩔 수 없이 몽골과 ●강화를 맺었습니다. 몽골은 몽골군이 정복한 지역과 개경에 ●다루가치를 두고 돌아갔습니다.

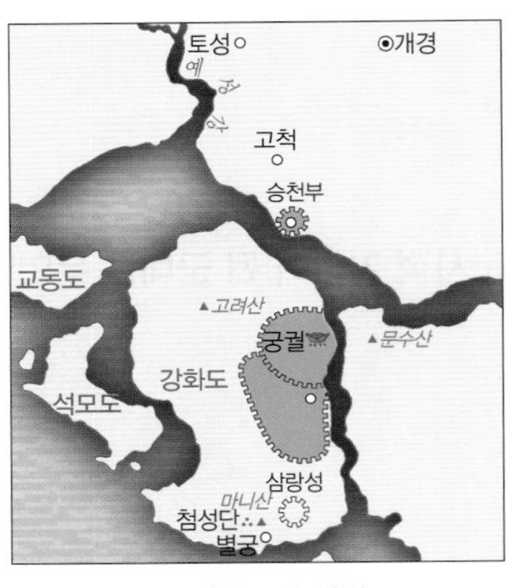

▲ 강화도의 위치

이후 최씨 정권은 몽골과 계속 싸울 의지를 다지며 **수도를 개경에서 강화도**로 옮겼습니다. 이는 몽골군이 바다에 익숙하지 않은 점을 이용한 것이었습니다. 그러자 몽골은 수도를 개경으로 옮길 것을 요구하며 다시 침략해 왔습니다. 이때 **처인성에서 승려 김윤후가 부곡의 주민들**과 함께 싸워 몽골 장수를 죽이고 몽골군을 물리쳤습니다. 그러나 몽골군은 그 이후에도 여러 차례 고려를 침략하였습니다. 이에 부곡과 소의 주민과 노비들까지 나서서 몽골군에게 끈질기게 저항하였으나 전쟁이 길어지면서 고려의 국력은 점차 약화되었습니다.

한국사 용어 콕!

- **공물**(貢 바칠 공, 物 물건 물) 궁중이나 나라에 바치던 물건.
- **관군** 정부의 정규 군대.
- **강화** 싸우던 두 편이 싸움을 그치고 평화로운 상태가 됨.
  예문 두 나라가 전쟁을 끝내기 위해 **강화**하기로 했어요.
- **다루가치** 관청의 책임자를 뜻하는 몽골 어로, 몽골이 점령지에 두었던 관리. 몽골은 1차 침입 이후 고려에 다루가치를 두고 행정을 감시하였음.

핵심 Point!

정답 및 풀이 174쪽

❶ 13세기 초 여러 부족을 통일한 [ ][ ]은 금을 공격한 후 고려까지 침입해 왔다.

❷ 최씨 정권은 [ ][ ][ ]로 수도를 옮기고 몽골과의 전쟁을 준비하였다.

❸ 처인성에서 승려 [ ][ ][ ]가 부곡 주민들과 함께 몽골군을 물리쳤다.

정답 및 풀이 174쪽

1 **다음 ㉠, ㉡에 들어갈 알맞은 민족을 쓰시오.**

> 13세기 초 칭기즈 칸은 (㉠)의 여러 부족을 통일한 후 세력을 확대해 나갔다. 칭기즈칸은 먼저 금을 공격하였는데, 이때 금의 지배를 받고 있던 (㉡)이(가) 고려를 침입하였다.

㉠ ( ), ㉡ ( )

2 **몽골의 침입 과정 중 가장 먼저 일어난 일은 어느 것입니까? ( )**

① 몽골군이 개경을 점령하였다.
② 최씨 정권은 수도를 강화도로 옮겼다.
③ 고려에 왔던 몽골 사신이 돌아가는 길에 죽었다.
④ 충주성에서 노비들이 중심이 되어 몽골군을 물리쳤다.
⑤ 몽골이 수도를 개경으로 옮길 것을 요구하며 고려를 침입했다.

4 단원

3 **다음 ( ) 안에 들어갈 알맞은 장소를 쓰시오.**

> 고려는 몽골군이 바다에 익숙하지 않은 점을 이용하여 수도를 ( )(으)로 옮기고, 몽골과의 전쟁을 준비했다.

( )

4 **몽골의 침입 과정에서 다음 인물의 활약을 선으로 바르게 연결하시오.**

(1) 박서 • • ㉠ 처인 부곡 주민들과 함께 몽골 장수를 죽였음.

(2) 김윤후 • • ㉡ 귀주성에서 관군 및 백성들과 함께 성을 지켜 냈음.

몽골과의 강화와 삼별초의 항쟁

▲ 몽골의 침입 과정

고려가 강화도로 수도를 옮기고 왕과 권력자들은 섬으로 들어갔으나 육지에 남은 백성들은 몽골의 침략으로 많은 고통을 겪었습니다. 그러나 최씨 정권은 이를 외면한 채 강화도에서 사치스러운 생활을 하고, 많은 세금을 거두어들여 백성들의 불만이 커졌습니다.

한편 몽골과의 전쟁이 오랫동안 계속되자 고려의 신하들 중에는 몽골과 강화를 맺자는 의견이 많아졌습니다. 그러나 최씨 정권이 전쟁을 계속할 것을 주장하자 몽골과의 강화를 주장하는 세력이 **최씨 정권을 무너뜨렸습니다**. 그 뒤 **고려 정부는 몽골과 강화를 맺고 개경**으로 돌아왔습니다.

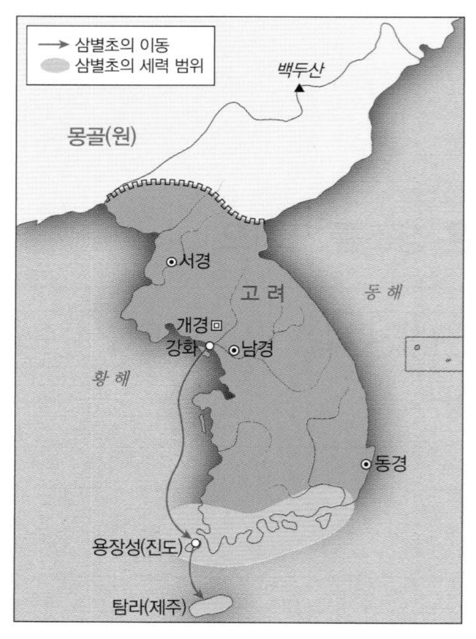

▲ 삼별초의 이동 경로와 세력 범위

무신 정권의 군사적 기반이었던 **삼별초는 개경으로 돌아가는 것에 반대**하여 강화도에서 진도로 근거지를 옮기고 몽골과 싸웠습니다. 삼별초는 한때 진도를 중심으로 남해안 지역을 장악하고 세력을 넓혔습니다. 그러나 고려와 몽골의 연합군에 의해 진도가 함락되었고, 삼별초는 다시 제주도로 근거지를 옮기고 항쟁하였으나 결국 진압되었습니다. 이로써 40여 년에 걸친 몽골과의 전쟁이 끝났습니다(1273년).

고려는 몽골과의 오랜 전쟁으로 인해 농토는 망가졌고, **초조대장경과 황룡사 9층 목탑과 같은 수많은 문화재가 파괴**되는 등 많은 피해를 입었습니다. 또한 많은 사람들이 죽거나 포로로 잡혀갔으며 이후 몽골의 간섭을 받게 되었습니다.

한국사 용어 콕!

- **근거지** 활동의 근거로 삼는 곳.
  예문 그녀는 서울을 근거지로 일자리를 구했어요.
- **항쟁**(抗 겨룰 **항**, 爭 다툴 **쟁**) 맞서 싸움.
- **포로** 전쟁에서 적에게 사로잡힌 군인.

핵심 Point!

정답 및 풀이 **174쪽**

❶ 고려는 몽골과 강화를 맺고 수도를 강화도에서 ☐☐으로 옮겼다.

❷ ☐☐☐는 강화도에서 진도로 근거지를 옮기고 몽골과 싸웠다.

❸ 몽골과의 전쟁 과정에서 초조대장경과 ☐☐☐ 9층 목탑과 같은 문화재가 파괴되었다.

1 **몽골의 침입 과정에서 ㉠ 시기에 있었던 일을 두 가지 고르시오.** (　　　　　)

강화도 천도 — ㉠ — 개경 환도

① 최씨 정권이 무너졌다.
② 삼별초가 몽골과 싸웠다.
③ 몽골이 다루가치를 두고 돌아갔다.
④ 고려 정부와 몽골이 강화를 맺었다.
⑤ 귀주성에서 박서가 몽골을 물리쳤다.

2 **삼별초의 근거지 이동에 알맞게 빈칸에 들어갈 장소를 쓰시오.**

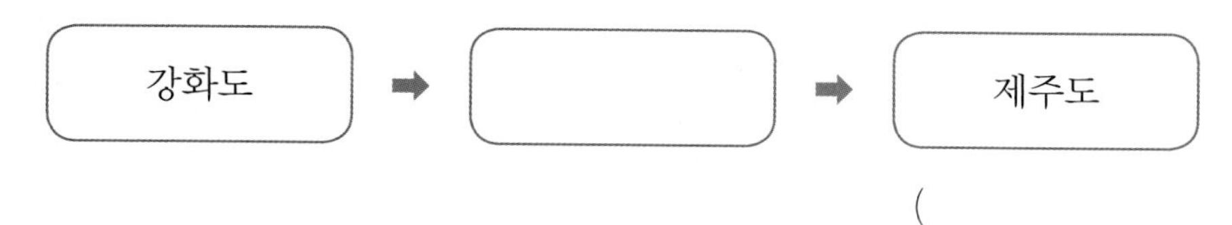

(　　　　　　　　　)

3 **삼별초에 대한 설명으로 옳지 않은 것은 어느 것입니까?** (　　　　　)

① 근거지를 여러 번 옮겼다.
② 무신 정권의 군사적 기반이었다.
③ 고려와 몽골의 연합군에게 패배하였다.
④ 개경으로 돌아가지 않고 몽골과 끝까지 싸웠다.
⑤ 몽골과 강화를 맺고 개경으로 돌아갈 것을 주장하였다.

4 **다음 보기에서 몽골과의 전쟁으로 인한 결과로 알맞지 않은 것을 골라 기호를 쓰시오.**

보기

㉠ 무신들의 세력이 더욱 강해졌다.
㉡ 많은 사람들이 죽거나 포로로 잡혀갔다.
㉢ 초조대장경과 황룡사 9층 목탑이 불에 타 파괴되었다.

(　　　　　　　　　)

12 원의 간섭과 권문세족의 성장

고려는 몽골(원)과의 전쟁 이후에 국가를 계속 유지할 수 있었지만, 원의 정치적인 간섭을 받았습니다. 원은 철령 이북 지역에 쌍성총관부, 서경에 동녕부, 제주도에는 탐라총관부를 두고 고려 영토의 일부를 직접 지배하였습니다. 그리고 일본 원정을 위해 설치하였던 **정동행성이라는 기구를 통해 고려를 간섭**하였습니다.

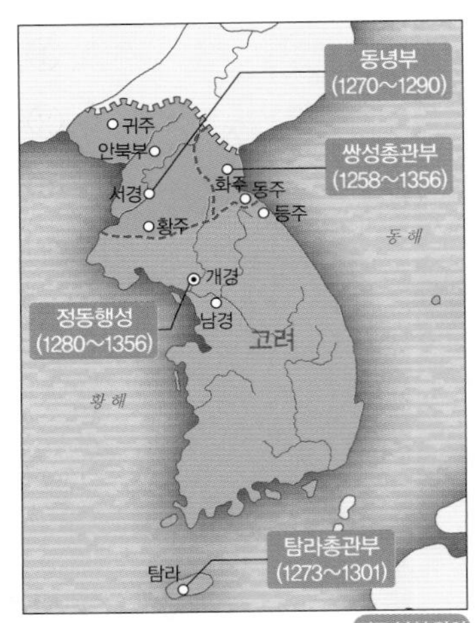

▲ 원의 직할령 설치

자료 분석 강의

고려의 왕은 원의 공주와 결혼하였으며, 왕자들은 원에서 성장하였습니다. 왕을 부르는 호칭도 '폐하'를 '전하'로 낮춰 불렀고 **중앙의 여러 관청이 축소되거나 폐지**되었습니다. 또한 고려 후기에 충렬왕, 충선왕, 충목왕 등 원 황제에게 충성한다는 의미로 왕 이름에 '충(忠)' 자를 붙였습니다.

공민왕이 그렸다고 알려진 그림에서 몽골풍의 머리 모양을 확인할 수 있습니다.

▲ 「천산대렵도」의 일부

한편 원은 고려에서 **금, 은, 종이, 인삼 등 많은 물건을 가져갔습니다**. 뿐만 아니라 여자들을 공녀라는 이름으로 원으로 끌고 가기도 했습니다. 또 이 시기 고려와 원 사이에 활발한 교류가 이루어지면서 서로의 풍습이 전해졌습니다. 고려에서는 옷과 머리 모양 등에서 **몽골의 풍습(몽골풍)**이 유행하였고, 원에는 옷, 음식 등과 관련된 **고려의 풍습(고려양)**이 전해졌습니다.

원 간섭기에 원의 세력에 기대어 권력을 쌓은 **친원적인 성향의 새로운 지배 세력인 권문세족**이 나타났습니다. 권문세족은 주로 음서를 통해 높은 관직에 올랐고, 농민의 토지를 빼앗아 넓은 땅을 가지고 부를 쌓았습니다. 그리고 가난한 백성을 노비로 만들어 자신의 땅에서 일하게 하였는데 이 때문에 세금을 내야 할 백성이 줄어들어 국가의 재정이 어려워졌습니다. 권문세족이 성장하면서 왕권은 더욱 약해지고 백성의 삶도 어려워졌습니다.

한국사 용어 콕!

- **원정**(遠 멀 **원**, 征 칠 **정**) 먼 곳으로 싸우러 나감.
  예문 **원정**을 떠났던 군대가 승리하고 돌아왔어요.
- **정동행성** 고려 후기에 일본 원정을 위해 설치하였으나 원정 실패 후 고려 내정 간섭 기구로 유지되었음.
- **공녀**(貢 바칠 **공**, 女 여자 **녀**) 고려 시대에 원의 요구로 바친 여자.

핵심 Point!

정답 및 풀이 175쪽

❶ 원은 일본 원정을 위해 설치했던 ☐☐☐☐을 통해 고려를 간섭했다.

❷ 원 간섭기에 고려에서는 몽골의 풍습인 ☐☐☐이 유행하였다.

❸ 원 간섭기에 친원적인 성향의 새로운 지배 세력인 ☐☐☐☐이 등장하였다.

정답 및 풀이 175쪽

1 원이 고려를 간섭하기 위해 고려에 설치한 것이 아닌 것은 어느 것입니까? (　　　)

① 동녕부
② 중추원
③ 정동행성
④ 탐라총관부
⑤ 쌍성총관부

2 다음 보기에서 원 간섭기에 대한 설명으로 알맞은 것을 모두 골라 기호를 쓰시오.

보기

㉠ 원의 왕자들이 고려에서 성장하였다.
㉡ 중앙의 여러 관청들이 확대되어 왕권이 강화되었다.
㉢ 왕의 호칭을 낮춰 불렀고, 왕 이름에 '충(忠)' 자를 붙였다.
㉣ 원은 고려에서 많은 물건을 가져갔고 여자들도 공녀로 끌고 갔다.

(　　　　　　　　)

3 원 간섭기에 나타난 고려와 원 사이의 문화 전파를 선으로 바르게 연결하시오.

(1) 몽골풍 •　　　• ㉠ 원에 전해진 고려의 풍습

(2) 고려양 •　　　• ㉡ 고려에서 유행한 몽골의 풍습

4 원 간섭기에 나타난 권문세족에 대한 설명으로 옳은 것은 어느 것입니까? (　　　)

① 경제적 어려움에 시달렸다.
② 공민왕과 함께 개혁을 시도하였다.
③ 원의 간섭에서 벗어나고자 하였다.
④ 원의 세력에 기대어 권력을 유지하였다.
⑤ 높은 관직에 오르지 못해 불만이 많았다.

13 공민왕의 개혁 정치와 새로운 세력의 성장

14세기 중반 원의 세력이 점차 약해지자 **공민왕은 원의 간섭에서 벗어나기 위해 반원 자주 개혁**을 추진하였습니다. 고려를 간섭하던 정동행성을 없애고, 쌍성총관부를 공격하여 원에게 빼앗겼던 **철령 이북의 땅**을 되찾았습니다. 그리고 승려인 신돈을 등용하여 **전민변정도감을 설치**하여 권문세족이 불법으로 빼앗은 토지를 원래의 주인에게 돌려주고, 억울하게 노비가 된 사람들을 양인으로 해방시켜 주었습니다. 또한 친원 세력을 제거하고 몽골식 옷과 머리 모양 등의 몽골풍을 금지시켰습니다.

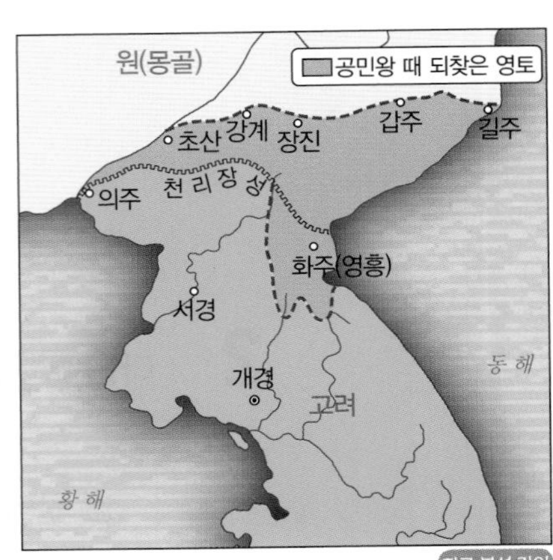

▲ 공민왕 때 수복한 영토

자료 분석 강의

공민왕의 개혁 정치는 백성들의 지지를 받았으나, 권문세족의 반발에 부딪혔고 공민왕이 죽으면서 실패하였습니다. 하지만 공민왕의 개혁은 고려가 자주성을 되찾고, 새로운 정치 세력인 **신진 사대부가 성장하는 계기**가 되었습니다. 신진 사대부는 대부분 지방 향리나 하급 관리의 자제로 성리학을 배우고 과거를 통해 관직에 진출하였습니다. 이들은 권문세족의 비리를 비판하고, **성리학을 바탕으로 고려를 개혁**하고자 하였습니다. 이색, 정몽주, 정도전 등이 신진 사대부의 중심 인물이었습니다.

공민왕이 개혁을 추진하던 14세기 중반 **고려는 홍건적과 왜구의 침략**에 시달렸습니다. 홍건적은 원에서 일어난 농민 반란군으로, 그중 일부가 원에게 쫓겨 고려에 침입하였고 한때 수도 개경이 함락되기도 했습니다. 이때 고려 무인 세력이 나서서 홍건적을 물리쳤습니다. 또한 왜구로 인해 고려의 남쪽 해안 지방은 큰 피해를 입자, 이에 최영, 이성계 등이 앞장서 육지에서 왜구를 무찔렀고, **최무선은 화포를 만들어 바다에서 왜구**를 물리쳤습니다. 이처럼 고려 후기에 홍건적과 왜구를 물리치는 과정에서 큰 공을 세운 최영, 이성계 등 무인 세력이 백성들의 지지를 받아 **신흥 무인 세력으로 성장**하였습니다.

한국사 용어 쏙!

- **전민변정도감** '전민(田 밭 **전**, 民 백성 **민**)'을 바로 잡는 기관. 고려 후기 권문세족이 불법으로 빼앗은 토지와 백성을 되찾아 주기 위해 설치된 기구.
- **향리** 고려·조선 시대에 지방 행정 업무를 담당하던 하급 관리.
- **성리학** 유학의 갈래 중 하나로 인간의 심성과 우주의 원리를 연구하는 학문.
- **왜구** 한반도와 중국의 해안에 침입하여 사람들을 해치고 재산을 훔쳐가던 일본의 해적 집단.
- **화포**(火 불 **화**, 砲 대포 **포**) 대포처럼 화약의 힘으로 탄환을 쏘는 대형 무기.

핵심 Point!

정답 및 풀이 175쪽

❶ 원의 힘이 약해진 틈을 타서 □□□은 반원 자주 개혁을 추진하였다.

❷ 공민왕의 개혁 과정에서 성리학을 바탕으로 하는 □□ □□□가 성장하였다.

❸ 고려 말에 홍건적과 왜구를 물리치는 과정에서 □□ □□ 세력이 성장하였다.

정답 및 풀이 175쪽

1 **공민왕의 반원 자주 개혁에 대한 설명으로 옳지 않은 것은 어느 것입니까?** (　　　　)

① 몽골풍을 금지하였다.
② 친원 세력을 등용해 개혁을 추진하였다.
③ 정동행성을 없애 원의 간섭을 줄이고자 하였다.
④ 쌍성총관부를 공격하여 철령 이북의 땅을 되찾았다.
⑤ 전민변정도감을 통해 권문세족의 경제적 기반을 약화시켰다.

2 **다음 중 고려 말에 등장한 새로운 정치 세력을 두 가지 고르시오.** (　　　　)

① 호족
② 권문세족
③ 문벌 귀족
④ 신진 사대부
⑤ 신흥 무인 세력

3 **다음 보기 에서 신진 사대부에 대한 설명으로 옳은 것을 모두 골라 기호를 쓰시오.**

보기

㉠ 과거를 통해 관직에 진출하였다.
㉡ 공민왕의 개혁 정치에 반대하였다.
㉢ 성리학을 바탕으로 고려 사회를 개혁하고자 하였다.
㉣ 홍건적과 왜구를 물리치는 과정에서 큰 공을 세웠다.

(　　　　　　　　)

4 **고려 말에 다음과 같은 화포를 제작하여 왜구를 물리친 사람은 누구인지 쓰시오.**

(　　　　　　　　)

06 거란의 침입 ~
13 공민왕의 개혁 정치와 새로운 세력의 성장

| 학습한 내용을 정리해 보며, 빈칸에 들어갈 키워드를 써 보세요.

• 정답 및 풀이 175쪽

❶ 거란과 여진의 침입과 고려 지배 세력의 혼란

① 거란의 침입과 극복

1차 침입	(❶)가 소손녕과 담판을 벌여 강동 6주를 얻었음.
2차 침입	양규 등이 이끄는 고려군과 백성들의 활약으로 거란군을 물리쳤음.
3차 침입	강감찬이 귀주에서 거란군을 물리쳤음(귀주 대첩).

② **여진의 침입:** 윤관은 (❷)을 이끌고 여진족을 몰아낸 후 동북 9성을 쌓았음.

③ 고려 지배 세력의 혼란

이자겸의 난	왕실과의 혼인으로 세력을 확장한 경원 이씨 가문의 이자겸이 권력을 차지하기 위해 난을 일으켰으나 실패하였음.
묘청의 난	승려 묘청이 (❸) 천도를 주장하며 난을 일으켰음. → 개경 중심 세력인 김부식 등에 의해 진압되었음.
(❹)	• 차별 대우에 불만을 품은 무신들이 난을 일으켜서 권력을 잡았음. • 최씨 정권이 권력을 잡고 교정도감을 통해 국가 정책을 결정했음.

❷ 몽골의 침입과 원 간섭기

① 몽골의 침입 과정

침입	고려에 왔던 몽골 사신이 죽자 몽골이 침입했음 → 충주성, 귀주성 등에서 몽골군을 물리쳤음.
(❺) 천도	• 수도를 개경에서 (❺)로 옮기고 몽골에 저항하였음. • 김윤후가 처인성에서 부곡 주민들과 함께 몽골군을 물리쳤음.
개경 환도	고려 정부는 몽골과 강화를 맺고 개경으로 돌아왔음. → 이 과정에서 무신 정권이 몰락했음.

▲ 몽골의 침입 과정

② **삼별초의 항쟁:** 삼별초는 개경 환도에 반대하고 강화도에서 진도, 제주로 근거지를 옮겨가며 몽골에 저항하였음.

③ 원의 간섭과 공민왕의 개혁

• 원은 정동행성을 통해 고려를 간섭하였으며 금, 은 등 많은 물건을 가져가고 공녀를 요구하였음.
• 공민왕의 개혁: 정동행성 폐지, 철령 이북의 땅 회복, 전민변정도감 설치 등 반원 자주 개혁을 추진했음. → 공민왕이 죽으면서 실패함.

④ **새로운 세력의 성장:** 고려 말 성리학을 바탕으로 한 (❻)와 홍건적과 왜구를 물리치면서 성장한 신흥 무인 세력이 새로운 정치 세력으로 등장했음.

한국사 생각쓰기

06 거란의 침입 ~
13 공민왕의 개혁 정치와 새로운 세력의 성장

• 정답 및 풀이 175쪽

1 다음은 거란의 침입 과정에서 있었던 소손녕의 담판을 나타낸 것입니다. 대화를 통해 알 수 있는 담판의 결과를 쓰시오.

2 다음은 고려 말에 새로운 정치 세력으로 등장한 신진 사대부와 신흥 무인 세력을 나타낸 것입니다. 이들의 특징을 각각 쓰시오.

▲ 신진 사대부

▲ 신흥 무인 세력

생각 쓰기 Point

Point 1
서희의 담판
- 고려가 거란을 배척하고 송과 교류하자 거란은 고려를 침입해 왔습니다.
- 서희는 거란이 침입한 것은 고려와 송의 관계를 끊기 위한 것임을 알고 거란의 장수 소손녕과 담판을 벌여 거란을 물러나게 하였습니다.

Point 2
고려 정치 세력의 변화

호족: 신라 말에 등장하여 고려 건국에 참여했던 지방 세력

⬇

문벌 귀족: 음서과 공음전을 토대로 권력과 부를 키웠음.

⬇

무신: 무신 정변을 통해서 권력을 잡았음.

⬇

권문세족: 원 간섭기에 원의 세력에 기대어 권력을 유지하였음.

⬇

신진 사대부와 신흥 무인 세력: 고려 말 새롭게 등장한 세력

4 고려의 성립과 변천

14 고려의 대외 관계

고려는 건국 초부터 개방적인 대외 정책으로 송, 거란, 여진, 일본 등 주변 국가와 교류하였고, 멀리는 아라비아 상인과도 교류하였습니다.

고려는 **송과 가장 활발하게 교류**하였습니다. 고려는 송에 사신, 학자, 승려 등을 보내 송의 선진 문물을 받아들였습니다. 또한 고려는 송에서 **귀족들을 위한 사치품인 비단, 약재, 서적 등을 수입**하였고, 인삼, 종이, 먹 등을 송으로 수출하였습니다.

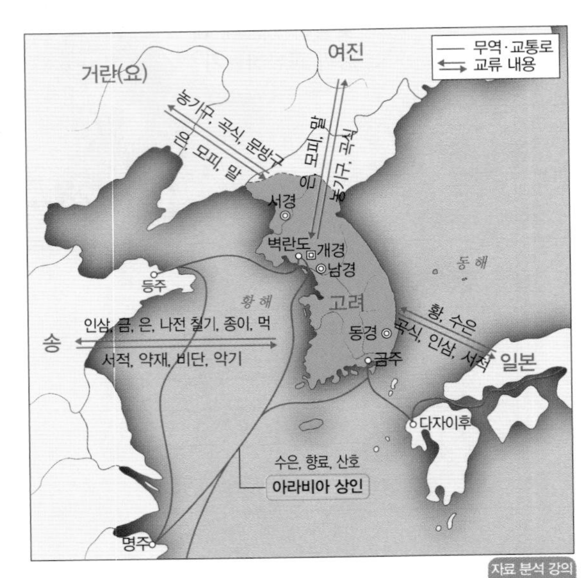

▲ 고려의 대외 관계

자료 분석 강의

고려는 세 차례에 걸친 거란의 침입을 물리친 이후 **거란과도 외교 관계**를 맺고 교류하였습니다. 거란에서는 은, 모피, 말 등을 들여오고, 농기구, 곡식 등을 수출하였습니다. 또한 거란의 대장경은 고려의 대장경 편찬에 영향을 주기도 하였습니다.

여진은 초기에 고려를 부모의 나라로 섬겨 **고려에 말과 모피** 등을 바치고, 고려에서 곡식과 농기구 등을 받아 갔습니다. 일본과의 외교 관계는 활발하지는 않았으나, 일본의 수은, 황 등을 고려의 인삼, 서적 등과 바꾸어 가며 교류를 이어 갔습니다.

벽란도는 '푸른 파도가 넘실대는 나루'라는 뜻을 가진 예성강 입구에 있는 나루로, 수도인 개경과 가까워서 여러 나라의 배가 드나들었습니다. **벽란도는 송, 거란, 여진은 물론 아라비아 상인들까지 드나드는 국제 무역항**으로 크게 번성하였습니다. 아라비아 상인들은 벽란도를 통해 개경에 들어와 수은과 향료 등을 팔고 고려의 금과 비단 등을 사 갔습니다. 이들과의 교류를 통해 고려가 '코리아'라는 이름으로 다른 나라에 알려지게 되었습니다.

한국사 용어 쾩!

- **대장경** 불경을 모아 하나의 체계를 이루어 완성한 책.
- **나루** 강이나 좁은 바닷목에서 배가 건너다니는 일정한 곳.

- **번성**(蕃 우거질 **번**, 盛 성할 **성**) 한창 성하게 일어나 퍼짐.

예문 고려 시대에 불교는 국가의 지원을 받아 크게 **번성**하였어요.

핵심 Point!

정답 및 풀이 **175쪽**

❶ 고려는 ☐과 가장 활발히 교류하여 사신, 학자 등을 보내 선진 문물을 받아들였다.

❷ 예성강 입구에 있는 ☐☐☐는 고려 시대에 국제 무역항으로 크게 번성하였다.

❸ ☐☐☐☐ 상인을 통해 고려가 '코리아'라는 이름으로 다른 나라에 알려졌다.

정답 및 풀이 175쪽

1 고려 시대에 다음 지역에서 들여온 물품을 선으로 바르게 연결하시오.

(1) 송 •　　　　• ㉠ 수은, 향료

(2) 거란 •　　　　• ㉡ 은, 모피, 말

(3) 아라비아 •　　　　• ㉢ 서적, 약재, 비단

2 다음에서 설명하는 장소는 어디인지 쓰시오.

- '푸른 파도가 넘실대는 나루'라는 뜻의 고려 시대 국제 무역항이었다.
- 개경과 가까워 여러 나라의 배가 드나들었고 아라비아 상인들도 방문하였다.

(　　　　　　　　　　)

3 다음 (　　) 안에 들어갈 알맞은 말을 쓰시오.

고려를 다녀간 아라비아 상인들에 의하여 고려는 '(　　　　)'(이)라는 이름으로 다른 나라에 알려지게 되었다.

(　　　　　　　　　　)

중학교 시험 맛보기

4 다음 보기에서 고려의 대외 교류에 대한 설명으로 옳은 것을 골라 기호를 쓰시오.

보기

㉠ 일본과 가장 활발히 교류하였다.
㉡ 거란에서 대장경을 들여오기도 하였다.
㉢ 울산항이 국제 무역항으로 크게 번성하였다.
㉣ 아라비아 상인들은 거란과 여진을 견제하기 위해 고려와 교류하였다.

(　　　　　　　　　　)

4 고려의 성립과 변천

15 고려의 종교와 학문

고려 시대에 불교는 국가의 지원을 받으면서 왕실부터 백성까지 널리 퍼졌습니다. 고려는 **팔관회, 연등회와 같은 불교 행사**를 성대하게 열었습니다. 팔관회는 나라를 지켜 주는 여러 신에게 국가의 평안을 비는 행사였고, 연등회는 전국에서 등불을 밝혀 나라의 안녕을 비는 국가적인 행사였습니다.

교종을 중심으로 선종을 통합해야지.
선종을 중심으로 교종을 포용해야지.
▲ 의천 ▲ 지눌

고려 초기에는 선종이 호족의 지원을 받으며 유행하였으나 귀족 사회가 안정되면서 점차 교종이 발전하여 선종과 대립하였습니다. 이에 의천은 해동 천태종이라는 불교 종파를 만들어 **교종을 중심으로 선종을 통합**하려고 하였습니다. 무신 집권기에는 무신의 지원을 받은 선종이 발전하여 **지눌은 선종을 중심으로 교종을 포용**하려고 하였습니다. 원 간섭기에 이르러 불교는 권문세족과 함께 땅을 차지하고 재산을 쌓아 고려 사회를 이끌어 가는 종교로서의 힘을 잃어 갔습니다.

도교는 삼국 시대에 전해진 이후 고려 시대에 크게 유행하였습니다. 고려 왕실에서는 하늘과 별에 제사를 지내고 도교 행사를 자주 열었습니다. 도교와 함께 땅의 모양에 따라서 좋은 일 또는 나쁜 일이 일어날 수 있다는 풍수지리설이 유행하였고, **묘청은 풍수지리설에 근거**하여 수도를 서경으로 옮길 것을 주장하였습니다.

고려 시대에 유교 또한 발전하였습니다. 과거를 실시하여 유학을 공부한 인재를 관리로 뽑았고, 국자감과 향교를 통해서 유학 교육을 실시하였습니다. 고려 말에는 신진 사대부가 성리학을 받아들여 불교의 문제점을 비판하고, 고려 사회를 개혁하려고 했습니다. 이로써 **성리학이 새로운 정치 사상**으로 자리잡았습니다.

한국사 용어 콕!

- **평안**(平 평평할 **평**, 安 편안할 **안**) 걱정이나 탈이 없음.
  예문 마음의 **평안**을 얻는 것이 중요해요.
- **선종과 교종** 선종은 개인의 수행을 중요시하여 깨달음만 얻으면 누구나 부처가 될 수 있다고 주장하였고, 교종은 교리를 중요시하여 불교 경전의 연구를 강조하였음.
- **해동 천태종** 교리를 연구하는 이론적인 측면과 참선을 수행하는 선종의 실천적인 방법을 함께 강조하였음.
- **도교** 평생 늙지 않는 신선의 존재에 이르는 것을 추구하며 유교, 불교, 민간 신앙 등이 어우러져 만들어진 종교.

핵심 Point!

정답 및 풀이 176쪽

❶ 고려 시대에 ☐☐는 국가의 지원을 받으며 왕실에서 백성까지 널리 퍼졌다.

❷ 무신 집권기에 ☐☐은 선종을 중심으로 교종을 포용하려고 하였다.

❸ 묘청의 서경 천도 운동은 ☐☐☐☐☐을 근거로 일어났다.

• 정답 및 풀이 176쪽

1 다음에서 설명하는 고려 시대에 열렸던 행사는 무엇인지 쓰시오.

- 고려 시대에 성대하게 열린 불교 행사였다.
- 전국 각지에서 등불을 밝혀 나라의 안녕을 빌었다.

(　　　　　　　　)

2 다음 글의 밑줄 친 '그'에 해당하는 인물을 쓰시오.

문종의 넷째 아들로 태어난 그는 승려가 된 뒤 송으로 유학을 가서 불교를 연구하였다. 고려로 돌아온 그는 다양한 불교 종파 간의 대립을 해결하기 위해 경전의 연구와 깨달음을 위한 수행을 함께 할 것을 주장하며 해동 천태종을 창시하였다.

(　　　　　　　　)

4 단원

3 다음 (　　) 안에 공통으로 들어갈 알맞은 말을 쓰시오

고려 시대에는 땅의 모양에 따라서 좋은 일과 나쁜 일이 생길 수 있다고 설명하는 (　　　)이(가) 유행하였다. 묘청은 (　　　)을(를) 근거로 하여 서경으로 도읍을 옮겨야 한다고 주장하였다.

(　　　　　　　　)

4 고려 말 신진 사대부가 받아들인 새로운 정치 사상은 어느 것입니까? (　　　)

① 도교
② 불교
③ 성리학
④ 기독교
⑤ 풍수지리설

16 고려의 불교문화와 예술의 발달

▲관촉사 석조 미륵보살 입상

고려 시대에는 불교가 문화의 중심이 되어 불상, 석탑 등이 많이 만들어졌습니다. **고려 초기의 불상은 관촉사 석조 미륵보살 입상**과 같이 인체의 균형이 맞지 않으며 과장되고 ●기괴한 모습으로 거대하게 만들어졌습니다. 관촉사 석조 미륵보살 입상은 높이가 18m나 되며, 형식에 구애받지 않는 자유분방함이 나타나 있습니다. 그리고 일부 지역에서 철로 만든 대형 철불이 만들어지기도 했습니다.

고려의 탑은 신라의 양식을 이어받으면서도 다양한 형태로 만들어졌습니다. 고려 초기에는 **월정사 8각 9층 석탑**과 같이 다각 다층 석탑이 많이 만들어졌습니다. 고려 후기에는 원의 영향으로 **경천사지 10층 석탑**과 같이 화려하고 섬세하게 만들어졌습니다.

▲ 경천사지 10층 석탑

고려의 건축물은 여러 차례 전쟁을 치르며 봉정사 극락전, 부석사 무량수전, 수덕사 대웅전 등 일부 불교 건축물만 남아 있습니다. 이 중 **봉정사 극락전은 기둥 가운데가 불룩한 ●배흘림기둥이 특징**입니다.

▲청자 상감 운학무늬 매병

고려 시대에는 귀족의 취향을 담은 비취색의 청자가 유행하였습니다. 11세기까지는 다른 색을 넣지 않은 순청자가 만들어졌으며 12세기에는 **고려만의 독창적인 상감 청자**가 만들어졌습니다. 상감 기법은 그릇 표면에 문양을 새긴 후 그 자리를 다른 색의 흙으로 메워서 색과 모양을 내는 기술입니다. 고려청자는 이 기법을 통해 다양하고 화려한 무늬를 넣어 **고려의 귀족 문화**와 잘 어울렸습니다.

● **기괴**(奇 기이할 **기**, 怪 기이할 **괴**) 겉모습이나 분위기가 괴상하고 기이함.

● **배흘림기둥** 기둥 중간의 너비가 가장 넓고 그 위아래는 점차 좁아지는 형태의 기둥.

핵심 Point! 정답 및 풀이 176쪽

❶ 고려 초기에 지방 [ ][ ]들이 자신의 힘을 나타내기 위해 거대한 불상을 만들었다.

❷ 고려 후기에 제작된 경천사지 10층 석탑은 [ ]의 영향을 받아 만들어졌다.

❸ 비취색의 고려[ ][ ]는 고려 시대 귀족의 취향을 담았다.

정답 및 풀이 176쪽

1 오른쪽과 같은 고려 불상의 특징으로 알맞은 것은 어느 것입니까? (　　　)

① 인체의 균형을 잘 표현했다.
② 원의 불상의 영향을 받았다.
③ 안정감이 있으며 크기가 작다.
④ 신라의 불상을 그대로 따라 만들었다.
⑤ 형식에 구애받지 않는 자유분방한 형태를 지녔다.

▲ 관촉사 석조 미륵보살 입상

2 다음 보기에서 고려 시대의 건축물이 아닌 것을 골라 기호를 쓰시오.

보기

㉠ 봉정사 극락전　　㉡ 경복궁 근정전
㉢ 수덕사 대웅전　　㉣ 부석사 무량수전

(　　　　　　)

3 고려 시대에 만들어진 탑의 특징을 선으로 바르게 연결하시오.

(1) 경천사지 10층 석탑 •　　• ㉠ 고려 초기에 만들어진 다각 다층 석탑

(2) 월정사 8각 9층 석탑 •　　• ㉡ 고려 후기에 원의 영향을 받아 만들어진 석탑

4 고려청자에 대한 설명으로 옳지 않은 것은 어느 것입니까? (　　　)

① 빛깔이 푸른 비취색을 띠는 청자이다.
② 고려의 귀족 문화를 대표하는 예술품이다.
③ 주로 일반 백성들이 사용하기 위해 만들었다.
④ 상감 기법을 통해 다양하고 화려한 무늬를 넣을 수 있었다.
⑤ 12세기에 이르러 고려만의 독창적인 상감 청자를 만들었다.

17 고려의 역사서와 인쇄술의 발달

고려 시대에는 유학이 발달하여 역사서가 많이 만들어졌습니다. **김부식이 유교적 입장에서 쓴 『삼국사기』**는 현재까지 남아 있는 역사서 중 가장 오래된 것입니다. 무신 정변 이후 사회가 혼란해지자 자주 의식을 반영한 역사서가 쓰였습니다. 이규보는 고구려를 계승하여 『동명왕편』을 썼고, 이승휴는 우리와 중국의 역사를 정리하여 『제왕운기』를 썼습니다. 또한 **일연은 『삼국유사』에서 단군왕검의 고조선 건국 이야기**를 실어 우리 역사의 자주성을 강조하였습니다.

▲ 『삼국사기』

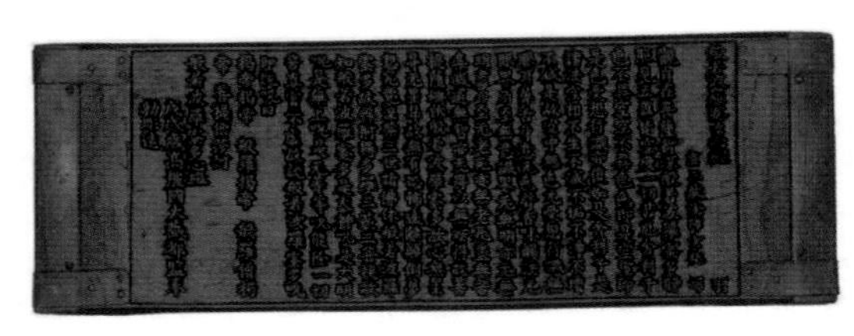
▲ 팔만대장경판

고려 사람들은 국가에 위기가 닥치면 부처님의 말씀을 정리한 책인 대장경을 만들어 부처의 힘으로 위기를 극복하고자 했습니다. 거란이 침략했을 때에는 『초조대장경』을 만들었고, **몽골이 침입했을 때에는 『팔만대장경』**을 만들었습니다. 팔만대장경판은 십여 년간에 걸쳐 ●목판 8만여 장에 불경을 새겨서 만든 것으로 글자가 고르고 틀린 글자가 거의 없습니다. 팔만대장경판과 이것을 인쇄한 『팔만대장경』은 현재 **합천 해인사 ●장경판전에 보관**되어 있으며, 팔만대장경판과 장경판전은 유네스코 세계 유산으로 선정되었습니다.

고려는 여러 서적과 대장경을 만들면서 인쇄술이 발달하였습니다. 고려 후기에 **금속 활자가 세계 최초로 발명**되었으며, 이를 이용해 찍어낸 최초의 책은 1234년에 인쇄된 『상정고금예문』입니다. 하지만 이 책은 현재 전해지지 않고, 1377년에 인쇄된 **『직지심체요절』이 세계에서 가장 오래된 금속 활자본**으로 인정받고 있습니다.

▲ 금속 활자의 앞면(왼쪽)과 뒷면(오른쪽)

한국사 용어 쿡!

● **목판**(木 나무 목, 版 판목 판) 나무에 글이나 그림 등을 새긴 인쇄용 판.
● **장경판전** 해인사에 있는 팔만대장경판을 보관하고 있는 건물. 장경판전은 통풍을 위하여 각 칸마다 창을 내고, 안쪽 흙바닥 속에 숯과 횟가루, 소금을 모래와 함께 넣어 습도를 조절하도록 하여 오늘날까지 대장경판을 온전히 보관할 수 있었음.

핵심 Point!

정답 및 풀이 176쪽

❶ 고려 시대에 김부식은 유교적 입장에서 『□□□□』를 썼다.
❷ 고려 사람들은 부처의 힘으로 몽골의 침입을 물리치고자 『□□□□□』을 만들었다.
❸ 고려 후기에는 세계 최초로 □□ 활자가 발명되었다.

정답 및 풀이 176쪽

1 고려 시대의 역사서에 대한 설명을 선으로 바르게 연결하시오.

(1) 『삼국사기』 •　　　　• ㉠ 고구려를 계승하여 쓴 역사서

(2) 『동명왕편』 •　　　　• ㉡ 단군왕검의 고조선 이야기가 실려 있음.

(3) 『삼국유사』 •　　　　• ㉢ 현재까지 남아 있는 역사서 중 가장 오래되었음.

2 고려에서 대장경을 만든 까닭으로 알맞은 것은 어느 것입니까? (　　　　)

① 고려의 귀족 문화를 나타내려고
② 부처에 의지하여 위기를 극복하려고
③ 유교를 바탕으로 나라를 다스리려고
④ 성리학을 바탕으로 사회를 개혁하려고
⑤ 역사서를 만들어서 자주 의식을 강화시키려고

3 고려 시대에 제작된 다음 책들을 만들어진 순서대로 기호를 쓰시오.

㉠ 청주 흥덕사에서 인쇄한 것으로, 현존하는 가장 오래된 금속 활자본이다.
㉡ 거란을 물리치기 위한 목적으로 만들어졌으나 몽골의 침입으로 불에 타 없어졌다.
㉢ 부처의 힘으로 몽골의 침입을 물리치고자 만들었으며 목판 8만여 장에 불경을 새긴 것을 인쇄한 것이다.

(　　　　　　) → (　　　　　　) → (　　　　　　)

4 세계에서 가장 오래된 금속 활자본으로 인정받고 있으며, 1377년에 인쇄된 다음 책은 무엇인지 쓰시오.

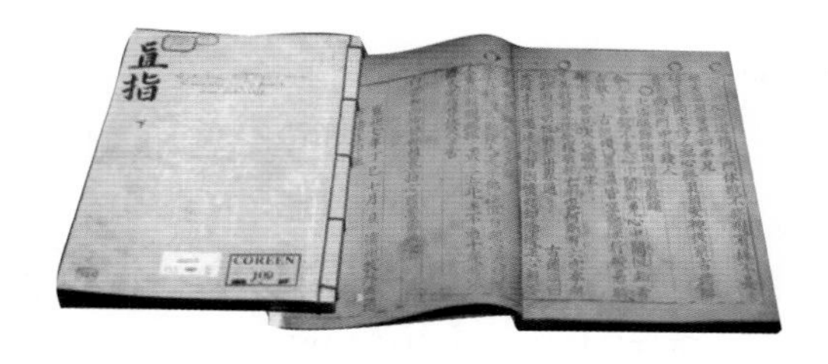

(　　　　　　　　)

눈으로 읽는 딱 1분 개념정리

14 고려의 대외 관계 ~
17 고려의 역사서와 인쇄술의 발달

| 학습한 내용을 정리해 보며, 빈칸에 들어갈 키워드를 써 보세요.

• 정답 및 풀이 176쪽

❶ 고려의 대외 관계와 종교

① **고려의 대외 관계**

- (❶   ): 예상강 입구의 국제 무역항으로 많은 나라의 상인들이 드나들었음.
- 고려와 여러 나라와의 교류

구분	내용
송	고려는 송에 사신, 학자, 승려 등을 보내 가장 활발하게 교류하였음.
거란, 여진	고려에서는 농기구, 곡식 등을 보내고 은, 모피, 말 등을 들여왔음.
(❷) 상인	• 벽란도를 통해 개경으로 들어와 수은, 향료 등을 팔고 비단 등을 사갔음. • 이들과의 교류를 통해 고려가 '코리아'로 다른 나라에 알려지게 되었음.

② **고려의 종교**

구분	내용
불교	• 팔관회, 연등회 등 불교 행사를 성대하게 열었음. • (❸): 교종을 중심으로 선종을 통합하여 해동 천태종을 만들었음. • 지눌: 선종을 중심으로 교종을 포용하려고 했음.
도교	고려 왕실에서는 하늘과 별에 제사를 지내고 도교 행사를 자주 열었음.
풍수지리설	풍수지리설에 근거하여 묘청이 서경 천도 운동을 주장하였음.

❷ 고려의 문화와 예술의 발달

① **고려의 불상, 탑, 건축물**

구분	내용
불상	고려 초기에는 (❹)에 구애받지 않는 자유분방함이 특징인 석불이 만들어졌음. 예 관촉사 석조 미륵보살 입상
탑	• 고려 초기: 다각 다층 석탑이 많이 만들어졌음. 예 월정사 8각 9층 석탑 • 고려 후기: 원의 영향을 많이 받았음. 예 경천사지 10층 석탑
건축물	봉정사 극락전, 부석사 무량수전, 수덕사 대웅전 등 일부 불교 건축물이 남아 있음.

▲관촉사 석조 미륵보살 입상

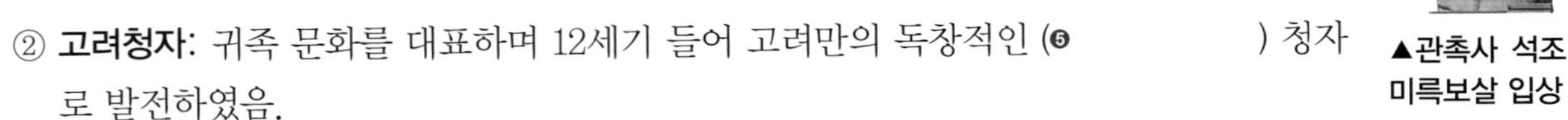

② **고려청자:** 귀족 문화를 대표하며 12세기 들어 고려만의 독창적인 (❺   ) 청자로 발전하였음.

③ **고려의 역사서:** 김부식의 『삼국사기』, 이규보의 『동명왕편』, 이승휴의 『제왕운기』, 일연의 『삼국유사』 등의 역사서가 있음.

④ **인쇄술의 발달**

구분	내용
대장경	• 『초조대장경』: 거란의 침입을 받았을 때 만든 대장경 • 『팔만대장경』: 부처의 힘에 의지해 (❻)의 침입을 물리치고자 만든 대장경
금속 활자	• 『상정고금예문』: 1234년에 인쇄된 최초의 금속 활자본으로 현재 전해지지 않음. • 『직지심체요절』: 현재 남아 있는 세계에서 가장 오래된 금속 활자 인쇄본(1377년)

한국사 생각쓰기

• 정답 및 풀이 176쪽

1 다음과 같은 다양한 고려청자를 보고, 고려청자를 통해 알 수 있는 고려 문화의 특징을 쓰시오.

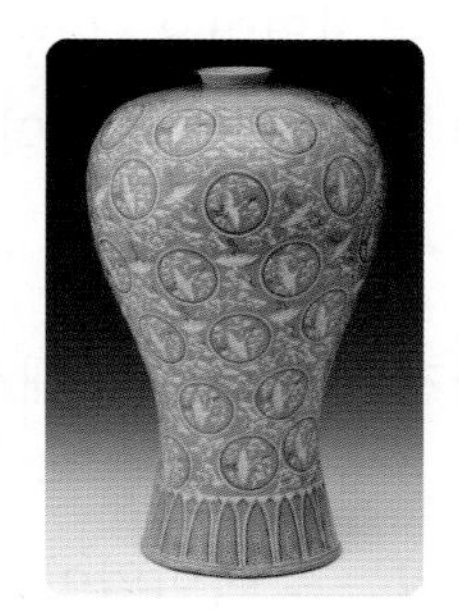
▲ 청자 상감 운학무늬 매병

▲ 청자 투각 칠보무늬 향로

▲ 청자 상감 모란문 표주박 모양 주전자

2 다음은 팔만대장경판을 만드는 과정을 나타낸 것입니다. 이렇게 만들어진 팔만대장경판의 우수한 점을 쓰시오.

1 나무를 바닷물에 담가 둔다.

2 물에 삶았다가 그늘에 말린다.

3 판목에 글자를 새긴다.

4 옻칠을 하고 구리판을 댄다.

생각 쓰기 Point

Point 1

고려청자의 특징

- 고려청자는 만들기가 어렵고 가치가 높은 제품이었기 때문에 왕실과 귀족들이 주로 사용했습니다.
- 12세기에 이르러 상감 기법을 통해 다양하고 화려한 무늬를 넣은 상감 청자로 발전하였습니다.

Point 2

팔만대장경판

- 『팔만대장경』은 몽골이 침입하였을 때 부처의 힘에 의지하여 위기를 극복하기 위해 만들었습니다.
- 현재 팔만대장경판과 인쇄본인 『팔만대장경』은 합천 해인사에 보관되어 있으며 유네스코 세계 유산으로 지정되었습니다.

'코리아'는 어떻게 세계에 알려졌을까?

고려는 주변의 여러 나라들과 활발하게 교류했어요. 국제 무역항으로 번성했던 벽란도에는 여러 나라의 배들이 드나들었고, 개경에는 다양한 나라에서 온 상인들로 북적였어요. 벽란도는 고려의 수도인 개경과 가까웠으며, 바다가 깊어 큰 배도 쉽게 드나들 수 있어서 국제 무역항으로 빠르게 발전했어요.

고려는 송, 거란, 여진, 일본 등과 교류했고, 멀리 아라비아의 상인까지 벽란도를 통해서 고려로 들어왔어요. 각 나라 상인들은 자기 나라의 특산물을 고려에 팔고, 고려의 특산물을 사 갔어요. 그중에서 고려 인삼은 약효가 뛰어나기로 소문이 나서 가장 인기 있는 품목이었어요. 고려의 종이와 먹 또한 질이 좋아 비싼 값으로 팔렸어요.

외국과 무역이 활발해지고 상업과 수공업이 발전하면서 고려는 화폐를 만들었어요. 은으로 만들어진 병 모양의 화폐인 은병은 하나의 가치가 쌀 열 가마니에서 오십 가마니 정도 하는 고액 화폐였어요. 그래서 대규모 거래를 할때 주로 사용하였어요. 이 외에도 오늘날 동전과 같은 금속 화폐도 만들었어요.

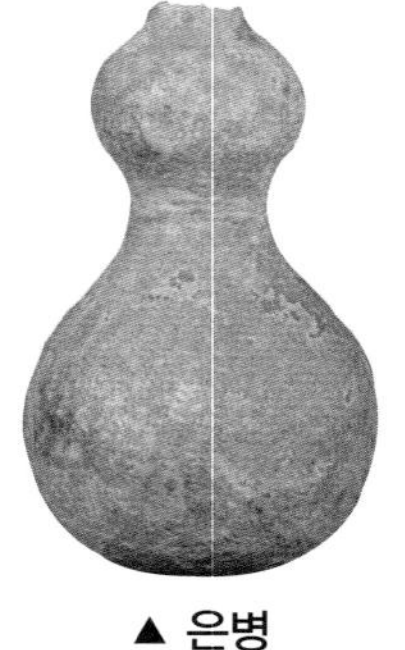
▲ 은병

▲ 금속 화폐

나라에서 화폐를 만들기는 했지만, 백성들은 물건을 사기 위해 화폐 대신 주로 쌀과 옷감을 사용했어요. 그래서 화폐가 널리 쓰이지는 않았어요.

고려는 활발한 국제 무역을 통해서 나라의 재산을 늘렸어요. 이를 통해 '코리아'라는 이름으로 고려를 세계에 알렸고, 고려는 국제적인 국가로 발돋움할 수 있게 되었어요.

1 선사 시대와 고조선

01 역사의 의미와 선사 시대와 역사 시대 12~13쪽

핵심 Point! ❶ 선사 ❷ 역사 ❸ 유물

1 역사 2 ③ 3 유적 4 ②

1 역사는 '사실로서의 역사'와 '기록으로서의 역사'의 두 가지 의미가 있습니다.

2 문자를 발명하기 이전 시기를 선사 시대, 문자로 기록을 남긴 시기를 역사 시대라고 합니다.

3 유적은 건축물이나 집터처럼 위치를 바꿀 수 없는 역사적 흔적을 말합니다.

4 역사 시대의 연구는 문자로 남겨진 기록을 살펴보거나 유물, 유적을 통해 짐작하는 방법으로 이루어집니다.

왜 틀렸지?

② 벽화는 벽에 그린 그림으로 문자에 해당하지 않습니다.

02 인류의 등장과 진화 14~15쪽

핵심 Point! ❶ 사피엔스 ❷ 돌 ❸ 불

1 ⑤ 2 ② 3 (1) ○ 4 ㉢

1 인류의 진화 과정은 ⑤ 오스트랄로피테쿠스 아파렌시스, ③호모 에렉투스, ④호모 네안데르탈렌시스, ② 호모 사피엔스 순입니다. ① 유인원은 침팬지, 고릴라, 오랑우탄 등을 말합니다.

2 왜 틀렸지?

① 농사를 지은 것은 신석기 시대 이후입니다.
③ 불을 사용할 수 있었습니다.
④ 청동기는 청동기 시대 이후에 만들어졌습니다.
⑤ 인류의 직접적인 조상은 호모 사피엔스입니다.

3 돌을 내리쳐서 깨뜨리거나 떼어 내 만든 도구의 모습으로 알맞은 것은 (1)입니다. (2)와 (3)은 돌을 갈아서 만든 것입니다.

4 불을 사용하기 시작하면서 인류의 삶은 크게 달라졌습니다.

03 구석기 시대 사람들이 사용한 도구와 생활 모습 16~17쪽

핵심 Point! ❶ 뗀석기 ❷ 채집 ❸ 막집

1 뗀석기 2 ⑤ 3 (1) ○ 4 ④

1 돌을 깨뜨리거나 떼어서 만든 뗀석기를 사용한 시기를 구석기 시대라고 합니다.

2 왜 틀렸지?

⑤ 민무늬 토기는 청동기 시대에 주로 사용하던 도구입니다.

⊕ 자료 구석기 시대에 사용한 도구

▲ 주먹도끼

▲ 찍개

▲ 긁개

구석기 시대 사람들은 주먹도끼, 찍개, 긁개, 밀개 등 다양한 뗀석기와 동물의 뼈 등을 도구로 사용하였습니다.

3 구석기 시대 사람들은 사냥의 성공을 바라며 동굴에 벽화를 그렸습니다.

4 구석기 시대 사람들은 사냥과 채집, 고기잡이 등을 통해 먹을 것을 구했고 무리지어 이동하며 살았습니다. ④ 농사를 하며 정착 생활을 하기 시작한 것은 신석기 시대 이후입니다.

04 신석기 시대에 나타난 변화 18~19쪽

핵심 Point! ❶ 간석기 ❷ 신석기 혁명 ❸ 움집

1 신석기 시대 2 빗살무늬 토기 3 ㉢ 4 ②

1 빙하기가 끝나고 자연환경이 크게 바뀌면서 사람들은 간석기를 만들어 사용하였습니다.

2 신석기 시대 사람들은 곡식을 저장하거나 음식을 조리하기 위해 토기를 사용했습니다.

3 신석기 시대 사람들은 움집을 짓고 정착 생활을 하였으며, 간석기를 사용했습니다.

왜 틀렸지?

㉠ 불은 구석기 시대 호모 에렉투스부터 사용했습니다.
㉡ 철기를 사용한 것은 철기 시대 이후입니다.
㉣ 움집을 짓고 정착 생활을 하였습니다.

4 신석기 시대에는 농경과 목축이 시작되면서 구석기 시대보다 풍요로운 생활을 하였습니다.

05 청동기 시대 사람들이 사용한 도구와 생활 모습 20~21쪽

핵심 Point! ❶ 청동기 ❷ 벼 ❸ 민무늬

1 ②, ④, ⑤ 2 반달 돌칼 3 (2) ○ 4 ③

1 청동기는 만들기가 어렵고 귀해서 하늘에 제사를 지내는 도구나 지배자의 무기, 장신구 등으로 쓰였습니다.

2 반달 돌칼은 이삭을 따거나 베는 데 쓰던 반달 모양의 석기입니다.

3 청동기 시대에는 민무늬 토기를 주로 사용하였습니다. (1)은 신석기 시대에 주로 쓰였던 빗살무늬 토기입니다.

4 ③ 청동기 시대에도 농사를 지을 때에는 여전히 돌과 나무로 만든 도구를 사용하였습니다.

06 청동기 시대 고인돌과 계급 사회 22~23쪽

핵심 Point! ❶ 사유 재산 ❷ 제정일치 ❸ 고인돌

1 ④ 2 ㉠ 3 고인돌 4 ⑤

1 청동기 시대부터 사유 재산이 생겨나고 빈부 격차가 커지면서 계급이 발생하였습니다.

2 군장은 부족을 이끌고 제사를 지내는 청동기 시대의 지배자였습니다.

왜 틀렸지?

㉡ 주먹도끼는 구석기 시대에 이용한 뗀석기입니다.
㉢ 청동기 시대에는 계급이 발생하여 생산물을 평등하게 나누지 않았습니다.

3 청동기 시대에는 지배자가 죽으면 거대한 규모의 고인돌을 만들었고, 청동 검, 청동 거울 등을 함께 묻었습니다.

4 고인돌은 지배자의 무덤으로 고인돌을 만들기 위해서는 많은 사람이 필요했는데 이를 통해서 청동기 시대 지배자의 권력과 부가 컸음을 알 수 있습니다.

자료 고인돌을 만드는 과정

1 받침돌을 운반하여 세웁니다.
2 덮개돌을 끌어올리기 위해 흙을 다집니다.
3 덮개돌을 받침돌 위에 올리고 주변의 흙을 제거한 후, 시신을 묻습니다.

눈으로 읽는 딱 1분 개념정리 24쪽

❶ 문자 ❷ 뗀석기 ❸ 간석기 ❹ 반달 돌칼 ❺ 군장 ❻ 고인돌

한국사 생각쓰기 25쪽

1 예 구석기 시대는 돌을 깨뜨리거나 떼어 내 뗀석기를 만들어 사용했던 시대이고 신석기 시대는 돌을 갈아서 간석기를 만들어 사용했던 시대입니다. 2 예 고인돌을 만들기 위해서는 많은 사람들이 필요했습니다. 이렇게 많은 사람들을 동원할 수 있는 사람은 권력을 가진 지배자일 것이기 때문입니다.

1 선사 시대는 도구를 만드는 방법에 따라서 구석기 시대와 신석기 시대로 구분합니다.

생각쓰기 채점 기준	
상	구석기 시대에는 돌을 깨뜨리거나 떼어 내 만든 뗀석기를 사용했고, 신석기 시대에는 돌을 갈아서 만든 간석기를 사용했다고 쓴 경우
중	구석기 시대에는 뗀석기를 사용했고, 신석기 시대에는 간석기를 사용했다고 쓴 경우
하	구석기 시대와 신석기 시대에 도구를 만드는 방법이 다르다고만 쓴 경우

2 청동기 시대에는 군장이 죽으면 고인돌이라는 무덤을 만들었습니다. 고인돌은 받침돌을 세우고 그 위에 덮개돌을 올려 만들었는데, 고인돌의 덮개돌은 매우 크고 무겁기 때문에 이것을 옮기기 위해서는 많은 사람들이 필요했습니다.

생각쓰기 채점 기준	
상	고인돌을 만들기 위해서 많은 사람들을 동원할 수 있는 권력을 가진 것은 지배자이기 때문이라고 쓴 경우
하	고인돌을 만들기 위해서는 많은 사람들이 필요했다고만 쓴 경우

07 고조선의 건국 26~27쪽

핵심 Point! ❶ 고조선 ❷ 홍익인간 ❸ 단군왕검

1 ㉠, ㉢ 2 (1) ㉠ (2) ㉡ 3 ④ 4 홍익인간

1 고려 시대 일연이 쓴 『삼국유사』에 고조선의 건국 이야기가 전해 내려옵니다.

왜 틀렸지?

㉡ 곰과 호랑이가 사람이 되기를 빌었는데 그중에 곰이 사람이 되었습니다.
㉣ 단군은 아사달을 도읍으로 정하였습니다.

2 단군왕검은 고조선 대대로 나라를 다스리며 제사도 지내던 지배자들을 통틀어 부르는 이름이었습니다. 단군은 하늘에 제사를 지내는 제사장을, 왕검은 나라를 다스리는 지배자를 뜻합니다.

3 고조선의 건국 이야기를 통해 당시 사회 모습을 추측할 수 있습니다. ④ 고조선은 철기 시대 이전에 세워졌습니다.

4 고조선은 널리 인간을 이롭게 한다는 홍익인간을 건국 이념으로 세워졌습니다.

지문에서 힌트 찾기

"널리 인간을 이롭게 한다는 홍익인간의 건국 이념을 알 수 있습니다."

08 고조선의 성장과 멸망 과정 28~29쪽

핵심 Point! ❶ 비파형 ❷ 위만 ❸ 세형 동검

1 ③, ⑤ 2 중계 무역 3 (1) ○ (3) ○ 4 ㉡ → ㉢ → ㉠

1 비파형 동검, 탁자식 고인돌이 공통적으로 분포되어 있는 만주와 한반도 서북부 지역을 고조선의 문화권이라고 짐작할 수 있습니다.

자료 고조선의 문화권

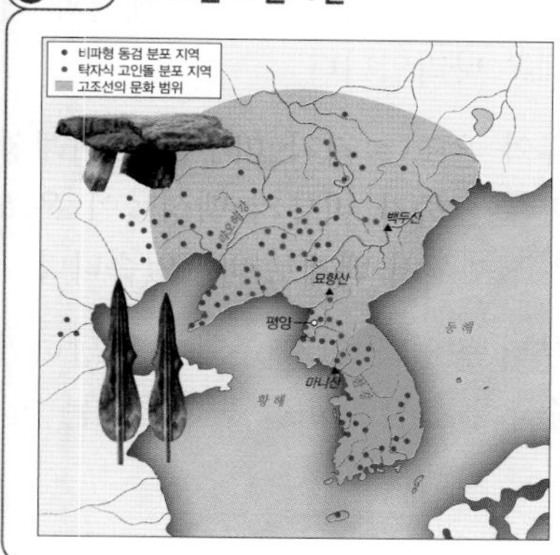

비파형 동검과 탁자식 고인돌의 분포 범위를 통해 대략적인 고조선의 문화권이 만주와 한반도 서북부 지역임을 확인할 수 있습니다.

2 고조선은 중국의 한과 한반도 남쪽의 나라들 사이에서 중계 무역을 해 많은 경제적 이익을 얻었습니다.

3 위만이 고조선을 다스리던 초기 철기 시대에 비파형 동검은 세형 동검으로, 거친 무늬 거울은 잔무늬 거울로 발전하였습니다.

4 ㉡ 기원전 2세기 194년에 위만이 왕위에 올랐고, ㉢ 고조선은 중계 무역으로 경제적 이익을 얻었습니다. ㉠ 기원전 108년에 한의 공격으로 왕검성이 함락하면서 고조선이 멸망하였습니다.

09 고조선의 8조법과 사람들의 생활 모습 30~31쪽

핵심 Point! ❶ 신분제 ❷ 8 ❸ 노비

1 (1) × (2) ○ (3) ○ 2 ㉡ 3 ㉢ 4 ③

1 (1) 고조선은 신분제 사회로 신분의 구별이 있는 불평등한 사회였습니다.

2 고조선에는 8개의 법 조항이 있었는데 현재는 3개만이 전해지고 있습니다.

왜 틀렸지?

㉡ 남에게 상처를 입힌 사람은 곡식으로 갚도록 했습니다.

3 도둑질한 것을 용서받으려면 50만 전을 내야 한다는 내용을 통해 화폐가 존재했음을 알 수 있습니다.

지문에서 힌트 찾기

"50만 전을 통해 화폐가 존재했다는 것을 알 수 있습니다."

4 8조법을 통해 고조선이 사유 재산을 인정하는 농경 사회였으며 노비가 존재하는 신분 사회였음을 알 수 있습니다.

왜 틀렸지?

③ 고조선의 8조법 중 오늘날 전해지는 내용 중에서 전쟁에 관한 내용은 없습니다.

10 철기의 사용으로 나타난 변화 32~33쪽

핵심 Point! ❶ 철 ❷ 농기구 ❸ 널무덤

1 철 2 ㉠, ㉡ 3 ④, ⑤ 4 독무덤

1 우리나라에서는 기원전 5세기부터 철기를 사용하기 시작했습니다.

2 **왜 틀렸지?**

㉢ 빗살무늬 토기는 신석기 시대에 주로 사용되었던 토기입니다.
㉣ 철기 시대에 들어 철제 무기가 많이 만들어지면서 전쟁이 늘어났습니다.

3 철기 시대에 철제 농기구를 사용하게 되면서 농업 생산량이 늘어났고, 철제 무기를 사용하면서 정복 활동이 활발해졌습니다.

4 제시된 자료는 두 개의 항아리를 옆으로 붙여 만든 독무덤입니다.

11 철기 시대에 등장한 여러 나라 34~35쪽

핵심 Point! ❶ 순장 ❷ 무천 ❸ 철

1 부여 2 ③ 3 책화 4 ㉣

1 부여는 쑹화강 유역의 넓은 평야 지역에 위치하여 농경과 목축이 함께 발달하였습니다.

2 고구려에는 서옥제라는 혼인 풍습이 있었습니다.

3 동예는 부족 간의 경계가 엄격하여 책화라는 풍습이 있었습니다.

4 왜 틀렸지?

㉣ 삼한은 정치와 종교가 분리된 사회였습니다.

눈으로 읽는 딱 1분 개념정리 36쪽

❶ 고조선 ❷ 탁자식 고인돌 ❸ 위만 ❹ 농기구 ❺ 영고 ❻ 동예

한국사 생각쓰기 37쪽

1 예 환웅 세력이 곰을 믿는 부족과 호랑이를 믿는 부족 사이에서 곰을 믿는 부족과 연합했고, 환웅의 아들인 단군왕검이 고조선을 건국하였습니다. 2 예 고조선은 사람의 생명을 존중하고, 노동력과 개인의 재산을 중요하게 여겨 보호하였습니다. 또한 계급이 있고 화폐를 사용하는 사회였습니다.

1 고조선의 건국 이야기를 통해 단군왕검이 고조선을 건국한 과정을 알 수 있습니다.

생각쓰기 채점 기준

상	환웅 세력이 곰을 믿는 부족과 연합했고 환웅의 아들인 단군왕검이 고조선을 건국했다고 쓴 경우
중	환웅 세력이 곰을 믿는 부족과 연합하여 고조선을 건국했다고 쓴 경우
하	환웅의 아들인 단군왕검이 고조선을 건국했다고만 쓴 경우

2 오늘날 전해지고 있는 고조선의 법 조항을 통해 당시 고조선 사회의 모습을 추측할 수 있습니다.

생각쓰기 채점 기준

상	생명 존중, 노동력과 개인의 재산 보호, 계급 사회, 화폐 사용의 내용을 모두 쓴 경우
중	생명 존중, 노동력과 개인의 재산 보호, 계급 사회, 화폐 사용의 내용 중 일부분만 쓴 경우
하	사회 질서를 유지하기 위해 노력했다고만 쓴 경우

2 삼국의 성립과 발전

01 고구려의 성립과 건국 이야기 42~43쪽

핵심 Point! ❶ 고구려 ❷ 제가 회의 ❸ 정복

1 ③ 2 ② 3 제가 회의 4 ⑤

1 왜 틀렸지?

③ 웅녀는 고조선의 건국 신화에 등장하는 인물입니다.

2 태양을 상징하는 알에서 태어났다는 것은 보통 사람과는 다른 신비로운 존재임을 나타냅니다.

3 제가 회의는 고구려의 대가들이 모여 나라의 중요한 문제를 의논하고 결정하던 회의입니다.

4 고구려는 척박한 산악 지역에 자리잡아서 농사를 짓기 어려웠습니다. 그래서 일찍부터 활발히 정복 활동을 하였습니다.

02 백제의 성립과 건국 이야기 44~45쪽

핵심 Point! ❶ 온조 ❷ 한강 ❸ 정사암

1 ⑤ 2 (1) ㉡ (2) ㉠ 3 ③ 4 정사암 회의

1 백제는 고구려에서 내려온 사람들이 토착 세력과 연합하여 한강 유역에 세운 나라입니다.

2 주몽의 아들인 비류와 온조는 각각 미추홀과 위례성에 자리잡았습니다. 비류가 죽자 비류의 백성들이 온조를 찾아와 나라 이름을 십제에서 백제로 바꾸었습니다.

3 한강 유역은 일찍부터 농업과 철기 문화가 발달하였고 교통의 중심지로 중국의 선진 문화를 받아들이는 데 유리하였습니다.

왜 틀렸지?

③ 한강 유역은 평야가 발달하여 방어에 유리한 지역은 아니었습니다.

4 백제 귀족들은 정사암 회의를 통해 나라의 중요한 일을 결정하고 재상을 선출하였습니다.

03 신라 성립과 건국 이야기 46~47쪽

핵심 Point! ❶ 박혁거세 ❷ 신라 ❸ 화백 회의

1 사로국 2 ㉠ 상대등 ㉡ 화백 회의 3 ㉡, ㉢ 4 ⑤

1 박혁거세는 사로국의 첫 번째 왕이 되었는데 사로국은 신라의 옛 이름입니다.

2 화백 회의는 신라 귀족들이 모여 나라의 일을 의논하던 회의였습니다. 상대등은 신라의 최고 관직으로 화백 회의를 주관하였습니다.

3 왜 틀렸지?

㉠ 신라는 건국 초기에 박·석·김의 세 성씨가 교대로 왕위를 차지하여 왕권이 약했습니다.

4 신라는 한반도 동남쪽에 위치하여 중국과 멀리 있었고 그 때문에 중국의 선진 문물을 수용하기 어려웠습니다. 이러한 점 때문에 고구려, 백제에 비해 정치적 발전이 늦었습니다.

04 고구려의 성장을 위한 노력 48~49쪽

핵심 Point! ❶ 태조왕 ❷ 고국천왕 ❸ 고국원왕

1 ㉡ 2 고국천왕 3 진대법 4 ⑤

1 고구려는 유리왕 때 졸본을 떠나 압록강 주변의 국내성으로 도읍을 옮겼습니다.

지문에서 힌트 찾기

"고구려는 유리왕 때 주변 지역으로 진출이 유리한 압록강 주변의 국내성으로 수도를 옮겼습니다."

2 고국천왕은 왕권을 강화하고 중앙 집권 체제를 정비하는 여러 업적을 남겼습니다.

3 고국천왕은 가난한 백성들을 위해 빈민 구제 제도인 진대법을 실시하였습니다.

4 고구려는 4세기 중반 고국원왕 때 국가적 위기를 맞았습니다.

05 소수림왕의 체제 정비와 광개토 대왕의 영토 확장 50~51쪽

핵심 Point! ❶ 태학 ❷ 신라 ❸ 대왕릉비

1 불교 2 율령 3 ㉡, ㉢ 4 ⑤

1 소수림왕은 중국으로부터 불교를 받아들여 백성들을 통합하고자 했습니다.

2 율령에는 법을 어겼을 때 벌을 주는 형법과 중앙의 관등 제도, 정치 조직과 지방 행정 조직 등의 내용을 담고 있습니다.

3 광개토 대왕은 활발한 정복 활동으로 넓은 영토를 차지하게 되었고 이를 바탕으로 '영락'이라는 독자적인 연호를 사용하였습니다. ㉠은 소수림왕에 대한 설명입니다.

4 고구려의 광개토 대왕은 신라의 요청을 받고 신라에 침입한 왜구를 물리쳤습니다.

06 고구려의 전성기를 이끈 장수왕 52~53쪽

핵심 Point! ❶ 평양 ❷ 남진 정책 ❸ 나제 동맹

1 ㉢ 2 백제, 신라 3 ② 4 충주 고구려비

1 장수왕은 평양으로 천도한 후에 남진 정책을 펼쳐 한반도 남쪽으로 적극 진출하였습니다. ㉢ 평양은 평야가 발달하여 공격을 방어하기 유리한 지형은 아니었습니다.

2 백제와 신라는 동맹을 맺어 장수왕의 남진 정책에 대항하려고 했습니다.

지문에서 힌트 찾기

장수왕의 남진 정책에 위협을 느낀 백제와 신라는 나제 동맹을 맺어 고구려에 대항하였습니다.

3 제시된 지도는 5세기 장수왕 때 고구려 전성기의 세력 범위입니다. ② 장수왕은 국내성에서 평양으로 수도를 옮겼습니다.

4 충주 고구려비는 5세기 무렵 고구려의 영토를 알 수 있는 비석입니다.

07 백제의 성장을 위한 노력 54~55쪽

핵심 Point! ❶ 고이왕 ❷ 목지국 ❸ 침류왕

1 한강 2 ② 3 ㉠, ㉡ 4 불교

1 백제가 자리잡았던 한강 유역은 일찍부터 농업과 철기 문화가 발달하였습니다.

2 좌평은 백제에서 가장 높은 관직으로 내신좌평을 포함하여 6좌평이 있었습니다.

3 왜 틀렸지?

㉢ 마한의 목지국을 정복하여 한반도 중부 지역을 차지하였습니다.
㉣ 정사암 회의는 귀족 회의로 왕권을 약화시켰습니다.

4 백제는 불교를 받아들여 왕권을 높이고 백성들을 통합하고자 했습니다.

08 백제의 전성기를 이끈 근초고왕 56~57쪽

핵심 Point! ❶ 근초고왕 ❷ 마한 ❸ 칠지도

1 부자 2 ㉢ 3 ㉠ 산둥 ㉡ 규슈 4 ③

1 근초고왕은 왕위 계승을 부자 상속으로 확립하여 왕권을 강화하였습니다.

2 ㉢ 근초고왕은 고구려를 공격하여 고국원왕을 전사시키고 황해도 일부 지역을 차지하였습니다.

3 백제의 근초고왕은 다양한 나라와 외교 관계를 맺어 고구려를 견제하고 한반도의 주도권을 장악하였습니다.

4 칠지도는 백제에서 왜에 전해 준 것으로 백제와 왜의 교류 관계를 보여 주는 유물입니다.

09 백제의 중흥을 위한 노력 58~59쪽

핵심 Point! ❶ 웅진 ❷ 담로 ❸ 사비

1 ㉠ → ㉢ → ㉡ 2 무령왕 3 ㉠, ㉢ 4 ④

1 백제는 초기 수도였던 한성에서 475년 웅진으로 이동했고, 다시 538년에 사비로 이동했습니다.

2 무령왕은 동성왕에 이어 백제의 중흥을 위해 노력하였습니다.

3 성왕은 백제의 중흥을 위해 노력하였으나 관산성 전투에서 전사하였습니다. ㉡ 성왕은 신라 진흥왕과 연합하여 고구려를 공격하였습니다.

4 ①은 동성왕 때, ②, ③은 무령왕 때, ⑤는 성왕 때 있었던 일입니다.

? 왜 틀렸지?

④ 백제는 고구려의 공격으로 한성을 빼앗긴 후 수도를 한성에서 웅진으로 옮겼고, 성왕 때 다시 사비로 옮겼습니다.

10 신라의 성장을 위한 노력 60~61쪽

핵심 Point! ❶ 마립간 ❷ 이차돈 ❸ 골품제

1 광개토 대왕 2 지증왕 3 ⑤ 4 골품제

1 광개토 대왕의 도움으로 신라는 위기를 극복하였으나 이후 정치적·군사적으로 고구려의 간섭을 받게 되었습니다.

2 지증왕은 신라의 국호를 정하고 왕의 칭호를 처음으로 사용했습니다.

3 법흥왕은 율령 반포, 골품제와 관등제 정비, 불교 공인 등을 통해 중앙 집권 체제를 완성하였습니다. ⑤ 왕을 부르는 말을 마립간으로 바꾼 것은 내물왕입니다.

4 골품제는 신라의 신분 제도로 관직의 진출부터 집의 크기, 옷의 색깔 등 일상생활까지 제한하였습니다.

! 지문에서 힌트 찾기

"신라는 중앙 집권 국가로 성장하면서 지배층을 서열화한 골품제라는 신분 제도를 마련하였습니다."

11 신라의 전성기를 이끈 진흥왕 62~63쪽

핵심 Point! ❶ 황룡사 ❷ 화랑도 ❸ 성왕

1 화랑도 2 ④ 3 ② 4 개국

1 화랑도는 지도자인 화랑과 이를 따르는 낭도로 구성되었습니다.

2 ④ 이차돈의 순교를 계기로 불교를 공인한 왕은 법흥왕입니다.

3 진흥왕은 영토 확장을 기념하여 단양 신라 적성비과 4개의 순수비를 세웠습니다.

? 왜 틀렸지?

②는 고구려 전성기인 5세기에 세워진 비석입니다.

4 진흥왕은 개국이라는 독자적인 연호를 사용하면서 강한 왕권과 국력을 과시하였습니다.

눈으로 읽는 딱 1분 개념정리 64쪽

❶ 주몽 ❷ 정사암 ❸ 태학 ❹ 장수왕 ❺ 불교 ❻ 진흥왕

한국사 생각쓰기 65쪽

1 예 왕은 태양을 상징하는 알에서 태어난 신비롭고 특별한 존재로, 왕을 존경하고 따라야 함을 강조하는 것입니다. 2 예 장수왕이 남쪽으로 영토를 확장하자 백제와 신라는 나제 동맹을 맺어 대항하였습니다.

1 제시된 건국 이야기에는 왕이 알에서 태어났다는 공통점이 있습니다

생각쓰기 채점 기준

상	주몽과 박혁거세는 알에서 태어나 신비롭고 특별한 존재로 존경하고 따라야 한다고 쓴 경우
중	주몽과 박혁거세가 신비롭고 특별한 존재라고 쓴 경우
하	주몽과 박혁거세가 모두 알에서 태어났다고만 쓴 경우

2 장수왕은 평양으로 도읍을 옮기고 남진 정책을 벌여 남쪽으로 영토를 확장시켰습니다.

생각쓰기 채점 기준

상	장수왕의 남진 정책에 맞서 백제와 신라가 나제 동맹을 맺었다고 쓴 경우
중	백제와 신라가 나제 동맹을 맺었다고 쓴 경우
하	백제와 신라가 힘을 합쳤다고만 쓴 경우

12 가야의 성장과 멸망 66~67쪽

핵심 Point! ❶ 가야 ❷ 김수로 ❸ 철

1 ㉠ 2 철 3 (1) 금관가야 (2) 대가야 4 ③

1 왜 틀렸지?

㉡ 가야는 6개의 나라로 이루어진 연맹입니다.
㉢ 가야는 우수한 철기 문화를 바탕으로 세워졌지만 건국 이야기를 통해서는 이를 알 수 없습니다.

2 가야 연맹 지역에서는 질 좋은 철이 많이 생산되었습니다.

3 김해에 위치한 금관가야가 초기 가야 연맹을 이끌었고, 고령에 위치한 대가야가 후기 가야 연맹을 이끌었습니다.

4 금관가야는 초기 가야 연맹을 이끌었으나 5세기 고구려 광개토 대왕의 공격을 받아 큰 타격을 입고 약화되었습니다. 그 후 5세기 후반부터 대가야가 가야 연맹을 이끌었습니다. 그러나 결국 532년 금관가야가 신라 법흥왕에게, 562년 신라 진흥왕에게 각각 정복 당하여 멸망하였습니다.

13 가야 문화의 발전 68~69쪽

핵심 Point! ❶ 철 ❷ 가야금 ❸ 스에키

1 ㉠, ㉡ 2 우륵 3 ㉠ 가야, ㉡ 일본 4 ①

1 가야 지역에서는 질 좋은 철이 많이 생산되어 뛰어난 철기 문화를 이루었습니다.

2 우륵은 대가야가 신라의 압박을 받자 신라로 옮겨 가서 가야금 연주를 가르치기도 했습니다.

3 가야 토기는 일본에 전해져 일본의 스에키 토기의 발생에 영향을 주었습니다.

4 왜 틀렸지?

① 가야는 중앙 집권 국가로 발전하지 못하고 연맹 국가 단계에서 멸망하였습니다.

14 삼국 시대 사람들의 생활 모습 70~71쪽

핵심 Point! ❶ 신분 ❷ 삼베옷 ❸ 귀족

1 노비 2 ④ 3 (1) ㉡ (2) ㉠ 4 ③

1 삼국 시대에 노비는 왕실이나 귀족의 소유가 되어 각종 일을 도맡아 했습니다.

지문에서 힌트 찾기

"노비는 가장 낮은 신분으로 물건처럼 사고팔렸으며 주인의 지배를 받아 억압받는 삶을 살았습니다."

2 ④ 삼국 시대에는 고기가 귀해서 왕이나 귀족들만 먹을 수 있었습니다.

3 삼국 시대에 평민은 귀틀집이나 초가집에서 생활한 반면, 귀족들은 기와집에서 살았습니다.

4 고구려 무용총 접객도는 신분에 따라 사람들의 크기를 다르게 나타내고 있어서 고구려가 신분 사회였다는 것을 알 수 있습니다.

15 삼국의 불교문화 72~73쪽

핵심 Point! ❶ 불교 ❷ 황룡사 ❸ 고구려

1 불교 2 ㉢ 3 ⑤ 4 (1) ◯

1 삼국 시대에는 불교를 적극 받아들여 지배 이념으로 이용하였습니다.

2 불교가 전해지면서 삼국에서 불교문화가 발전하였습니다. ㉢ 금속 활자를 만든 것은 고려 시대입니다.

3 왜 틀렸지?

⑤ 분황사 석탑은 신라의 석탑으로 신라 석탑 가운데 가장 오래된 것입니다.

4 (1)은 고구려, (2)는 백제, (3)은 신라의 불상입니다.

16 삼국의 고분 74~75쪽

핵심 Point! ❶ 돌무지 ❷ 벽돌 ❸ 덧널무덤

1 ⑤ 2 굴식 돌방무덤 3 무령왕릉 4 ④

1 삼국 시대 사람들은 죽어서도 영혼과 삶은 계속 된다고 믿어서 무덤 안에 많은 껴묻거리를 넣고 화려하게 꾸몄습니다.

2 굴식 돌방무덤 내부의 벽면과 천장에는 다양한 벽화가 그려졌습니다.

3 무령왕릉은 백제 무령왕의 무덤으로 중국 남조의 영향을 받았습니다.

4 ? 왜 틀렸지?

① 고구려 장군총은 돌무지무덤입니다.
② 신라는 초기에 돌무지덧널무덤을 많이 만들었습니다.
③ 돌무지무덤은 돌을 쌓아올려 만든 무덤이라 벽화를 그리기가 어려웠습니다.
⑤ 돌무지덧널무덤은 도굴이 어려워 많은 유물이 남아 있습니다.

17 삼국의 학문과 과학 기술 76~77쪽

핵심 Point! ❶ 태학 ❷ 임신서기석 ❸ 첨성대

1 오경박사 2 ⑤ 3 첨성대 4 ⑤

1 백제는 오경박사라는 관직을 두어 유교 경전을 교육하였습니다.

2 ⑤ 금동 대향로는 도교적 요소를 보이는 백제의 문화유산입니다.

3 첨성대는 동양에서 가장 오래된 천문대로 알려져 있습니다.

4 신라의 금관, 백제의 칠지도와 금동 대향로를 통해 삼국의 뛰어난 금속 공예 기술을 알 수 있습니다.

18 삼국의 대외 관계 78~79쪽

핵심 Point! ❶ 신라 ❷ 서역 ❸ 백제

1 (1) ○ (2) ○ 2 (1) ㉢ (2) ㉠ (3) ㉡ 3 가야 4 고구려

1 삼국은 중앙아시아의 서역과도 활발히 교류하였습니다. (3)은 삼국이 일본과 교류했음을 알 수 있는 유물입니다.

2 삼국은 중국과 서역의 문화를 받아들여 독자적으로 발전시킨 후, 일본에 전해 주었습니다.

3 가야는 철제 갑옷과 토기 제작 기술을 일본에 전해 주었습니다.

! 지문에서 힌트 찾기

"가야 또한 철제 갑옷과 토기 제작 기술을 알려 주었습니다."

4 고구려 수산리 고분 벽화와 일본의 다카마쓰 고분 벽화 속 사람들의 옷차림이 비슷하여 고구려가 일본과 교류했음을 알 수 있습니다.

눈으로 읽는 딱 1분 개념정리 80쪽

❶ 김수로 ❷ 철기 ❸ 귀족 ❹ 굴식 돌방무덤 ❺ 돌무지덧널무덤

한국사 생각쓰기 81쪽

1 예 굴식 돌방무덤은 넓은 방이 있어서 벽면과 천장에 벽화를 그렸습니다. 돌무지덧널무덤은 껴묻거리가 깊이 묻혀 있기 때문에 도굴이 어려워서 유물이 많이 남아 있습니다. 2 예 고구려와 일본의 고분 벽화의 모습이 비슷하고 우리나라와 일본 불상의 모습이 비슷한 것으로 보아 삼국과 일본이 활발히 교류를 하였고, 삼국의 문화가 일본에 영향을 주었다는 것을 알 수 있습니다.

1 고구려 사람들은 굴식 돌방무덤에 벽화를 많이 남겼습니다. 신라 초기에 많이 만들어진 돌무지덧널무덤은 도굴이 어려워 많은 유물이 발견되었습니다.

생각쓰기 채점 기준

상	굴식 돌방무덤과 돌무지덧널무덤의 특징을 모두 상세하게 쓴 경우
중	굴식 돌방무덤과 돌무지덧널무덤의 특징을 모두 썼지만 그 내용이 미흡한 경우
하	굴식 돌방무덤과 돌무지덧널무덤의 특징 중 한 가지만 쓴 경우

2 삼국과 가야의 문화는 일본의 고대 문화 형성에 큰 영향을 미쳤습니다.

생각쓰기 채점 기준

상	삼국과 일본이 활발하게 교류하여 삼국의 문화가 일본의 문화에 영향을 주었다고 쓴 경우
중	삼국의 문화가 일본 문화에 영향을 주었다고 쓴 경우
하	삼국과 일본의 문화유산 모습이 비슷하다고만 쓴 경우

3 통일 신라와 발해

01 수의 침입과 살수 대첩 86~87쪽

핵심 Point! ❶ 고구려 ❷ 양제 ❸ 살수

1 (1) ㉠, ㉡, ㉢, ㉥ (2) ㉣, ㉤ 2 ㉢ → ㉣ → ㉠ → ㉡
3 을지문덕 4 살수 대첩

1 6세기 말 고구려, 백제, 왜, 돌궐을 연결하는 남북 세력과 신라, 수와 당을 연결하는 동서 세력이 대립하였습니다.

2 ㉢ 수 문제의 침입, ㉣ 수 양제의 요동성 공격, ㉠ 우중문이 이끈 별동대의 평양성 공격, ㉡ 살수 대첩 순으로 일어났습니다.

3 을지문덕은 수의 장군인 우중문에게 그를 조롱하는 시를 보냈고, 그 뒤 후퇴하는 수군을 살수에게 크게 무찔렀습니다.

4 을지문덕은 지금의 청천강인 살수에서 수의 군대를 크게 무찔렀는데, 이를 살수 대첩이라고 합니다.

02 당의 침입과 안시성 싸움 88~89쪽

핵심 Point! ❶ 당 ❷ 연개소문 ❸ 안시성

1 천리장성 2 ⑤ 3 안시성 싸움 4 ㉢

1 천리장성은 당의 침입을 방어하기 위해 쌓은 성으로 비사성에서 부여성에 이릅니다.

2 연개소문은 영류왕을 죽이고 영류왕의 조카를 보장왕으로 세웠습니다. 그리고 자신은 스스로 최고 권력자의 자리인 대막지리에 올랐습니다.

3 안시성의 성주와 백성은 서로 단결하여 당의 군대를 물리쳤습니다.

4 ㉠ 중국을 통일한 것은 수와 당입니다. ㉡ 고구려는 당과의 전쟁 이후 국력이 점차 약화되었습니다.

03 나당 동맹과 백제와 고구려의 멸망 90~91쪽

핵심 Point! ❶ 김춘추 ❷ 황산벌 ❸ 부흥

1 ㉠, ㉢ 2 ② 3 ㉢ → ㉠ → ㉡ → ㉣ 4 ⑤

1 ㉡ 연개소문이 죽은 것은 신라와 당이 동맹을 맺은 후 일어난 일입니다.

2 백제는 660년 수도인 사비성이 함락되어 의자왕이 항복하면서 멸망하였습니다. ② 고구려 멸망에 대한 설명입니다.

3 신라와 당이 동맹을 맺어 나당 연합이 이루어졌습니다. 나당 연합군의 공격으로 백제와 고구려가 차례로 멸망하였습니다. 이후 백제와 고구려의 부흥 운동이 여러 지역에서 일어났으나 모두 실패하였습니다.

4 ①, ② 복신과 도침은 백제의 부흥 운동을 이끌었고, ③, ④ 검모잠은 보장왕의 아들인 안승을 내세워 고구려 부흥 운동을 전개했습니다.

04 나당 전쟁과 신라의 삼국 통일 92~93쪽

핵심 Point! ❶ 당 ❷ 기벌포 ❸ 삼국 통일

1 ③, ④, ⑤ 2 ③ 3 ㉢ → ㉡ → ㉣ → ㉠ 4 ④

1 당은 백제의 옛 땅에 웅진도독부를, 고구려의 옛 땅에 안동도호부를 설치했고, 신라에도 계림도독부를 설치하였습니다. ①, ②는 고려 시대에 원이 고려에 설치한 기관입니다.

2 백제와 고구려가 멸망하자 당은 신라와의 약속을 져버리고 한반도 전체를 차지하려고 했습니다.

3 신라는 나당 전쟁에서 당을 물리치고 삼국 통일을 이루었습니다.

4 왜 틀렸지?

④ 신라의 삼국 통일은 당의 세력을 이용했다는 한계점이 있습니다.

05 통일 신라의 발전 94~95쪽

핵심 Point! ❶ 문무왕 ❷ 녹읍 ❸ 5소경

1 (1) ㉡ (2) ㉠ 2 신문왕 3 집사부 4 ②

1 무열왕은 신라 최초의 진골 출신 왕이었고, 문무왕은 삼국 통일을 완성하였습니다.

2 신문왕은 귀족 세력을 약화시키고 왕권을 강화하기 위해 여러 정책을 실시하였습니다.

3 통일 신라 시대에는 집사부를 중심으로 중앙 행정을 운영하였습니다.

4 왜 틀렸지?

② 고구려, 백제, 신라의 옛 땅에 각각 3주를 골고루 설치하여 전국을 9주로 나누었습니다.

06 통일 신라의 불교문화 96~97쪽

핵심 Point! ❶ 대중화 ❷ 화쟁 ❸ 의상

1 (1) ○ (2) × (3) ○ 2 나무아미타불 3 (1) ㉡ (2) ㉠ 4 ①

1 (2) 다양한 불교 종파 간의 대립을 줄이고자 했습니다.

2 원효는 당으로 가던 중 깨달음을 얻은 후 불교의 가르침을 백성에게 널리 퍼뜨렸습니다.

3 원효는 화쟁 사상을 통해 불교 종파 간의 대립을 줄이고자 하였고, 의상은 화엄 사상을 바탕으로 신라에 화엄종을 전파하였습니다.

4 왜 틀렸지?

① 의상은 불교 대중화를 반대하지 않았습니다.

07 석굴암과 불국사 98~99쪽

핵심 Point! ❶ 석굴암 ❷ 불국사 ❸ 유네스코

1 석굴암 2 ③ 3 (1) ○ (2) ○ 4 무구정광대다라니경

1 석굴암은 화강암으로 만든 인공 석굴 사원으로 과학적으로 설계되었습니다.

2 왜 틀렸지?

③ 다보탑은 불국사에 있는 탑입니다.

3 불국사 대웅전 앞에는 다보탑과 3층 석탑(석가탑)이 있습니다.

4 무구정광대다라니경은 불국사 3층 석탑을 수리하는 과정에서 발견되었습니다.

눈으로 읽는 딱 1분 개념정리 100쪽

❶ 살수 대첩 ❷ 안시성 ❸ 김춘추 ❹ 신문왕 ❺ 의상

한국사 생각쓰기 101쪽

1 예 우리 민족 최초의 통일을 이루면서 민족 문화가 발전하는 기틀을 마련하였으나 당의 세력을 끌어들였고, 대동강 이북의 땅 대부분을 잃었다는 한계점이 있습니다.
2 예 불교가 널리 퍼지게 되었습니다. 신라의 불교 발전에 큰 역할을 하였습니다.

1 신라의 삼국 통일은 고구려, 백제, 신라의 사람들을 하나로 모아 새로운 민족 문화가 발전하는 기반이 되었습니다.

생각쓰기 채점 기준

상	삼국 통일의 의의와 한계를 모두 상세하게 쓴 경우
중	삼국 통일의 의의와 한계를 모두 썼지만 그 내용이 미흡한 경우
하	삼국 통일의 의의와 한계 중 한 가지만 쓴 경우

2 원효와 의상 등의 노력으로 신라에 불교가 널리 보급되었고 발전을 이루었습니다.

생각쓰기 채점 기준

상	불교가 널리 퍼지게 되었고 발전하게 되었다고 쓴 경우
중	불교가 발전하게 되었다고만 쓴 경우

08 발해의 건국 102~103쪽

핵심 Point! ❶ 대조영 ❷ 남북국 ❸ 고구려

1 ㉠ 신라, ㉡ 발해 2 ㉡ → ㉢ → ㉠ 3 ① 4 고구려

1 발해의 건국으로 남쪽의 신라와 북쪽의 발해가 공존하는 남북국의 모습을 이루었습니다. 이 시기를 남북국 시대라고 부릅니다.

2 고구려 유민이었던 대조영은 동모산 근처를 도읍으로 정하고 698년에 발해를 세웠습니다.

자료 발해의 건국 과정

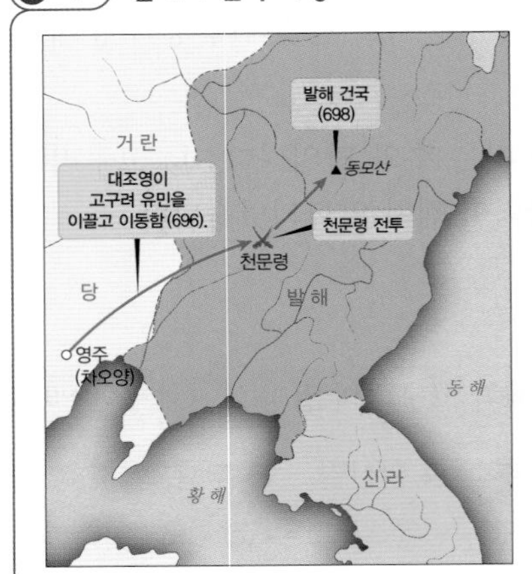

대조영은 고구려 유민을 이끌고 영주를 탈출하였으며 이후 쫓아 오는 당의 군대를 천문령에서 물리친 후, 698년에 동모산 지역에 발해를 세웠습니다.

3 발해 주민의 대부분은 말갈족이었고 고구려 유민도 포함되어 있었습니다. 지배층에는 고구려 출신이 많았고 일부 말갈족도 있었습니다.

4 발해는 고구려를 계승한 나라로 발해와 관련된 기록을 통해서도 이를 알 수 있습니다.

09 발해의 발전 104~105쪽

핵심 Point! ❶ 무왕 ❷ 해동성국 ❸ 5경

1 무왕 2 ㉡ 3 ⑤ 4 ③

1 무왕은 '인안'이라는 독자적인 연호를 사용하였고, 당의 산둥 반도를 공격하기도 하였습니다.

2 ㉡ 신라와 교통로를 마련하고 교류하였습니다.

3 발해는 선왕 때 영토를 크게 넓혀 전성기를 맞이하였고, 이에 당은 발해를 가리켜 '바다 동쪽의 기운차게 일어나 번성하는 나라'라는 뜻으로 해동성국이라고 불렀습니다.

지문에서 힌트 찾기

"발해는 9세기 초에 당으로부터 '바다 동쪽의 기운차게 일어나 번성하는 나라'라는 뜻의 '해동성국'이라 불리는 전성기를 맞았습니다."

4 ③ 지방 행정 구역의 말단인 말갈족 촌락은 말갈족이 스스로 다스리게 하였습니다.

10 발해의 문화와 학문의 특징 106~107쪽

핵심 Point! ❶ 석등 ❷ 고구려 ❸ 주자감

1 ①, ④, ⑤ 2 ③ 3 ㉠ 당, ㉡ 고구려 4 ⑤

1 발해는 고구려 문화를 바탕으로 당의 문화를 받아들이고, 말갈의 문화도 흡수하여 독특한 문화를 발전시켰습니다.

2 발해는 고구려 문화를 계승하여 고구려 수막새와 발해 수막새의 연꽃무늬가 비슷합니다.

3 정효 공주 묘의 모줄임천장 구조는 고구려의 영향을 받았고, 내부를 벽돌로 쌓은 것은 당의 영향을 받았습니다.

4 ⑤ 상경성과 중경성의 절터와 성터에서 고구려의 영향을 받은 유물이 발견되었습니다.

11 통일 신라와 발해의 대외 교류 108~109쪽

핵심 Point! ❶ 신라방 ❷ 청해진 ❸ 발해관

1 당 2 ① 3 장보고 4 신라

1 신라는 당과 가장 활발하게 교류하였습니다.

2 **왜 틀렸지?**

②, ③ 신라는 당, 발해와도 교류하였습니다.
④ 신라인을 위한 거주지는 신라방이고, 신라원은 신라인을 위한 절이었습니다.
⑤ 발해관은 당이 발해 사신을 맞이하기 위해 산둥 반도에 설치한 것입니다.

3 장보고는 청해진을 중심으로 해상 무역을 장악하여 '해상왕'이라고 불렸습니다.

4 발해는 신라와 건국 초기에는 대립하였으나 이후 발해에서 신라로 이어진 교통로를 통해 꾸준히 교류하였습니다.

12 신라 말의 사회 혼란과 갈등 110~111쪽

핵심 Point! ❶ 왕권 ❷ 녹읍 ❸ 애노

1 ④ 2 김헌창 3 ㉠, ㉢ 4 ③

1 신라 말 소수 진골 귀족에게 권력이 집중되고 왕권이 약해져 혜공왕이 죽임을 당했습니다.

2 김헌창은 왕위 계승에 불만을 품고 반란을 일으켰다가 실패하였습니다.

3 신라 말 흉년과 전염병이 겹쳐 농민의 삶이 어려워진 상태에서 정부가 세금을 독촉하자 농민들이 반란을 일으켰습니다.

4 ③ 장보고는 왕위 다툼에 참여하여 반란을 일으켰으며 귀족 신분이었습니다.

자료 신라 말 사회적 혼란

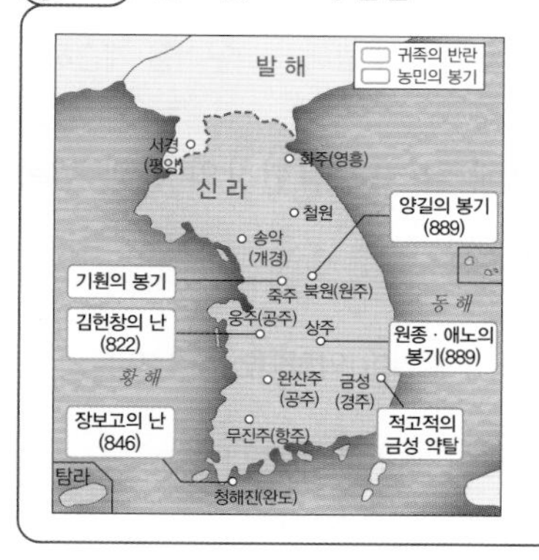

신라 말 소수의 진골 귀족에게 권력이 집중되고 왕권이 약해지자 귀족들의 반란과 농민 봉기가 이어졌습니다. 그러나 정부는 이를 진압하지 못하고 더욱 힘이 약해졌습니다

13 새로운 세력의 등장과 후삼국의 성립 112~113쪽

핵심 Point! ❶ 호족 ❷ 최치원 ❸ 견훤, 궁예

1 ㉠, ㉢ 2 6두품 3 ㉠ 후고구려, ㉡ 후백제 4 ④

1 ㉢ 호족은 지방의 촌주 출신이 많았으며 지방에서 세력을 키웠습니다.

2 진골 아래에 있던 6두품 세력은 신라 말 골품제의 모순을 비판하고 사회를 개혁하고자 했습니다.

3 신라 말 견훤이 후백제를, 궁예가 후고구려를 세워서 후삼국이 성립되었습니다.

4 ④ 후백제는 완산주(전주)를 도읍으로 견훤이, 후고구려는 송악(개성)을 도읍으로 궁예가 세웠습니다.

눈으로 읽는 딱 1분 개념정리 114쪽

❶ 해동성국 ❷ 고구려 ❸ 장보고 ❹ 호족 ❺ 궁예

한국사 생각쓰기 115쪽

1 예 목간 기록에서 발해는 고구려를 계승하였음을 알 수 있고, 발해와 고구려의 문화유산 모양 또한 비슷합니다. 그렇기 때문에 고구려를 계승한 나라인 발해는 우리나라의 역사입니다. 2 예 진골 귀족들간의 권력 다툼으로 왕권이 약화되었고, 지배층의 사치스러운 생활로 국가 재정이 악화되어 농민들의 재정 부담이 증가하였습니다.

1 발해는 스스로 고구려를 계승한 나라임을 내세웠고, 주변 나라들도 그것을 인정하였습니다.

생각쓰기 채점 기준

상	목간 기록과 문화유산을 통해서 발해가 고구려를 계승하였음을 알 수 있기 때문에 우리나라 역사라고 쓴 경우
중	발해가 고구려를 계승하였기 때문에 우리나라 역사라고 쓴 경우
하	목간 기록과 문화유산을 통해서 발해가 고구려를 계승하였음을 알 수 있다고만 쓴 경우

2 제시된 기록은 신라 말에 일어난 김헌창의 난과 원종과 애노의 난에 대한 내용입니다.

생각쓰기 채점 기준

상	귀족들의 권력 다툼으로 왕권이 약화되었고, 농민들의 재정 부담이 증가했다고 쓴 경우
중	왕권이 약화되고 농민들의 삶이 힘들어졌다고 쓴 경우
하	왕권이 약화되었기 때문이라고만 쓴 경우

4 고려의 성립과 변천

01 후삼국을 통일한 고려 120~121쪽

핵심 Point! ❶ 왕건 ❷ 통일 ❸ 발해

1 ⑤ 2 고려 3 ㉣ → ㉡ → ㉠ → ㉢ 4 ㉠, ㉡

1 궁예는 호족을 억압하였고 스스로를 미륵불이라 부르며 죄 없는 사람들을 죽였습니다. 이에 신하들은 궁예를 몰아내고 왕건을 왕으로 받들었습니다.

2 왕건은 궁예를 몰아내고 왕이 되어 고려를 세웠습니다.

3 ㉣ 공산 전투(927년), ㉡ 고창 전투(930년), ㉠ 신라의 항복(935년), ㉢ 후백제를 물리치고 후삼국 통일(936년)의 순으로 일어났습니다.

4 왜 틀렸지?

㉢ 고려는 거란이 발해를 멸망시키자 발해의 유민도 받아들여 민족의 재통일을 이루었습니다.

02 태조 왕건의 정책 122~123쪽

핵심 Point! ❶ 혼인 ❷ 기인 ❸ 훈요

1 ㉡, ㉣, ㉤ 2 흑창 3 북진 정책 4 ③

1 태조는 호족의 딸과 혼인하는 혼인 정책으로 호족을 포섭하고 기인 제도, 사심관 제도를 통해 호족을 견제하였습니다.

2 태조는 흑창을 설치하여 가난한 백성을 구제하고자 하였습니다.

3 태조는 북진 정책을 펼쳐 옛 고구려의 영토를 되찾기 위해 노력하였습니다.

4 훈요 10조의 제4조는 거란 배척 정책, 제5조는 북진 정책, 제6조는 불교 숭상 정책, 제9조는 민생 안정 정책에 대한 내용입니다.

03 왕권 강화를 위한 광종과 성종의 노력 124~125쪽

핵심 Point! ❶ 노비 ❷ 과거제 ❸ 유교

1 노비안검법 2 ② 3 최승로 4 ⑤

1 광종은 노비안검법을 통해 양인이었으나 전쟁이나 빚으로 노비가 된 사람을 원래 신분으로 되돌려 주었습니다.

2 광종은 왕권 강화를 위하여 과거제와 노비안검법을 실시하였습니다.

3 제시문은 최승로가 건의한 시무 28조의 일부분입니다.

4 성종은 최승로의 건의에 따라 유교를 바탕으로 정치를 하였습니다.

❗ 지문에서 힌트 찾기

"성종은 최승로의 건의를 받아들여 유교를 바탕으로 통치 제도를 정비하였습니다."

04 고려의 중앙 및 지방 행정 제도 126~127쪽

핵심 Point! ❶ 2성 6부 ❷ 도병마사 ❸ 5도

1 중서문하성 **2** 도병마사, 식목도감 **3** ㉡ **4** ①, ②, ④

1 중서문하성은 국가 정책을 결정하는 고려 시대의 최고 관청이었습니다.

2 고려는 고위 관리가 모여 중요한 정책을 의논하는 도병마사와 식목도감을 두었습니다.

3 ㉡ 수도인 개경과 그 인근 지역을 경기라고 하였습니다. 12목은 성종 때 지방관을 파견하였던 지방의 주요 지역을 말합니다.

4 향, 부곡, 소는 하층민이 모여 사는 특수 행정 구역으로 이곳 주민들은 주로 나라에서 요구하는 일을 하며 살았습니다.

05 고려의 교육 제도와 관리 선발 제도 128~129쪽

핵심 Point! ❶ 국자감 ❷ 문과 ❸ 음서

1 (1) ㉡ (2) ㉠ **2** 사학 12도 **3** ① **4** ④

1 고려의 국자감과 향교는 각각 수도인 개경과 지방에 세워진 교육 기관입니다.

2 고려 중기에 최충이 9재 학당을 설립하였는데 이를 계기로 사학 12도가 크게 발전하였습니다.

3 ① 고려 시대에 무과는 실시하지 않았고, 무예 실력과 신체 조건이 좋은 사람을 따로 선발하였습니다.

4 ④ 귀족들은 음서를 통해서 관리가 될 수 있었지만 과거에 합격하는 것을 더 영광으로 여겼습니다. 그래서 음서로 관리가 된 이후에도 과거를 보는 경우가 많았고, 고려 후기로 갈수록 과거는 더욱 중요해졌습니다.

눈으로 읽는 딱 1분 개념정리 130쪽

❶ 왕건 ❷ 서경 ❸ 과거제 ❹ 2성 ❺ 5도 ❻ 음서

한국사 생각쓰기 131쪽

1 예 사심관 제도는 지방에서 잘못된 일이 일어났을 때 사심관이 책임을 지도록 하였고, 기인 제도는 지방 호족이 반란을 일으키지 못하도록 하였습니다. 이러한 제도를 통해 지방의 호족을 견제할 수 있었습니다. **2** 예 고려에서는 과거와 음서를 통해서 관리가 될 수 있었습니다. 과거는 시험을 통해서 관리가 되는 것이었고, 음서는 왕족, 나라에 공을 세운 사람의 후손, 5품 이상의 고위 관리의 자손에게 관직을 주는 제도였습니다.

1 사심관 제도와 기인 제도는 모두 지방의 호족을 견제하기 위해 실시한 제도였습니다.

생각쓰기 채점 기준

상	사심관 제도와 기인 제도의 기능을 설명하고 호족을 견제하기 위해서라고 쓴 경우
중	호족의 세력이 커지는 것을 막기 위해서라고만 쓴 경우

2 고려에는 관리를 뽑는 여러 제도가 있었는데 가장 대표적인 것이 음서와 과거였습니다.

생각쓰기 채점 기준

상	과거와 음서의 의미를 간단히 쓰고 과거와 음서를 통해서 관리가 될 수 있다고 경우
중	과거나 음서를 통해서 관리가 될 수 있다고 쓴 경우
하	과거나 음서 중 한 가지만 쓴 경우

06 거란의 침입 132~133쪽

핵심 Point! ❶ 거란 ❷ 서희 ❸ 강감찬

1 ㉡ **2** 거란 **3** 강동 6주 **4** ⑤

1 ❓ 왜 틀렸지?

㉠ 거란은 발해를 멸망시켰습니다.
㉢ 고려가 북진 정책을 실시하는 과정에서 거란과 충돌이 발생했습니다.

2 서희는 거란의 1차 침입 때, 양규는 2차 침입 때, 강감찬은 3차 침입 때 거란을 물리쳤습니다.

3 강동 6주는 압록강 동쪽의 흥화진, 귀주, 용주, 통주, 철주, 곽주의 6개 지역을 말합니다.

4 ①, ④ 강동 6주 획득과 서희의 외교 담판은 ㉡ 시기에 있었던 일입니다. ② 양규의 거란군 격파는 ㉢ 시기에, ③ 천리장성 축조는 ㉣ 시기에 있었던 일입니다.

07 여진의 침입과 별무반 134~135쪽

핵심 Point! ❶ 별무반 ❷ 9 ❸ 금

1 ②, ④ 2 별무반 3 윤관 4 ⑤

1 고려는 초기에 회유 정책을 펼쳐 여진과 평화로운 상태를 유지하였습니다.

2 별무반은 신기군, 신보군, 항마군으로 구성된 여진을 막아 내기 위한 특별 부대입니다.

지문에서 힌트 찾기

"윤관은 여진을 물리치기 위한 특별 부대인 별무반을 조직하였습니다."

3 윤관은 국경 지역에서 고려와 자주 충돌하던 여진을 몰아내고 동북 9성을 쌓았습니다.

4 고려는 국경 지역에서 여진과의 충돌이 잦아지자 여진을 정벌하고 동북 9성을 쌓았습니다. 이후 세력을 키운 여진족이 금을 세웠습니다.

08 이자겸의 난과 묘청의 난 136~137쪽

핵심 Point! ❶ 문벌 ❷ 이자겸 ❸ 묘청

1 ㉠ 음서, ㉡ 공음전, ㉢ 혼인 2 이자겸 3 ② 4 약화, 분열

1 고려의 귀족들은 음서와 공음전으로 세력을 키웠고, 다른 가문과 왕실과의 혼인을 통해 그 지위를 다졌습니다.

2 이자겸의 난으로 고려 왕실의 권위가 크게 떨어지고 문벌 귀족 사회가 흔들리게 되었습니다.

3 ② 묘청의 난은 이자겸이 죽고 나서 일어난 사건입니다.

4 문벌 귀족 사회의 갈등이 커지면서 이자겸의 난과 묘청의 난이 일어났습니다.

09 무신 정변과 농민·천민의 봉기 138~139쪽

핵심 Point! ❶ 무신 ❷ 최충헌 ❸ 만적

1 ㉡, ㉢ 2 ⑤ 3 삼별초 4 ③

1 ㉠ 묘청의 난 이후 왕권이 약해졌습니다. ㉣ 최씨 가문이 권력을 독점한 것은 무신 정변이 일어난 이후입니다.

2 ⑤ 식목도감은 도병마사와 함께 고려 초기 귀족들의 회의 기구였습니다.

3 삼별초는 최우가 치안을 유지하기 위해 설치한 조직이었습니다.

4 **왜 틀렸지?**

① 무신들이 과도한 세금을 거둬 백성들의 삶이 어려워졌습니다.
② 농민과 천민들의 봉기는 모두 실패하였습니다.
④ 천민 출신 무신이 권력을 잡아 신분 질서가 흔들렸습니다.
⑤ 공주 명학소에서 망이·망소이 형제가 봉기하였습니다.

10 몽골의 침입과 고려의 저항 140~141쪽

핵심 Point! ❶ 몽골 ❷ 강화도 ❸ 김윤후

1 ㉠ 몽골, ㉡ 거란 2 ③ 3 강화도 4 (1) ㉡ (2) ㉠

1 몽골에 쫓겨 거란이 고려를 침입하자 고려와 몽골은 연합하여 거란을 물리쳤습니다.

2 몽골의 침입 과정은 ③ → ④ → ① → ② → ⑤의 순서로 일어났습니다.

3 최씨 정권은 몽골과 계속 싸울 의지를 다지며 강화도로 수도를 옮겼습니다.

4 박서는 귀주성에서, 김윤후는 처인성에서 몽골을 물리쳤습니다.

11 몽골과의 강화와 삼별초의 항쟁 142~143쪽

핵심 Point! ❶ 개경 ❷ 삼별초 ❸ 황룡사

1 ①, ④ 2 진도 3 ⑤ 4 ㉠

1 고려의 수도를 강화도에 옮긴 후 몽골과 강화를 맺는 과정에서 최씨 정권이 무너졌습니다. ②는 개경 환도 이후에 일어난 일입니다. ③, ⑤는 강화도 천도 전에 일어난 일입니다.

2 삼별초는 강화도에서 진도, 제주도로 근거지를 옮겨 가며 몽골과 싸웠습니다.

3 ⑤ 삼별초는 개경으로 돌아가는 것에 반대하고, 강화도에서 진도로 근거지를 옮겨 몽골과 계속 싸웠습니다.

4 몽골과의 전쟁으로 수많은 문화재가 파괴되었고, 많은 사람들이 죽거나 포로로 잡혀 갔습니다. ㉠ 몽골과의 전쟁 과정에서 무신 정권이 붕괴되었습니다.

12 원의 간섭과 권문세족의 성장 144~145쪽

핵심 Point! ❶ 정동행성 ❷ 몽골풍 ❸ 권문세족

1 ② 2 ㉢, ㉣ 3 (1) ㉡ (2) ㉠ 4 ④

1 ② 중추원은 군사 기밀을 다루고 왕의 명령을 전달하는 고려의 중앙 통치 기구입니다.

2 ㉠ 고려의 왕자들이 원에서 성장하며 교육을 받았습니다. ㉡ 중앙의 여러 관청들이 축소되거나 폐지되었고 왕권이 약해졌습니다.

3 원 간섭기에 원에는 고려의 풍습이 전해졌고, 고려에는 몽골의 풍습이 유행하였습니다.

4 ①, ⑤ 높은 관직에 올라 많은 부와 권력을 가졌습니다. ② 공민왕의 개혁에 반발하였습니다. ③ 원의 세력에 기대어 권력을 유지하였기에 친원적인 성향이 강하였습니다.

13 공민왕의 개혁 정치와 새로운 세력의 성장 146~147쪽

핵심 Point! ❶ 공민왕 ❷ 신진 사대부 ❸ 신흥 무인

1 ② 2 ④, ⑤ 3 ㉠, ㉢ 4 최무선

1 공민왕은 원의 간섭에서 벗어나기 위해 반원 자주 개혁을 추진하였습니다. ② 친원 세력을 제거하였습니다.

2 ① 호족은 신라 말과 고려 초기, ② 권문세족은 원 간섭기, ③ 문벌 귀족은 고려 초기의 주요한 정치 세력이었습니다.

3 ㉡ 공민왕의 개혁 정치를 지지하였습니다. ㉣ 신흥 무인 세력에 대한 설명입니다.

4 최무선은 화포를 제작하여 왜구를 물리치는 데 큰 공을 세웠습니다.

눈으로 읽는 딱 1분 개념정리 148쪽

❶ 서희 ❷ 별무반 ❸ 서경 ❹ 무신 정변 ❺ 강화도 ❻ 신진 사대부

한국사 생각쓰기 149쪽

1 예 고려는 압록강 동쪽에 있는 여진을 몰아내고 강동 6주를 얻었습니다. 2 예 신진 사대부는 과거를 통해 관직에 진출하였고 성리학을 바탕으로 고려를 개혁하려고 했습니다. 신흥 무인 세력은 홍건적과 왜구를 물리치는 과정에서 성장하였습니다.

1 거란의 1차 침입 때 서희는 거란의 장수 소손녕과 담판을 벌여 강동 6주를 얻어냈습니다.

생각쓰기 채점 기준

상	압록강 동쪽에 있는 여진을 몰아내고 강동 6주를 얻었다고 쓴 경우
중	강동 6주를 확보했다고 쓴 경우
하	여진을 몰아냈다고만 쓴 경우

2 고려 말 새로운 정치 세력으로 등장한 신진 사대부와 신흥 무인 세력은 고려 사회의 개혁에 앞장섰습니다.

생각쓰기 채점 기준

상	신진 사대부와 신흥 무인 세력의 특징을 모두 상세하게 쓴 경우
중	신진 사대부와 신흥 무인 세력의 특징을 썼으나 그 내용이 미흡한 경우
하	신진 사대부와 신흥 무인 세력의 특징 중 한 가지만 쓴 경우

14 고려의 대외 관계 150~151쪽

핵심 Point! ❶ 송 ❷ 벽란도 ❸ 아리비아

1 (1) ㉢ (2) ㉡ (3) ㉠ 2 벽란도 3 코리아 4 ㉡

1 고려는 송에서 서적, 약재, 비단, 악기, 거란에서 은, 모피, 말, 아라비아에서 수은, 향료 등을 들여와 활발하게 교류하였습니다.

2 예성강 입구의 벽란도는 당시 국제 무역항으로 번성하였습니다.

! 지문에서 힌트 찾기

"벽란도는 '푸른 파도가 넘실대는 나루'라는 뜻을 가진 예성강 입구에 있는 나루로, 수도인 개경과 가까워서 여러 나라의 배가 드나들었습니다."

3 아라비아 상인들은 벽란도를 통해 개경으로 들어와 고려와 교류를 하였습니다.

4 왜 틀렸지?
㉠ 송과 가장 활발히 교류하였습니다.
㉢ 고려의 국제 무역항은 벽란도입니다.
㉣ 송은 거란과 여진을 견제하기 위해 고려와 교류하였습니다.

15 고려의 종교와 학문 152~153쪽

핵심 Point! ❶ 불교 ❷ 지눌 ❸ 풍수지리설

1 연등회 2 의천 3 풍수지리설 4 ③

1 고려 시대에는 연등회와 팔관회와 같은 불교 행사를 성대하게 열었습니다.

2 의천은 교종을 중심으로 선종을 통합하는 해동 천태종을 만들었습니다.

3 묘청은 풍수지리설을 근거로 서경으로 도읍을 옮길 것을 주장하였습니다.

4 신진 사대부는 성리학을 받아들여 새로운 정치 사상으로 발전시켰습니다.

16 고려의 불교문화와 예술의 발달 154~155쪽

핵심 Point! ❶ 호족 ❷ 원 ❸ 청자

1 ⑤ 2 ㉡ 3 (1) ㉡ (2) ㉠ 4 ③

1 관촉사 석조 미륵보살 입상은 높이가 18m나 되며, 형식에 구애받지 않는 자유분방함이 나타나 있습니다.

2 ㉡은 조선 시대에 만들어진 궁궐입니다.

자료 **고려의 건축물**

▲ 봉정사 극락전

고려 시대 대표적인 건축물로 봉정사 극락전, 부석사 무량수전, 수덕사 대웅전 등이 남아 있습니다. 이 중 봉정사 극락전은 기둥 가운데가 불룩한 배흘림 기둥이 특징입니다.

3 고려 초기에는 다각 다층 석탑이 많이 만들어졌고, 고려 후기에는 원의 영향을 받은 탑이 만들어졌습니다.

4 ③ 고려청자는 만들기가 어려워 일반 백성이 사용하기 어려웠고 주로 귀족들이 사용하였습니다.

17 고려의 역사서와 인쇄술의 발달 156~157쪽

핵심 Point! ❶ 삼국사기 ❷ 팔만대장경 ❸ 금속

1 (1) ㉢ (2) ㉠ (3) ㉡ 2 ② 3 ㉡ → ㉢ → ㉠ 4 『직지심체요절』

1 고려 시대에는 유학이 발달하여 역사서가 많이 만들어졌습니다.

2 고려 시대에는 국가 위기가 닥쳤을 때 대장경을 만들어서 부처의 힘에 의지하여 위기를 극복하려고 하였습니다.

3 ㉡ 초조대장경, ㉢ 팔만대장경, ㉠ 직지심체요절 순으로 만들어졌습니다.

4 『직지심체요절』은 1377년에 금속 활자를 이용하여 인쇄한 책입니다.

눈으로 읽는 딱 1분 개념정리 158쪽

❶ 벽란도 ❷ 아라비아 ❸ 의천 ❹ 형식 ❺ 상감 ❻ 몽골

한국사 생각쓰기 159쪽

1 예 고려청자의 화려한 모습을 통해 고려 시대에 귀족적인 문화가 발달한 것을 알 수 있습니다. 2 예 십여 년간 목판 8만여 장에 불경을 새긴 것이지만 글자가 고르고 틀린 글자도 거의 없습니다.

1 고려청자에서 당시 귀족들의 화려한 문화를 엿볼 수 있습니다.

생각쓰기 채점 기준

상	귀족적인 문화가 발달했음을 알 수 있다고 쓴 경우
중	고려청자에 귀족들의 취향이 드러난다고만 쓴 경우

2 팔만대장경을 만들기 위해서는 오랜 시간과 복잡한 과정이 필요했습니다.

생각쓰기 채점 기준

상	글자가 고르고 틀린 글자가 거의 없다고 쓴 경우
하	오랜 시간에 걸쳐 만들었다고만 쓴 경우

초고필

지금
한국사
를 해야 할 때 1권

부록

한국사능력검정시험
기본(4·5·6급) 대비

10일 완성 워크북

선사 시대 ~ 고려

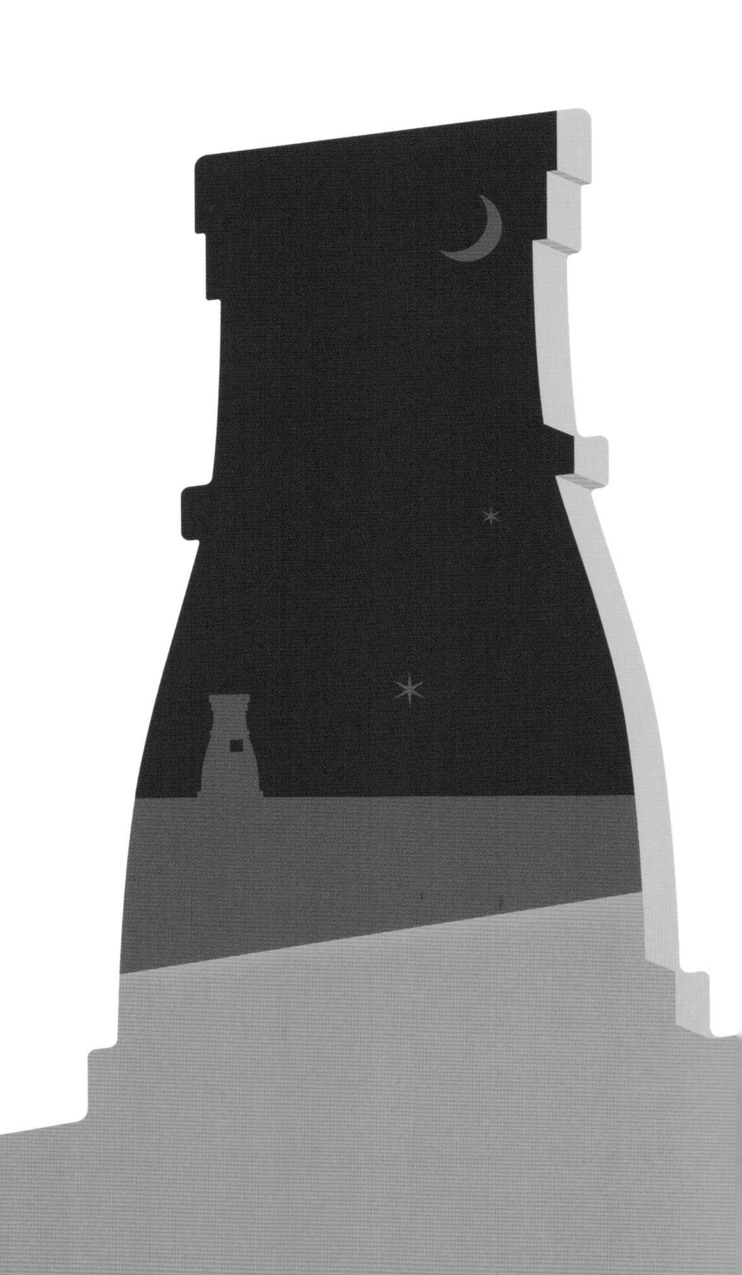

동아출판

한국사능력검정시험(기본) 제대로 알기

한국사능력검정시험(기본) 정보

- 한국사능력검정시험(기본)은 한국사 기본 과정으로 기초적인 역사 상식을 바탕으로 한국사 필수 지식과 기본적인 흐름을 이해하는 능력을 평가합니다.
- 응시 대상은 한국사에 관심이 있는 누구나 가능합니다.
- 문항 출제 유형은 선택형(객관식)이며, 문항 수는 기본 기준 총 50문항입니다.

한국사능력검정시험(기본) 응시 안내

구분	내용
시험 접수 방법	• 한국사능력검정시험 홈페이지(http://www.historyexam.go.kr)에서 시험 일정 확인 후 정해진 접수 기간에 실시합니다.
시험 응시 준비물	• 수험표, 신분증, 컴퓨터용 수성사인펜, 수정테이프(수정액) 등
수험표 출력 방법	• 한국사능력검정시험 홈페이지(www.historyexam.go.kr)에서 수험표를 출력하면 됩니다. • 수험표에는 본인 여부를 명확히 판단할 수 있는 증명사진이 있어야 하며, 본인 식별이 불가능할 경우 응시가 불가합니다.
시험 접수 유의 사항	• 원서 접수를 신청할 때에는 회원 가입 시 등록한 정보에서 변경된 사항은 없는지 확인합니다. • 올바른 사진 등록, 시험 급수 선택, 장애 여부 체크, 시험장 선택, 응시 동기/응시 목적 체크 완료 후, 시험 접수가 제대로 되었는지 확인합니다.

시험 시간

10:00 ~ 10:10	10분	오리엔테이션(시험 시 주의 사항)
10:10 ~ 10:15	5분	신분증 확인(감독관)
10:15 ~ 10:20	5분	문제지 배부 및 파본 검사
10:20 ~ 11:30	70분	시험 실시(50문항)

시험 인정 등급

기본	4급	80점 이상	100점 만점으로 기본은 문항에 따라 1점～3점 등 차등 배정되어 있습니다.
	5급	70점～79점	
	6급	60점～69점	

| 선사 시대 ~ 고려 |

한국사능력검정시험 10일 완성 스케줄

핵심 개념 강의

1. 선사 시대와 고조선

꼭 나오는 자료

구석기 시대 뗀석기의 모습

▲ 주먹도끼

▲ 찍개

▲ 긁개

1 구석기 시대

→ 선사 시대란 문자를 사용하기 이전의 시대로, 도구를 만드는 방법에 따라 구석기 시대, 신석기 시대로 나뉘어요.

(1) 시기: 약 70만 년 전부터 시작함.

(2) 도구: 돌을 깨뜨리거나 떼어 내어 만든 뗀석기를 사용하였음. 예 주먹도끼, 찍개, 긁개 등

(3) 사람들의 생활 모습 → 모든 사람이 평등한 관계를 맺고 무리지어 생활했어요.

의생활	풀잎이나 사냥으로 얻은 동물 가죽을 둘러 몸을 보호하였음.
식생활	사냥, 고기잡이, 열매나 풀뿌리를 채집해 먹을거리를 구하였음.
주생활	• 동굴이나 바위 그늘, 강가의 막집에서 무리 지어 살았음. • 먹을 것을 찾아 옮겨 다니며 이동 생활을 하였음.

(4) 주요 유적지: 공주 석장리, 연천 전곡리, 제천 점말 동굴, 청원 두루봉 동굴 등

→ 주먹도끼가 발견되었어요. (연천 전곡리)

꼭 나오는 자료

신석기 시대에 사용한 도구

▲ 갈판과 갈돌

▲ 돌괭이

▲ 빗살무늬 토기

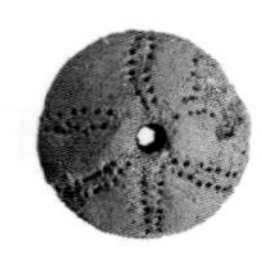
▲ 가락바퀴

2 신석기 시대

(1) 시기: 기원전 약 8000년경부터 시작함.

(2) 도구

① 간석기: 돌을 갈아서 더 사용하기 좋게 만든 간석기를 사용하였음. 예 농기구(돌괭이, 돌삽, 돌보습, 돌낫), 조리 도구(갈판과 갈돌), 낚시 도구(돌그물추) 등

② 토기: 흙으로 빚은 뒤 불에 구워 만든 빗살무늬 토기로 음식을 조리하거나 식량을 저장하는 데 이용하였음.

(3) 사람들의 생활 모습

의생활	가락바퀴로 실을 뽑아 옷감을 짜고, 뼈바늘로 옷감을 이어 옷을 만들어 입었음.
식생활	• 처음으로 농사를 짓기 시작하여 조, 수수 등을 재배하였고, 가축을 기르기 시작했음. • 여전히 사냥과 고기잡이, 채집을 하여 먹을거리를 구하기도 하였음.
주생활	• 농사를 짓고 가축을 기르면서 한곳에 정착하여 생활하였음. • 강가나 해안가에 움집을 짓고 마을을 이루어 살기 시작하였음.

(4) 주요 유적지: 서울 암사동(움집터), 양양 오산리, 제주 고산리 등

꼭 나오는 자료

청동기 시대에 사용한 도구

▲ 비파형 동검

▲ 청동 거울

▲ 반달 돌칼

▲ 민무늬 토기

3 청동기 시대

(1) 시기: 만주와 한반도에 기원전 약 2000년경부터 청동기가 등장하였음.

→ 청동은 구리에 주석이나 아연을 섞어 만든 것이에요.

(2) 도구

→ 청동기는 만들기가 어렵고 귀했어요.

청동기	비파형 동검, 청동 거울 등 지배자의 무기나 장신구, 제사를 지내는 도구로 사용했음.
농기구	돌과 나무로 만든 도구를 사용하였고, 곡식을 수확하는 데 반달 돌칼을 사용했음.
토기	무늬가 없고 밑이 평평한 민무늬 토기를 사용했음.

(3) 사람들의 생활 모습: 벼농사가 확대되었으며, 사람들은 마을을 이루어 살았음.

(4) 사회 변화

① 계급의 발생: 농업 생산량 증가 → 사유 재산과 빈부 격차 발생 → 지배자와 피지배자로 나뉨.

② 국가의 등장: 제정일치의 지배자인 군장(족장)이 등장했고, 전쟁을 통해 강한 세력이 여러 부족을 통합해 국가가 세워짐.

→ 제정일치란 정치와 종교의 지배자가 일치한다는 뜻으로, 군장은 부족을 통솔하고 종교 의식을 주관했어요.

(5) 고인돌: 지위가 높은 지배자의 무덤으로 추정됨.

→ 고인돌을 만들 만큼의 많은 노동력을 이용할 수 있는 사람은 당시 지위가 높은 지배자였다고 짐작할 수 있어요.

4 고조선

→ 단군왕검은 제정일치 사회의 지도자로, 단군은 제사장, 왕검은 정치적 지배자를 뜻해요.

(1) 고조선의 건국: 청동기 문화가 발달하면서 우리나라 최초의 국가인 고조선이 건국됨(기원전 2333년). → 『삼국유사』에서 단군왕검의 고조선 건국 이야기가 전해짐.

(2) 고조선의 성장과 멸망

성장	• 철기 문화 유입: 기원전 4~5세기에 전래된 철기 문화를 바탕으로 크게 발전함. • 2세기경 위만이 준왕을 몰아내고 고조선의 왕위를 차지함. → 철기 문화를 바탕으로 영토를 넓히고 중계 무역이 발달하여 경제적 이익을 얻음.
멸망	한의 침략으로 왕검성이 함락되면서 멸망함(기원전 108년).

(3) 고조선의 8조법: 고조선에는 8개의 법 조항이 있었는데 그중 3개만 오늘날까지 전해짐.

고조선 법		고조선 사회 모습
사람을 죽인 자는 사람은 사형에 처한다.	→	생명 존중, 사회 질서가 매우 엄격함.
남을 다치게 한 자는 곡식으로 갚아야 한다.	→	농업 사회, 노동력 중시
도둑질한 자는 노비로 삼는다. 용서를 받으려면 50만 전을 내야 한다.	→	노비가 존재하는 신분제 사회, 화폐 사용

꼭 나오는 자료

고조선의 영역과 문화 범위

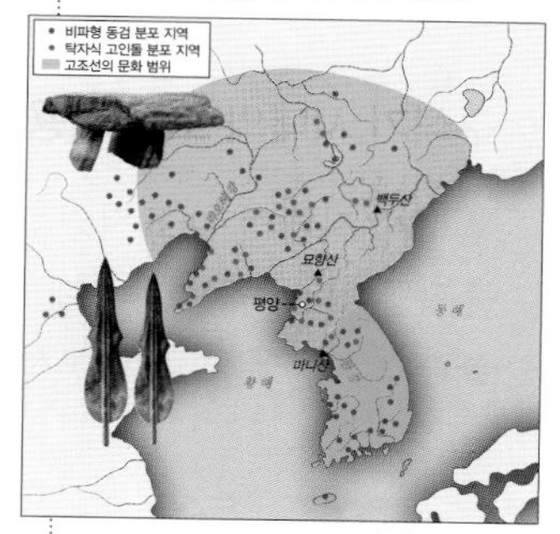

비파형 동검, 탁자식 고인돌의 분포 범위를 통해 당시 고조선의 영역을 짐작해 볼 수 있습니다.

출제 POINT

고조선의 건국 이야기에 담긴 의미

하늘에서 내려온 환웅	하늘에서 내려온 자손임을 내세우며 지배자의 신성함을 강조함.
비, 바람, 구름을 다스리는 신하	비, 바람, 구름 등은 농사를 짓는 데 중요한 요소로 농업을 중요하게 생각했음.
곰에서 변한 웅녀와 혼인	곰을 숭배하는 세력과 다른 곳에서 온 환웅 세력이 연합함.

5 철기의 보급과 여러 국가의 등장

(1) 시기: 만주와 한반도에 기원전 5세기경 청동보다 단단한 철기가 보급되었음.

(2) 철기 사용으로 나타난 변화

① 철로 만든 농기구 사용: 농업 생산량 향상 → 인구의 증가와 사회 발달

② 철로 만든 무기 사용: 전투력 향상, 전쟁 증가 → 새로운 국가의 출현

(3) 여러 국가의 등장: 철기 문화를 바탕으로 만주와 한반도에 여러 나라가 나타남.

부여	• 왕은 중앙을, 왕 아래 마가, 우가, 저가, 구가 등은 각자의 영역을 다스렸음. • 순장(지배자가 죽으면 그 아래 신하, 종 등을 함께 묻음.)의 장례 풍습과 영고(제천 행사, 12월)가 있었음.
고구려	• 각 부의 대가들이 제가 회의에서 중요한 일을 결정하였음. • 말타기, 활쏘기 등 무예를 중시하였고 서옥제의 혼인 풍습과 동맹(제천 행사, 10월)이 있었음.
옥저	• 토지가 비옥해 농업이 발달하였고 소금과 해산물이 풍부했음. • 민며느리제의 혼인 풍습이 있었음.
동예	족외혼(같은 씨족끼리 혼인하지 않음.), 책화(다른 부족의 생활권을 침범하면 노비·소·말 등으로 보상)의 풍습과 무천(제천 행사, 10월)이 있었음.
삼한	• 군장이 정치를 담당하고, 제사장인 천군은 신성한 지역인 소도에 거주하며 제사를 주관하는 등 정치와 종교가 분리된 사회였음. • 변한은 철이 풍부하여 낙랑과 왜에 철을 수출하였음.

→ 마한, 진한, 변한을 말해요.

출제 100% 키워드 다지기

정답 및 풀이 36쪽

❶ ㄱㅅㄱ 시대에는 돌을 깨뜨려 만든 뗀석기를 주로 사용하였다. ( )

❷ 신석기 시대에 농사를 짓기 시작하면서 사람들은 ㅈㅊ 생활을 하게 되었다. ( )

❸ ㅊㄷㄱ는 만들기가 어렵고 귀해서 지배자의 무기나 장신구, 제사 도구로 사용되었다. ( )

❹ 기원전 2333년 한반도 최초의 국가인 ㄱㅈㅅ이 건국되었다. ( )

❺ 부여는 12월에 영고, 고구려는 10월에 동맹, 동예는 10월에 ㅁㅊ이라는 제천 행사를 열었다. ( )

기출 문제 1. 선사 시대와 고조선

문제 풀이 강의

구석기 시대의 도구 사용

출제율 ★★★★★

구석기 시대의 대표적인 유물인 뗀석기에 대한 문제가 출제됩니다. 구석기 시대 사람들이 사용한 뗀석기의 모습과 쓰임새를 정리해 보세요.

개념

01 다음에서 설명하는 도구는 무엇인지 쓰시오.

> 구석기 시대 사람들이 돌을 깨뜨리거나 떼어 내어 만든 도구이다.

( )

기출 초급 43회

02 (가)에 들어갈 유물로 옳은 것은? ( )

어서 와!
구석기 시대 탐험은 처음이지?
박물관을 관람하고 구석기 시대의 유물 사진 스티커를 찾아서 빈 칸에 붙여 보세요.
(가)
이것은 구석기 시대의 대표적인 유물로 다양한 용도로 사용되었다.

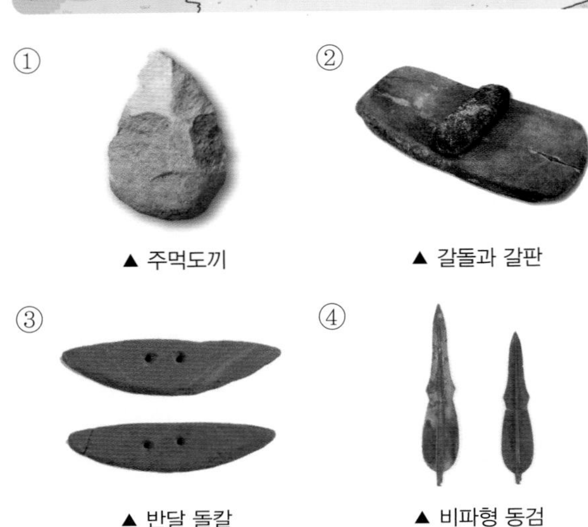

① ▲ 주먹도끼
② ▲ 갈돌과 갈판
③ ▲ 반달 돌칼
④ ▲ 비파형 동검

구석기 시대의 생활 모습

출제율 ★★★★☆

구석기 시대 사람들의 생활 모습을 묻는 문제가 출제됩니다. 구석기 시대 사람들의 생활 모습을 의생활, 식생활, 주생활로 구분해서 살펴보세요.

개념

03 구석기 시대 사람들의 생활 모습으로 알맞은 것에 ○표 하시오.

(1) 먹을거리를 찾아서 이동 생활을 하였다. ( )

(2) 동굴이나 바위 그늘에서 무리 지어 살았다. ( )

(3) 사냥을 하였고, 농사를 지으며 주로 조, 수수 등을 재배하였다. ( )

기출 초급 20회

04 (가)의 내용으로 옳지 않은 것은? ( )

초대장

구석기 시대 생활 체험하기

- 기간: ○○○○년 ○○월 ○○일 ~ ○○월 ○○일
- 장소: 경기도 연천군 전곡리 선사 유적지
- 체험 활동: (가)

① 나무 열매 채집하기
② 돌로 주먹도끼 만들기
③ 불을 피워 음식 익혀 먹기
④ 반달 돌칼로 곡식 수확하기

신석기 시대의 도구 사용

출제율 ★★★★★

신석기 시대에 만들어진 유물과 관련된 문제가 출제됩니다. 신석기 시대의 대표적인 유물과 사용 모습을 정리해 보고, 유물의 사진을 확인해 보세요.

개념

05 오른쪽 신석기 시대에 사용된 토기의 이름이 무엇인지 쓰시오.

( )

기출 초급 37회

06 (가)에 들어갈 문화유산 스탬프로 옳은 것은? ( )

신석기 시대 문화유산 둘러보기

• 신석기 시대 특별 전시관을 관람하고 스탬프를 찍으세요.

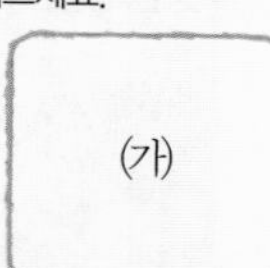

① 다보탑

② 

③ 가락바퀴

④ 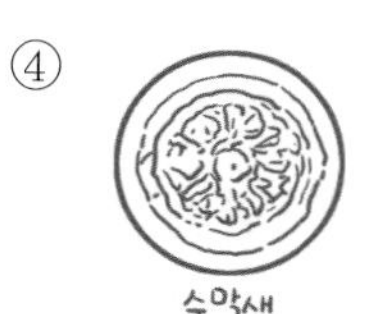

신석기 시대의 생활 모습

출제율 ★★★★☆

신석기 시대 사람들의 생활 모습을 유물과 관련하여 묻는 문제가 출제됩니다. 신석기 시대 사람들의 생활 모습을 정리해 보고, 이와 관련된 유물도 알아 두세요.

개념

07 다음 ( ) 안에 들어갈 알맞은 말을 쓰시오.

> 선사 시대 사람들은 신석기 시대에 이르러 처음으로 ( )을(를) 짓기 시작하였지만 여전히 채집과 사냥을 하며 먹을거리를 구하였다.

( )

기출 초급 27회

08 다음 축제에서 체험할 수 있는 활동으로 적절하지 않은 것은? ( )

제 ○○회 부산 동삼동
신석기
문화 축제
• 기간: ○○○○년 ○○월 ○○일 ~ ○○일
• 장소: 부산 동삼동 선사 박물관 일대
• 내용: 신석기 시대 유물 전시 및 생활 체험
주최: ○○○ 선사 박물관

① 가락바퀴로 실 뽑기
② 돌보습으로 밭 갈기
③ 고인돌의 덮개돌 끌기
④ 갈판과 갈돌로 곡식 갈기

청동기 시대의 도구 사용

출제율 ★★★★☆

청동기 시대에 만들어진 다양한 청동기 이외에도 반달 돌칼 등 다양한 유물의 모습과 쓰임새를 정리해 보세요.

개념

09 청동기 시대 사람들이 농사를 지으며 생활하였음을 보여 주는 도구에 ○표 하시오.

(1) (2) (3)

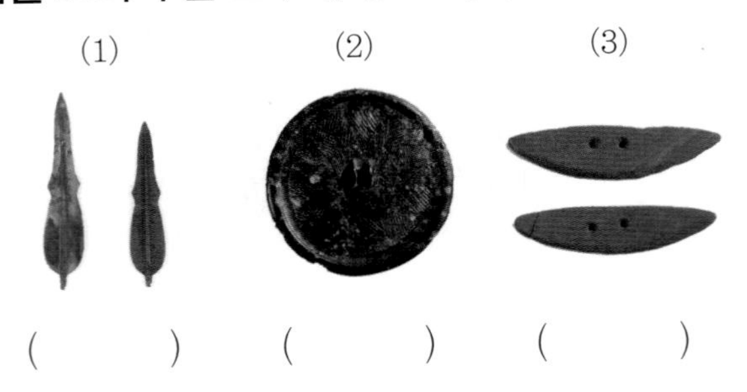

( ) ( ) ( )

기출 초급 28회

10 (가)에 들어갈 내용으로 가장 적절한 것은? ( )

이것은 청동기 시대의 대표적인 도구야.
무엇에 쓰던 물건이지?
(가)

① 실을 뽑을 때 사용했지.
② 곡식을 수확할 때 사용했어.
③ 물고기를 잡을 때 사용했지.
④ 자루를 달아 창처럼 사용했어.

고조선의 건국 이야기

출제율 ★★★★☆

고조선의 건국 이야기를 제시하고 이야기에 담긴 의미와 당시 사람들의 모습을 예상하는 문제가 출제됩니다. 고조선의 건국 이야기를 읽고 등장하는 인물과 내용을 알아 두세요.

개념

11 다음 글의 ㉠, ㉡에 들어갈 알맞은 말에 ○표 하시오.

> 하늘의 자손인 ㉠ (환인 , 단군왕검)이 아사달을 도읍으로 정하고 세운 나라가 우리나라 최초의 국가인 ㉡ (고려 , 고조선)이다.

기출 초급 36회

12 그림의 건국 이야기가 전해지는 나라에 대한 설명으로 옳은 것은? ( )

첫 번째 장면

하늘에서 내려오는 환웅과 그 일행

두 번째 장면

마늘과 쑥을 먹는 곰과 호랑이

세 번째 장면

나라를 다스리는 단군왕검

① 우리나라 최초의 국가이다.
② 소도라는 신성 구역이 있었다.
③ 영고라는 제천 행사가 있었다.
④ 엄격한 신분 제도인 골품제가 있었다.

고조선의 8조법

출제율 ★★★★☆

고조선의 8조법을 통해 알 수 있는 고조선 사회의 특징을 묻는 문제가 출제됩니다. 각각의 법 조항을 통해 알 수 있는 당시 고조선 사회의 특징이 무엇인지 정리해 보세요.

개념

13 **고조선의 법에 대한 설명으로 알맞은 설명을 보기에서 모두 골라 기호를 쓰시오.**

보기

㉠ 도둑질한 자는 사형에 처했다.
㉡ 조항에는 죄에 대한 처벌을 담고 있다.
㉢ 사회 질서를 유지하기 위하여 만들었다.
㉣ 8개 조항의 법이 오늘날까지 모두 전해지고 있다.

( )

기출 초급 23회

14 **다음을 통해 알 수 있는 고조선의 사회 모습에 대한 발표 내용으로 옳지 않은 것은? ( )**

〈8조법〉
• 사람을 죽인 자는 사형에 처한다.
• 남을 다치게 한 자는 곡식으로 갚는다.
• 도둑질한 자는 노비로 삼는다. 용서를 받으려면 50만 전을 내야 한다.

① 농사를 지었어요.
② 신분의 차이가 있었어요.
③ 개인의 재산이 인정되지 않았어요.
④ 사회 질서를 유지하려고 노력하였어요.

철기 시대에 등장한 여러 나라의 특징

출제율 ★★★☆☆

한반도와 주변에 나타난 부여, 고구려, 옥저와 동예, 삼한의 특징을 묻는 문제가 출제됩니다. 각 나라의 생활 모습, 혼인 풍습과 장례 풍습, 제천 행사 등을 비교해 보세요.

개념

15 **철기 시대에 등장한 여러 나라의 풍습이 잘못 짝지어진 것은 어느 것입니까? ( )**

① 부여 – 순장
② 삼한 – 책화
③ 동예 – 족외혼
④ 고구려 – 서옥제

기출 초급 27회

16 **밑줄 그은 '이 나라'에 대한 설명으로 옳은 것은? ( )**

이 나라에는 지배층이 죽으면 껴묻거리와 많게는 100여 명에 이르는 사람들을 함께 묻는 순장의 풍습이 있었다. 또한 마가, 우가, 저가, 구가가 사출도를 다스렸다.

① 화랑도를 국가적 조직으로 만들었다.
② 12월에 영고라는 제천 행사를 열었다.
③ 8조법을 통해 사회 질서를 유지하였다.
④ 천군이 소도를 관할하며 종교 의식을 주관하였다.

2. 삼국의 성립과 발전

핵심 개념 강의

꼭 나오는 자료

삼국의 전성기

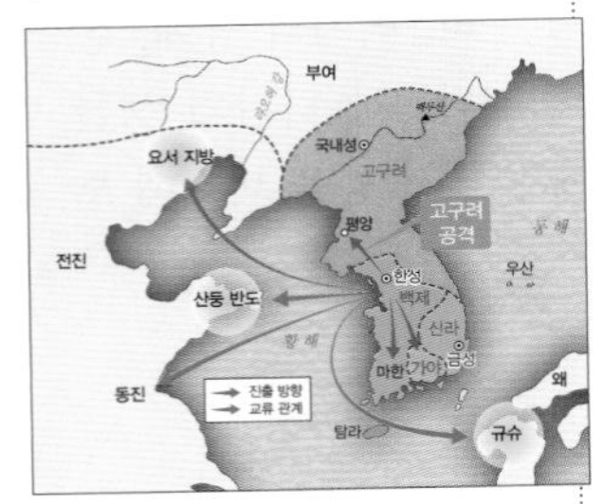

▲ 백제의 전성기(4세기)

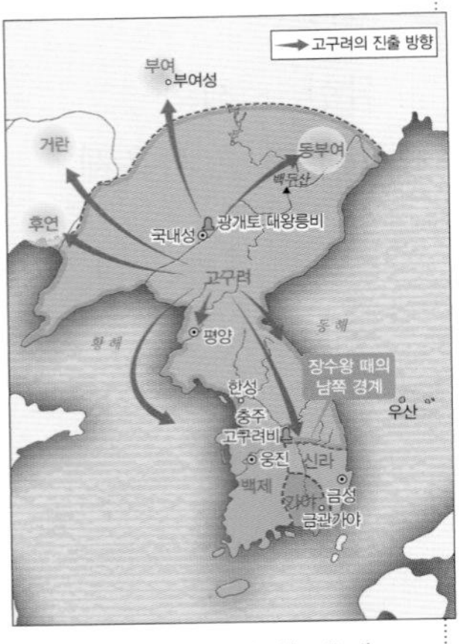

▲ 고구려의 전성기(5세기)

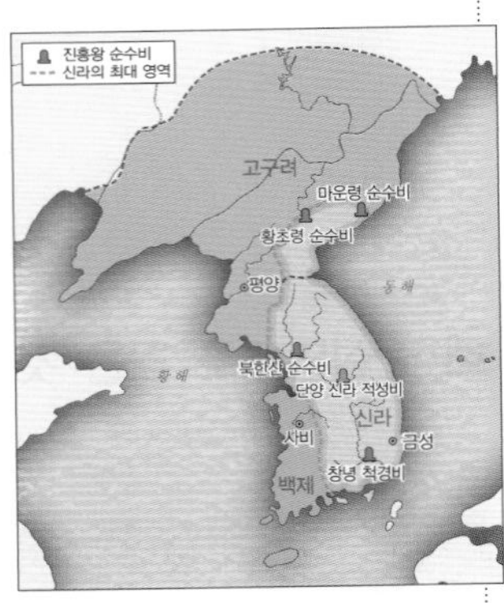

▲ 신라의 전성기(6세기)

출제 POINT

백제 도읍지의 변화

한성(서울)	백제의 건국 당시의 도읍
웅진(공주)	고구려 장수왕의 남하 정책으로 인해 웅진으로 옮김(475년).
사비(부여)	성왕이 국력을 회복하기 위해 사비로 옮김(538년).

1 삼국과 가야의 건국 이야기

고구려의 주몽	하늘 신의 아들인 해모수와 물의 신 하백의 딸 유화 사이에서 태어난 주몽은 알을 깨고 나왔으며, 부여의 남쪽으로 내려와 졸본 지역에 고구려를 세웠음.
백제의 온조	온조는 주몽의 아들로, 고구려를 떠나서 한강 유역 위례성을 도읍으로 정하고 백제를 세웠음. → 함께 내려온 비류는 미추홀에 자리를 잡았으나 나라를 발전시키지 못하고 죽었어요.
신라의 박혁거세	박혁거세는 나정이라는 우물가에서 발견된 알에서 태어났으며 사로국(신라의 옛 이름)의 첫 번째 왕이 되었음.
가야의 김수로	여섯 개의 황금색 알에서 태어난 김수로 등 남자아이 여섯 명이 여섯 가야국의 왕이 되었음. → 김수로는 금관가야의 왕이 되었어요.

2 백제의 성장과 발전

(1) 백제의 성장: 4세기 근초고왕 때 전성기를 맞았음. → 근초고왕은 백제의 역사서인 『서기』를 집필하도록 했어요.

근초고왕	• 북쪽으로 고구려를 공격하여 평양성에서 고국원왕을 죽이고 황해도 일대를 장악하였으며, 남쪽으로 마한을 정복하여 남해안까지 영토를 넓힘. • 중국으로 진출하거나 교류하였으며, 왜와도 활발한 교류를 하였음.
침류왕	중국의 동진에서 불교를 받아들임.

(2) 백제의 위기와 성왕의 노력

웅진 천도	고구려 장수왕의 공격으로 수도 한성이 함락되어 문주왕은 웅진으로 천도함.
성왕	• 수도를 사비(부여)로 옮기고 한때 나라 이름을 남부여로 바꾸었음. • 신라 진흥왕과 연합하여 한강 유역을 회복함. → 신라 진흥왕이 나제 동맹을 깨뜨리고 한강 유역을 차지함. → 관산성 전투에서 성왕이 죽고 신라에 패함.

3 고구려의 성장과 발전

(1) 고구려의 성장: 도읍을 졸본에서 국내성으로 옮기고 활발한 정복 활동을 함.

고국천왕	고국천왕은 왕위를 아들에게 물려주고 행정적 성격의 5부를 성립하여 왕권을 강화하였으며, 빈민 구제 제도인 진대법을 실시함.
소수림왕	불교를 수용하고 율령을 반포하였으며 태학을 설립함. → 중앙 집권 체제를 강화함.

(2) 고구려의 발전: 4세기 말 광개토 대왕과 5세기 장수왕 때 전성기를 맞이함.

광개토 대왕	• 백제를 공격하여 한강 이북 지역을 차지하고 신라를 도와 왜군을 물리쳤음. • 요동 지역과 만주 대부분을 차지하고 '영락'이라는 독자적인 연호를 사용함.
장수왕	• 도읍을 평양성으로 옮기고 남진 정책을 실시하며 한강 유역을 차지하고 신라와 백제를 위협함. → 신라와 백제는 고구려의 남진 정책에 대비하여 동맹을 맺었어요(나제 동맹). • 광개토 대왕의 업적을 기리는 광개토 대왕릉비를 세움.

4 신라와 가야의 성장과 발전

(1) 신라의 성장: 4세기 내물왕 때 김씨가 왕위를 세습했고, 삼국 중 가장 늦은 6세기에 접어들면서 발전하기 시작했음.
→ 신라는 건국 초기에는 박씨, 석씨, 김씨가 돌아가며 왕위에 올랐어요.

(2) 신라의 발전: 6세기 진흥왕 때 전성기를 맞이함.

지증왕	나라 이름을 '신라'로 정하고 처음으로 왕이라는 칭호를 사용하였음.
법흥왕	율령을 반포하고 이차돈의 순교를 통해 불교를 공인하였음.
진흥왕	• 화랑도를 국가적인 조직으로 정비하여 인재를 양성하였음. • 한강 유역을 차지하고 영토를 확장하며 단양 신라 적성비와 4개의 순수비를 세웠음.

(3) 가야의 성장과 멸망

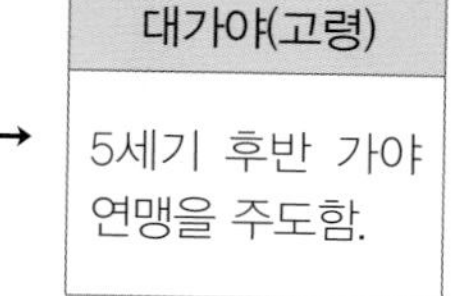

성립	→	금관가야(김해)	→	대가야(고령)	→	멸망
낙동강 하류 유역에서 가야 연맹 형성	→	초기 가야 연맹을 주도 → 광개토 대왕의 공격으로 쇠퇴함.	→	5세기 후반 가야 연맹을 주도함.	→	금관가야(532년), 대가야(562년)가 신라에 의해 멸망함.

5 삼국의 문화와 대외 교류

(1) 삼국의 종교

① 불교: 삼국은 백성의 마음을 하나로 모으고 왕실의 권위를 높이기 위하여 불교를 받아들임. → 삼국은 왕궁 주변과 도읍에 많은 사원과 탑을 만들었음.

② 도교: 불로장생을 추구하는 신선 사상과 산천 숭배 사상 등이 결합하여 귀족 사회를 중심으로 유행하였음. → 백제의 산수무늬 벽돌, 백제 금동 대향로, 고구려 강서 고분의 현무도 등

(2) 삼국의 문화 특징

무령왕릉은 중국 남조의 무덤 양식의 영향을 받은 벽돌 무덤이으로 다양한 유물이 발견되었어요.

구분	고구려	백제	신라
고분	장군총, 무용총	무령왕릉, 능산리 고분	천마총, 황남대총
탑	주로 목탑을 만들었음.	익산 미륵사지 석탑, 부여 정림사지 5층 석탑	황룡사 9층 목탑, 경주 분황사 모전 석탑
불상	금동 연가 7년명 여래 입상	서산 용현리 마애 여래 삼존상	경주 배동 석조 여래 삼존 입상

(3) 가야의 문화: 가야는 발달된 철기 문화를 바탕으로 철제 투구와 판갑옷 등 철로 만든 다양한 유물과 독특한 양식의 토기를 남겼음.

(4) 한반도의 일본과의 교류

고구려	• 승려 담징은 종이와 먹을 만드는 법을 일본에 전해 주었음. • 승려 혜자는 일본 쇼토쿠 태자의 스승이 되었음.
백제	• 근초고왕은 칠지도를 만들어 일본에 전해 주었음. • 아직기와 왕인이 유학과 한문을 일본에 전해 주었음.
신라	배 만드는 기술과 둑 쌓는 기술을 일본에 전해 주었음.
가야	철을 다루는 기술과 토기 제작 기술을 일본에 전해 주었음.

꼭 나오는 자료

삼국의 불교 문화유산

▲ 금동 연가 7년명 여래 입상(고구려)

▲ 경주 분황사 모전 석탑(신라)

▲ 서산 용현리 마애 여래 삼존상(백제)

꼭 나오는 자료

일본에 영향을 준 삼국의 문화

▲ 금동 미륵보살 반가 사유상(삼국)

▲ 목조 미륵보살 반가 사유상(일본)

한쪽 다리를 올리고 있는 모습이 매우 유사한 특징이 나타나며, 삼국의 문화가 일본에 영향을 준 것을 짐작할 수 있어요.

출제 100% 키워드 다지기

정답 및 풀이 36쪽

❶ 알에서 태어난 주몽은 졸본 지역에 ㄱㄱㄹ를 세웠다. ( )

❷ 백제는 4세기 ㄱㅊㄱㅇ 때 황해도 일대를 장악하고, 남해안까지 영토를 넓혔다. ( )

❸ 고구려의 ㅈㅅㅇ은 도읍을 평양성으로 옮기고 남쪽으로 진출해 한강 유역을 차지하였다. ( )

❹ 삼국은 백성의 마음을 하나로 모으고 왕실의 권위를 높이기 위하여 ㅂㄱ를 받아들였다. ( )

❺ 백제의 ㅁㄹㅇㄹ은 내부를 벽돌로 쌓아 만들었으며 무덤 안에서 다양한 유물이 발견되었다. ( )

기출문제 2. 삼국의 성립과 발전

문제 풀이 강의

삼국과 가야의 건국 이야기

출제율 ★★★★☆

삼국과 가야의 건국 이야기와 나라를 세운 사람을 묻는 문제가 출제됩니다. 각 나라의 건국 이야기를 알아보고, 어떤 특징을 갖고 있는지 정리해 보세요.

개념

01 다음 나라와 나라를 세운 사람을 바르게 선으로 연결하시오.

(1) 고구려 •   • ㉠ 온조

(2) 백제 •   • ㉡ 주몽

(3) 신라 •   • ㉢ 박혁거세

기출 초급 25회

02 다음 퀴즈의 정답으로 옳은 것은? (　　　)

이 사람은 해모수와 유화 사이에서 태어났습니다. 금와왕의 왕자들이 죽이려 하자 남쪽으로 내려와 졸본 지역에서 나라를 세웠습니다. 이 사람은 누구일까요?

①

②

③

④

고구려의 전성기

출제율 ★★★★★

고구려의 전성기를 이끌었던 광개토 대왕과 장수왕의 업적을 묻는 문제가 출제됩니다. 광개토 대왕과 장수왕의 영토 확장 등의 업적을 살펴보세요.

개념

03 다음과 같은 일을 한 고구려의 왕을 쓰시오.

> 고국양왕의 뒤를 이어 즉위하였다. 사방으로 영토를 넓히고 요동 지방까지 진출하였으며, 남쪽으로 한강을 건너 백제를 쳐서 굴복시켰다.

(　　　　　　　　)

기출 초급 27회

04 다음 인물의 업적으로 옳은 것은? (　　　)

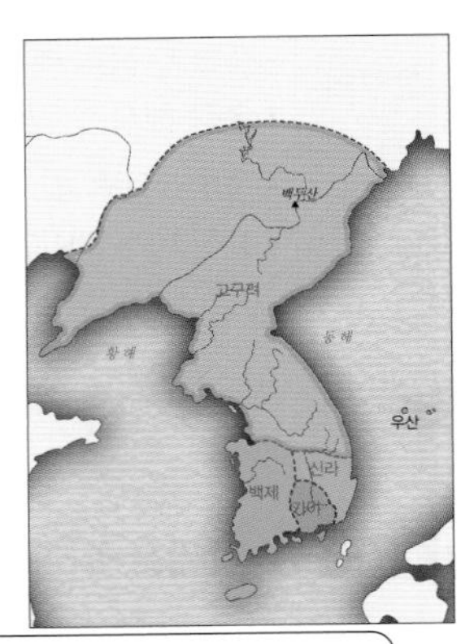

나는 광개토 대왕릉비를 세웠고, 지도와 같이 한강 이남 지역까지 영토를 넓혔습니다.

① 불교를 공인하였다.
② 천리장성을 쌓았다.
③ 태학을 설립하였다.
④ 도읍을 평양으로 옮겼다.

백제의 전성기

출제율 ★★★★★

자료를 제시하고 근초고왕을 찾는 문제나 근초고왕의 업적을 묻는 문제가 출제됩니다. 백제의 전성기를 이끈 근초고왕의 주요 업적이 무엇인지를 살펴보세요.

개념

05 다음 지도와 같이 4세기 백제의 전성기를 이끈 왕은 누구인지 쓰시오.

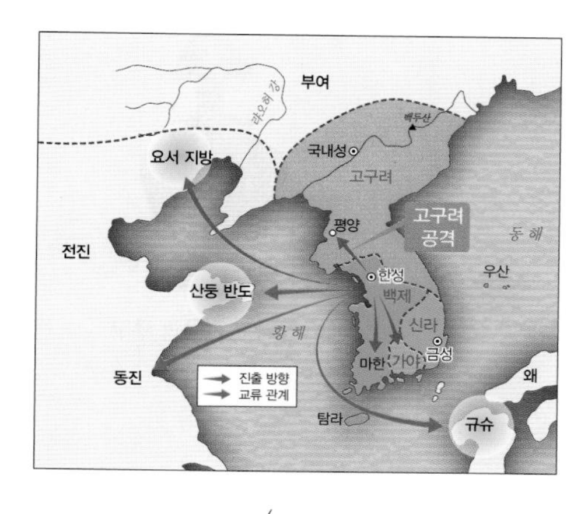

(　　　　　　　　　　)

기출 초급 31회

06 다음 가상 인터뷰에서 등장하는 왕으로 옳은 것은? (　　　)

백제 왕으로 즉위하신 후 어떤 일을 하셨나요?
고구려를 공격하여 고국원왕을 전사시키고, 황해도 일부 지역까지 영토를 넓혔지요. 또한 중국, 왜 등과 교류하였지요.

① 성왕　② 고이왕
③ 무령왕　④ 근초고왕

신라의 전성기

출제율 ★★★★☆

신라의 전성기를 이끈 진흥왕의 업적과 관련된 문제가 출제됩니다. 진흥왕의 영토 확장과 화랑도 조직, 전국 곳곳에 세운 비석 등의 내용을 정리해 보세요.

개념

07 신라 진흥왕의 업적으로 옳은 것을 보기에서 두 가지 골라 기호를 쓰시오.

보기
㉠ 우산국을 정복하였다.
㉡ 한강 유역을 차지하였다.
㉢ 화랑도를 국가 조직으로 만들었다.
㉣ 불교를 공인하고 율령을 반포하였다.

(　　　　　　　　　　)

기출 초급 43회

08 밑줄 그은 '나'의 업적으로 옳은 것은? (　　　)

나는 신라의 제24대 왕으로 백제로부터 한강 유역을 차지한 후 북한산에 순수비를 세우게 하였노라.

① 태학을 설립하였다.
② 8조법으로 백성을 다스렸다.
③ 지방에 22담로를 설치하였다.
④ 화랑도를 국가 조직으로 만들었다.

삼국의 고분 특징

출제율 ★★★★☆

삼국의 다양한 고분과 고분에서 함께 발견된 문화유산을 묻는 문제가 출제됩니다. 나라나 시기마다 달라지는 고분 양식과 나라별 문화유산의 특징을 정리해 보세요.

개념

09 다음과 같은 벽화가 발견된 고구려의 고분은 무엇인지 쓰시오.

▲ 수렵도

(　　　　　　　　)

기출 초급 38회

10 다음 무덤에 묻힌 왕에 대한 설명으로 옳은 것은? (　　　)

공주 ○○왕릉 특별전
주요 출토 유물
무덤 내부 모습
백제 문화의 향기를 느껴 보세요.
2018년 ○○월 ○○일~○○월 ○○일
○○박물관

① 우산국을 정벌하였다.
② 금관가야를 정복하였다.
③ 중국 남조의 양과 교류하였다.
④ 안시성에서 당의 군대를 막아 냈다.

가야의 문화

출제율 ★★★★☆

삼국 시대 가야의 발전된 문화 특징과 문화유산을 묻는 문제들이 출제가 됩니다. 풍부한 철을 바탕으로 만들어진 유물이나 토기 등의 모습을 잘 정리해 보세요.

개념

11 다음 유물과 관련해 풍부한 철을 바탕으로 철기 문화가 발달했던 나라가 어디인지 쓰시오.

▲ 철제 판갑옷과 투구

(　　　　　　　　)

기출 초급 36회

12 (가) 나라에 대한 설명으로 옳은 것은? (　　　)

김해 대성동 고분군
대성동 고분군
이곳은 김수로왕이 건국했다고 전해지는 (가) 의 고분군으로, 토기 등 다양한 유물이 출토되었습니다.

① 독서삼품과를 실시했다.
② 낙랑과 왜에 철을 수출하였다.
③ 전성기에 해동성국이라 불렸다.
④ 화랑도라는 청소년 단체가 있었다.

삼국의 불교 문화

출제율 ★★★★★

삼국에서 만들어진 탑과 불상 등 불교 문화유산에 대한 문제가 출제됩니다. 고구려, 백제, 신라의 대표적인 불교 문화유산에는 무엇이 있는지 정리해 보세요.

개념

13 다음과 같이 옛 신라 땅에서 발견된 불상이 만들어진 나라가 어디인지 쓰시오.

▲ 금동 연가 7년명 여래 입상

(　　　　　　　　　　)

기출 초급 27회

14 밑줄 그은 '이 탑'으로 옳은 것은? (　　　)

○○○○년 ○○월 ○○일

천년의 도읍, 경주를 가다.

나는 가족과 함께 신라의 도읍지였던 경주의 문화유산을 살펴보았다. 오늘 본 것 중 가장 기억에 남는 것은 돌을 벽돌 모양으로 다듬어 쌓아 올린 탑이었다. <u>이 탑</u>은 현재 남아 있는 신라의 석탑 중 가장 오래된 것이라고 한다.

나는 <u>이 탑</u>을 통해 신라의 숨결을 느낄 수 있었다.

①

▲ 불국사 다보탑

②

▲ 경주 분황사 모전 석탑

③

▲ 부여 정림사지 5층 석탑

④

▲ 월정사 팔각 구층 석탑

삼국의 일본과의 교류

출제율 ★★★★☆

삼국의 문화가 일본에 어떻게 전파되었는지를 묻는 문제가 출제됩니다. 삼국과 일본의 교류 모습과 관련된 문화유산에는 무엇이 있는지 알아 보세요.

개념

15 삼국과 일본의 교류에 대한 설명으로 옳은 것은 ○표, 옳지 <u>않은</u> 것은 ×표 하시오.

(1) 백제의 아직기와 왕인은 유학과 한문을 전해 주었다. (　　)

(2) 고구려의 승려 담징은 종이와 먹을 만드는 방법을 전해 주었다. (　　)

(3) 신라의 수산리 고분 벽화와 일본 다카마쓰 고분 벽화의 모습이 비슷하다. (　　)

기출 초급 31회

16 학생들이 준비해야 할 사진으로 적절한 것은? (　　)

알림장

1. 수행 평가 안내
- 일시: ○○월 ○○일 ○요일 ○교시
- 조사 내용: 삼국과 일본의 교류 사례 조사하기
- 준비물: 삼국과 일본의 교류를 보여 주는 문화유산 사진

①

②

③

④

핵심 개념

3. 신라의 삼국 통일과 발해의 건국

핵심 개념 강의

1 고구려와 수·당의 전쟁

살수 대첩 (612년)	• 중국을 통일한 후 세력을 넓히던 수는 고구려를 침략하였음. • 을지문덕 장군이 이끄는 고구려군은 수의 군대를 평양성 근처의 살수(청천강)에서 공격하여 크게 승리하였음.
안시성 싸움 (645년)	• 수를 이어 중국을 통일한 당도 고구려를 침략하였음. • 당이 안시성을 공격하였지만 안시성의 성주와 백성이 힘을 모아 당 군대를 막아 냈음.

출제 POINT

삼국 통일을 이끈 신라의 김춘추와 문무왕

김춘추	김춘추(태종 무열왕)는 나당 연합을 통해 백제를 멸망시키고 삼국 통일의 기반을 마련하였음.
문무왕	태종 무열왕의 아들로 당을 몰아내고 삼국 통일을 이루었음.

2 신라의 삼국 통일과 통일 신라의 발전

(1) 신라의 삼국 통일 과정

나당 연합	• 신라는 백제의 연이은 공격으로 많은 영토를 잃었음. • 신라는 고구려에 도움을 요청하였으나 거절당하자 김춘추를 당에 보내 도움을 요청하였고, 그 결과 신라와 당의 연합이 이루어짐.
백제 멸망 (660년)	• 황산벌 전투: 결사대인 계백의 백제군이 김유신의 신라군에 패하였음. • 신라와 당의 연합군에 의해 도읍인 사비성(부여)을 빼앗기고 의자왕이 항복하여 멸망함.
고구려 멸망 (668년)	• 연개소문이 죽은 뒤 자식들 간의 권력 다툼으로 국력이 쇠퇴하였음. • 신라와 당의 연합군의 공격으로 평양성이 함락되면서 멸망함.
백제와 고구려의 부흥 운동	백제는 복신과 도침, 흑치상지 등, 고구려는 검모잠, 고연무, 안승 등이 각각 부흥 운동을 전개하였으나 모두 실패하였음.
나당 전쟁과 삼국 통일	• 백제와 고구려가 멸망한 뒤 당이 한반도 전체를 지배하려고 하자 신라의 문무왕은 당과 전쟁을 벌였음. • 매소성 전투와 기벌포 전투에서 연이어 승리하며 당을 몰아내고 문무왕이 삼국 통일을 이루었음(676년).

→ 우리 민족 최초의 통일이었으나 그 과정에서 당의 힘을 빌렸으며, 한반도 북쪽의 옛 고구려 영토를 잃어 한반도 전체의 통일을 이루지 못하였어요.

꼭 나오는 자료

신라의 삼국 통일 과정

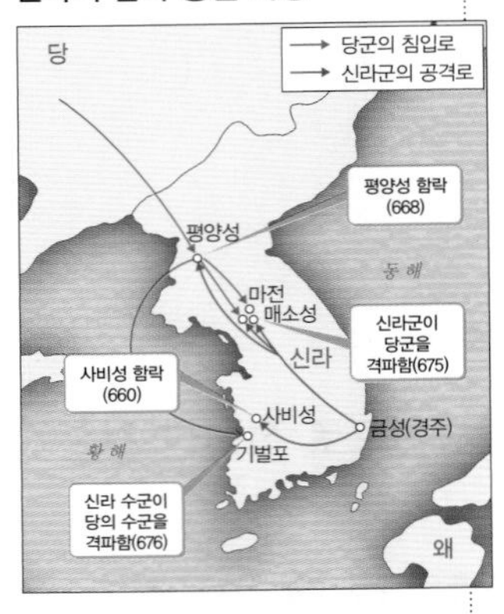

(2) 통일 신라의 발전

문무왕	삼국 통일을 완성하고 백제, 고구려의 유민들을 통합하는 정책을 펼침.
신문왕	행정 구역 개편(9주 5소경 설치), 녹읍 폐지, 국학(유학 교육 기관) 설립 등 통일 신라의 기틀을 다졌음. └→ 녹읍은 신라의 관리들이 일한 대가로 받던 논과 밭을 말해요.

3 발해의 건국과 발전

(1) 건국: 고구려가 멸망한 뒤 고구려 출신의 대조영은 고구려 유민, 말갈족 세력과 함께 당 군대를 천문령에서 물리치고, 동모산 기슭에 발해를 세움(698년).

(2) 발전 → 발해는 당으로부터 '해동성국'이라고 불리기도 하였으며 200여 년간 지속되다가 거란의 침략으로 926년 멸망하였어요.

무왕	• 고구려의 영토를 회복하고 옛 고구려보다 넓은 영토를 차지하였음. • 당의 산둥 반도를 먼저 공격하였음.
문왕	수도를 상경 용천부로 옮기고 당과 친선 관계를 맺었음.

출제 POINT

고구려를 계승한 발해

▲ 발해에 대해 기록한 일본의 목간

일본에서 발견된 목간에는 일본은 발해에 보낸 일본 사신을 '견고려사'라고 부른 기록이 있으며, 발해는 스스로 '고려국왕(고구려왕)'이라 부르며 고구려를 계승하였음을 나타냈습니다.

4 신라와 발해의 대외 교류

신라	• 신라는 당과의 관계가 좋아지자 당으로부터 비단이나 서적 등을 수입하였고 사신, 유학생, 승려 등이 자주 왕래하였음. → 당에는 신라방, 신라소, 신라원 등 신라인 마을과 관청, 사찰 등이 있었어요. • 장보고: 해적을 소탕하고 완도에 청해진을 설치하여 당, 일본과의 무역을 주도하였음.
발해	건국 초기에는 당과 적대적인 관계였지만 이후 활발하게 교류하였으며 신라와도 교류함.

5 통일 신라 사람들의 생활 모습

(1) 골품제

① 골품에 따라 오를 수 있는 관직, 집의 크기, 옷감의 종류 등이 정해져 있는 신분 제도임.

② 가장 높은 신분인 왕족으로 성골, 진골이 있었고 그 아래 6두품부터 1두품까지 있었음.

③ 6두품은 능력이 있어도 높은 관직에 오르지 못하는 사람들이 많았음. → 6두품 출신의 최치원은 당으로 건너가 유학하며 빈공과에 합격하기도 했어요.

(2) 신분에 따른 생활 모습

귀족	대부분 도읍인 금성에 살면서 토지를 대대로 물려받거나 국가에서 받았고, 노비와 사병을 많이 거느리며 풍족한 생활을 누렸음.
평민	농사를 지으며 생활하였고 나라에 세금을 냈으며, 군사 훈련 또는 궁궐, 성곽 등을 짓는 데 동원되어 일을 하였음.
민정 문서	신라에서 노동력을 동원하고 세금을 걷기 위하여 조사한 통계 문서로 신라의 행정 체제와 사회 모습을 살필 수 있는 중요한 자료임.

└ 마을의 인구, 노비의 수, 소와 말, 뽕나무의 수 등을 조사하고 기록하였어요.

꼭 나오는 자료

통일 신라 귀족들의 생활 모습

▲ 동궁과 월지

왕과 신하들이 잔치를 벌이던 곳으로 호화로운 귀족의 생활 모습을 엿볼 수 있습니다.

6 통일 신라와 발해의 문화

(1) 통일 신라의 불교 발달: 주로 왕과 귀족이 믿었던 불교는 원효, 의상 등의 노력으로 백성들에게까지 널리 전파되었음. → 왕과 귀족들은 자신의 세력을 강화하기 위해서 불교를 중요하게 여겼어요.

원효	'나무아미타불'만 외우면 누구나 극락에 갈 수 있다고 주장하며 백성들에게 불교를 전파함.
의상	당에 다녀와 화엄 사상을 강조하는 화엄종을 알리고 부석사라는 절도 지었음.

(2) 통일 신라의 불교 문화유산

불국사	• 신라의 불교 문화를 알 수 있는 경상북도 경주시에 있는 사찰 • 불국사 삼층 석탑(석가탑), 다보탑, 청운교, 백운교 등이 있음.
석굴암	화강암을 쌓아 올려 동굴처럼 만든 사찰로 석굴암 본존불이 있음.
성덕 대왕 신종	771년에 만들어진 범종으로 신라의 뛰어난 금속 주조 기술을 보여 줌.
『무구정광 대다라니경』	불국사 삼층 석탑을 보수하는 과정에서 발견되었으며, 세계에서 가장 오래된 목판 인쇄본으로 부처의 말씀을 정리해 놓은 것

꼭 나오는 자료

통일 신라의 문화유산

▲ 경주 불국사

▲ 경주 석굴암

(3) 발해의 문화와 생활 모습

① 특징: 고구려 문화를 바탕으로 하고 당의 문화를 수용하여 독자적인 문화를 발전시켰음.

② 문화유산: 이불 병좌상, 정효 공주 묘, 정혜 공주 묘, 발해 석등, 수막새 기와 등 ← 고구려의 양식과 매우 비슷해요.

③ 생활 모습: 추운 지역에서 주로 짐승의 가죽으로 옷을 지어 입고, 온돌과 같은 난방 시설을 설치해 집안에서 따뜻하게 생활하였음.

▲ 발해 석등

꼭 나오는 자료

고구려 문화가 바탕이 된 발해의 문화유산

▲ 고구려 수막새 기와

▲ 발해 수막새 기와

출제 100% 키워드 다지기

정답 및 풀이 37쪽

1 612년, 을지문덕이 이끈 고구려군은 살수에서 ㅅ 군대를 크게 물리쳤다. ( )

2 신라의 문무왕은 기벌포에서 당의 수군을 격파하고 ㅅㄱ ㅌㅇ을 이루었다. ( )

3 고구려 출신의 ㄷㅈㅇ은 고구려 유민을 이끌고 동모산 기슭에 발해를 세웠다. ( )

4 신라는 혈통에 따라 신분을 나누는 ㄱㅍㅈ가 있었다. ( )

5 통일 신라의 ㅂㄱㅅ에서 삼층 석탑, 다보탑, 청운교, 백운교 등의 문화유산을 볼 수 있다. ( )

3. 신라의 삼국 통일과 발해의 건국

문제 풀이 강의

고구려의 외세와의 전쟁

출제율 ★★★★☆

고구려는 수와 당 등 중국 세력의 외침을 막아 내며 나라를 지켰습니다. 각 전쟁의 과정에서 활약한 인물과 전투를 살펴보세요.

개념

01 다음 ㉠, ㉡에 알맞은 말에 ○표 하시오.

> ㉠ (수 , 당)은(는) 연개소문의 정변을 구실로 고구려를 침략하였으나 ㉡ (살수, 안시성)에서 버틴 성주와 백성들은 이들을 물리치고 승리하였다.

기출 초급 36회

02 다음 인물이 이야기하는 전쟁으로 옳은 것은? (　　　)

나는 우중문 등이 이끄는 수 군대와 싸워 크게 승리하였소.

▲ 을지문덕

① 귀주 대첩
② 살수 대첩
③ 기벌포 전투
④ 처인성 전투

신라의 삼국 통일 과정

출제율 ★★★★★

신라의 삼국 통일 과정을 순서대로 나열하거나 삼국 통일 과정에서 있었던 일을 묻는 문제가 출제됩니다. 삼국 통일의 과정을 순서대로 정리해 보세요.

개념

03 다음 신라의 삼국 통일 과정 중 일어난 사건을 순서대로 나열하여 기호를 쓰시오.

> ㉠ 백제 멸망
> ㉡ 나당 연합
> ㉢ 고구려 멸망
> ㉣ 매소성·기벌포 전투

(　　　) → (　　　) → (　　　) → (　　　)

기출 초급 37회

04 (가)에 들어갈 내용으로 옳은 것은? (　　　)

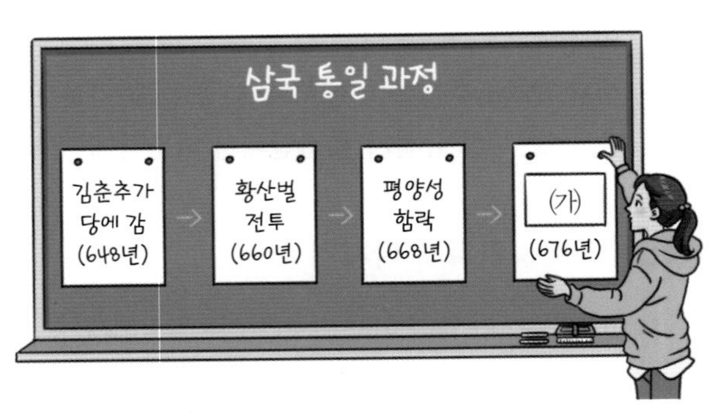

① 고창 전투
② 기벌포 전투
③ 안시성 전투
④ 처인성 전투

무열왕과 문무왕

출제율 ★★★★☆

삼국 통일의 주역인 무열왕 김춘추와 문무왕에 대한 문제가 출제됩니다. 김춘추가 삼국 통일의 기반을 마련하고, 문무왕이 삼국 통일을 이룩했다는 것을 알아 두세요.

개념

05 다음 (　　) 안에 공통으로 들어갈 사람을 쓰시오.

> 백제의 공격으로 위기를 맞이한 신라는 (　　　)을(를) 고구려에 보내 도움을 요청하였으나 거절당했다. 이후 (　　　)은(는) 당으로 건너가 당과 동맹을 맺고 신라는 당과 연합을 이루었다.

(　　　　　　　　　　)

기출 초급 25회

06 밑줄 그은 '왕'의 업적으로 옳은 것은? (　　　)

"동해의 용이 되어 나라를 지키겠다."고 유언한 왕을 이곳에 장사지냈다는 이야기가 전해 오고 있습니다.

① 신라에 군대를 보내어 왜군을 물리쳤다.
② 당 군대를 몰아내고 삼국 통일을 완수하였다.
③ 수 군대를 살수로 유인하여 큰 승리를 거두었다.
④ 백제와 함께 고구려를 공격하여 한강 유역을 차지하였다.

장보고의 활약

출제율 ★★★★☆

통일 신라 시대에 해상왕이라고 불리던 장보고에 대한 문제가 출제됩니다. 해적 소탕, 해상 무역 활동과 관련된 장보고의 업적을 정리해 보세요.

개념

07 장보고에 대한 설명으로 옳은 것을 보기에서 두 가지 골라 기호를 쓰시오.

보기

㉠ 경주에 청해진을 설치하였다.
㉡ 백제의 부흥 운동을 이끌었다.
㉢ 해적을 무찔러 해상 무역로를 보호하였다.
㉣ 당과 신라, 일본을 연결하는 해상 무역을 주도하였다.

(　　　　　　　　　　)

기출 초급 32회

08 다음 가상 인터뷰의 주인공에 대한 설명으로 옳은 것은? (　　　)

오늘의 신라의 해상왕이라고 불리는 인물을 만나 보겠습니다. 그동안의 활동을 말씀해 주세요.

나는 병사들을 이끌고 해적을 소탕하였으며, 당과 신라, 일본을 연결하는 국제 무역을 주도하였습니다.

① 청해진을 설치하였다.
② 왜에 칠지도를 보냈다.
③ 당의 빈공과에 합격하였다.
④ 『왕오천축국전』을 저술하였다.

신라 골품제의 특징 출제율 ★★★☆☆

신라의 신분 제도인 골품제의 특징을 6두품인 최치원과 연관하여 묻는 문제가 출제됩니다. 신라 골품제로 인해 나타난 문제점 등을 알아 두세요.

개념

09 다음 밑줄 그은 인물이 속한 신라의 신분은 무엇입니까? (   )

> 최치원은 당의 빈공과에 합격한 것은 물론 문장가로 명성을 떨쳤다. 그는 왕에게 시무 10조의 개혁안을 제시하였으나 받아들여지지 않자 전국을 떠돌다가 일생을 마쳤다.

① 호족 ② 성골
③ 진골 ④ 6두품
⑤ 신진 사대부

기출 초급 27회

10 (가) 국가에 대한 설명으로 옳은 것은? (   )

① 책화라는 풍습이 있었다.
② 민며느리제가 성행하였다.
③ 골품제라는 신분 제도가 있었다.
④ 권문세족들이 음서를 통해 관직에 진출하였다.

원효와 의상 출제율 ★★★★☆

통일 신라 불교의 대중화에 큰 역할을 한 원효와 의상에 대한 문제가 출제됩니다. 원효와 의상의 공통점과 차이점을 비교하여 정리해 보세요.

개념

11 다음 인물이 주장하는 내용을 선으로 바르게 연결하시오.

(1) 원효 • • ㉠ 하나가 전체요, 전체가 하나다.

(2) 의상 • • ㉡ '나무아미타불'만 외워도 극락에 갈 수 있다.

기출 초급 36회

12 밑줄 그은 '그'로 옳은 것은? (   )

① 원효 ② 의천
③ 일연 ④ 지눌

불국사와 석굴암 출제율 ★★★☆☆

통일 신라의 대표적인 문화유산에 대한 문제가 출제됩니다. 불국사, 석굴암, 『무구정광대다라니경』 등 다양한 문화유산의 모습과 특징을 정리해 보세요.

개념

13 다음 ㉠, ㉡에 들어갈 알맞은 말을 쓰시오.

> 통일 신라 시대의 대표적인 문화유산인 (㉠)은(는) '부처님의 나라'라는 의미를 가진 절이고, (㉡)은(는) 토함산 중턱에 자리 잡은 화강암으로 만들어진 석굴 사원이다.

㉠ ( ), ㉡ ( )

기출 초급 28회

14 밑줄 그은 '불상'으로 옳은 것은? ( )

> ○○○○년 ○○월 ○○일
>
> 여름 방학을 맞이하여 가족과 함께 신라의 도읍지였던 경주에 왔다. 오늘 본 문화유산 중 가장 기억에 남는 것은 토함산 중턱에 위치한 석굴 사원이었다. 이 사원은 불국사와 함께 유네스코 세계 유산으로 지정되었다고 한다. 그 안에는 크고 아름다운 불상이 있었다.

①

②

③

④

발해의 특징과 문화유산의 모습 출제율 ★★★★☆

발해의 문화유산을 제시하고 발해가 어떤 나라인지를 묻는 문제가 출제됩니다. 발해의 특징이 나타나는 문화유산과 발해가 계승한 나라가 어디인지 알아 두세요.

개념

15 발해에 대한 설명으로 옳은 것에 ○표 하시오.

(1) 고구려 유민인 대조영이 동모산 기슭에 발해를 건국했다. ( )

(2) 당은 발해를 '해동성국'이라고 불렀다. ( )

(3) 일본에 보낸 외교 문서에 발해왕을 '백제왕'으로 불렀다. ( )

기출 초급 38회

16 밑줄 그은 '이 나라'에 대한 설명으로 옳은 것은? ( )

이러한 문화유산을 남긴 이 나라에 대해 말씀해 주세요.
일본에 보낸 국서에서 고구려를 계승한 국가임을 밝혔으며, 당으로부터 해동성국이라고 불리기도 했어요.

① 지방에 22담로를 두었다.
② 송악을 도읍으로 정하였다.
③ 대조영이 동모산에서 건국하였다.
④ 별무반이라는 군대를 조직하였다.

4. 고려의 건국과 변천

핵심 개념 강의

1 고려의 건국과 발전

→ 신라 말 귀족 간 왕위 다툼과 농민 봉기 등으로 혼란스러운 상황에서 신라는 지방에 대한 지배력을 잃고 후삼국이 성립되었어요.

(1) 후삼국의 성립: 지방의 호족 중에서 세력을 키운 견훤이 900년에 후백제, 궁예가 901년에 후고구려를 세우면서 후삼국 시대가 시작되었음.

(2) 고려의 건국: 궁예의 신하가 되어 후고구려의 건국을 도운 왕건이 궁예를 몰아내고, 도읍을 송악(개성)으로 정하고 고려를 세웠음(918년).

(3) 고려의 후삼국 통일 과정

공산 전투: 후백제군이 고려군을 상대로 공산(대구)에서 크게 승리함.	→	고창 전투: 고려군이 후백제군을 상대로 고창(안동)에서 크게 승리함.	→	후백제는 왕위 다툼이 일어나 힘이 약해졌고, 신라의 경순왕은 스스로 고려에 항복함.	→	고려는 신검의 후백제군과의 전투에서 승리하고 후삼국을 통일함(936년).

(4) 고려의 기틀을 다지기 위한 노력

왕건	• 호족과의 관계를 유지하여 왕권을 안정시키려고 했음. → 왕건은 지방 호족의 딸과 결혼을 하거나 공을 세운 자들에게 '왕'씨 성을 주었어요. • 후손에게 남기는 열 가지 가르침인 훈요 10조를 지었음. • 고구려의 옛 땅을 되찾고자 북진 정책을 실시하였음.
광종	• 노비안검법을 실시하여 양인이었다가 노비가 된 자들을 해방시켰음. • 나라에서 시험을 치러 관리를 선발하는 과거제를 실시하였음.
성종	• 유학자 최승로의 시무 28조를 받아들여 유교 정치 원리를 바탕으로 정치 체제를 만듦. • 유학을 가르치는 국가 교육 기관으로 국자감을 세웠음.

2 고려의 사회 변화와 대외 교류

(1) 이자겸의 난과 무신 정변

이자겸의 난	• 왕실과 혼인을 통해서 세력을 확장한 문벌 귀족이 권력과 부를 독점함. • 이자겸의 난: 권력을 독점하던 경원 이씨 집안의 이자겸이 스스로 왕이 되려 반란을 일으켰지만 실패하였음.
무신 정변	• 무신 정변: 문신에 비해 무신을 낮게 대우하자 이에 불만을 품은 무신들이 난을 일으켰음. • 무신 정권 시대: 이후 무신들이 권력을 잡고 고려를 이끌었으며 최충헌의 가족들이 60여 년간 권력을 잡았음. → 초기에는 백성을 위한 정치를 하였으나 결국 문벌 귀족처럼 자신들의 이익만 채웠어요.

(2) 농민 봉기: 무신 정권 아래 백성에 대한 수탈이 심해지자 백성들이 봉기를 일으켰음. 예 망이·망소이의 난, 만적의 난 등

(3) 고려의 대외 교류: 적극 대외 교류를 추진하여 송과 거란(요), 여진, 일본과 교류하였고, 아라비아 상인도 고려에 들어와 교역을 함. → 개경과 가까운 예성강 하구의 벽란도는 국제 무역항으로 발달했어요.

3 북방 민족의 침입과 극복

(1) 거란의 침입과 극복

1차 침입	• 고려가 송과 교류하고 거란을 멀리하자 고려의 북쪽 땅이 자신들의 것이라며 고려를 침략함. • 서희가 거란 장수 소손녕과 담판을 벌여 거란 군대를 돌려보냈고, 고려는 강동 6주에 성을 쌓아 영토를 넓혔음.
2차 침입	거란이 다시 침입하였으나 양규가 이끄는 고려군이 승리함.
3차 침입	거란이 강동 6주를 돌려 달라며 침입하였으나 강감찬은 후퇴하는 거란군을 압록강 근처의 귀주에서 크게 무찔렀음(귀주 대첩, 1019년).

꼭 나오는 자료

고려의 후삼국 통일 과정

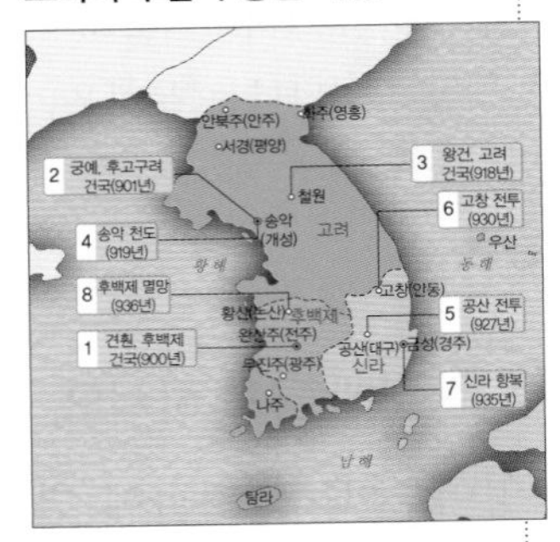

고려는 신라와 달리 다른 나라의 힘을 빌리지 않고 자주적으로 통일을 이루었습니다.

출제 POINT

고려의 주요 수출과 수입품

송	비단, 약재, 서적 등을 수입하고 인삼, 종이, 먹 등을 수출했음.
거란, 여진	은, 모피, 말 등을 수입하고 농기구, 곡식 등을 수출했음.
아라비아	수은, 향료 등을 수입하고 금, 은, 비단 등을 수출했음.

→ 무역 거래에는 은병, 건원중보, 해동통보 등의 화폐를 만들어 사용했어요.

꼭 나오는 자료

거란의 고려 침입과 극복

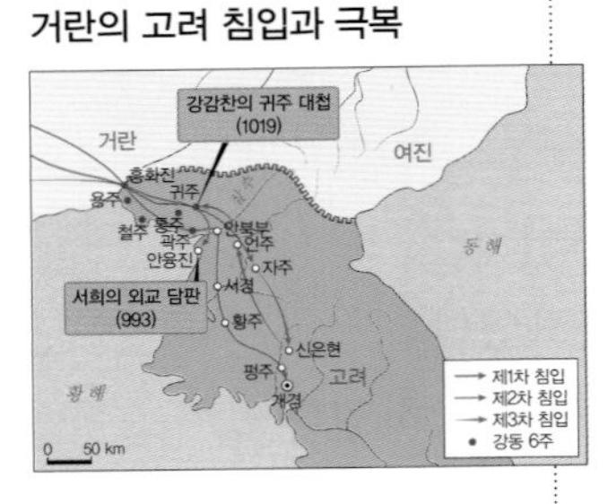

(2) 여진의 침입과 극복: 세력이 커진 여진은 자주 고려의 국경을 위협하고 쳐들어왔음. → 윤관이 별무반이라는 특수 부대를 이끌고 여진을 물리치고 동북 9성을 쌓았음.

(3) 몽골의 침략과 고려의 저항 → 몽골은 6차례나 고려를 침략했어요.

침입과 결과	•고려에서 돌아가던 몽골 사신이 피살되자 이를 구실로 몽골은 고려를 침략함. •충주성 전투, 처인성 전투 등에서 고려는 몽골군을 물리쳤음. •고려는 도읍을 강화도로 옮기고 몽골군과 계속 싸웠으나 전쟁이 길어지자 결국 몽골과 화친을 맺음.
삼별초의 항쟁	고려가 몽골과 화친을 맺고 개경으로 돌아갔음.→ 삼별초는 강화도에 남아 몽골과 싸웠음.→ 진도와 제주도로 근거지를 옮겨가며 싸웠으나 결국 고려·몽골 연합군에 진압되었음.

(4) 공민왕의 개혁 정치

① 배경: 몽골이 세운 원이 고려에 대한 간섭을 강화함. → 고려에 동녕부와 쌍성총관부, 탐라총관부 등을 설치해 고려 영토의 일부를 직접 통치하였음.

② 공민왕은 원의 간섭에서 벗어나고자 몽골식 풍습 폐지, 친원파 제거, 전민변정도감 설치, 쌍성총관부를 공격하여 고려 영토 회복 등의 개혁을 실시함.

└ 권문세족 세력을 약화시키고 나라의 재정을 확보하려고 했어요

4 고려의 문화 발전

(1) 불교의 발전 → 고려 시대에 불교는 국가의 지원을 받으며 크게 발전하였어요.

① 불교 행사: 연등회와 팔관회를 열어 나라의 평안과 개인의 행복을 빌었음.

② 의천과 지눌

의천	교종 중심으로 선종을 통합하고자 해동 천태종이라는 종파를 만들었음.
지눌	무신 집권기에 불교 개혁을 위해 노력함.

┌ 신라 시대에 지은 절을 고려 때 새로 고쳐 지었어요.

③ 불교 문화유산: 부석사 무량수전, 관촉사 석조 미륵보살 입상, 경천사지 십층 석탑 등

(2) 학문 연구: 유학 교육을 위해 학교를 세워 유교 경전과 역사서를 강의하고, 안향은 고려에 성리학을 소개하였음. → 『삼국사기』, 『삼국유사』 등의 다양한 역사서도 편찬되었어요.

(3) 고려의 인쇄술과 고려청자

① 팔만대장경과 금속 활자

팔만대장경	•몽골의 침입을 불교의 힘으로 이겨 내고자 16년에 걸쳐 만들었음. •팔만대장경판은 모양이 뒤틀리거나 틀린 글자 없이 고르고 정교하여 고려의 발달된 목판 인쇄술을 보여 줌.
금속 활자	•목판의 단점을 보완하여 금속 활자를 만들었음. •『직지심체요절』: 흥덕사에서 인쇄된 것으로 세계에서 가장 오래된 금속 활자본임.

② 고려청자: 상감이라는 공예 기법을 적용해 '상감 청자'라는 독창적인 예술품을 만듦.

(4) 고려의 화포 기술: 최무선은 화약을 연구하고 화통도감을 설치하였음. → 여러 가지 화포를 만들어 왜구를 물리쳤음.

└ 최무선이 나라에 건의하여 설치된 화약과 무기를 개발하는 관청

꼭 나오는 자료

삼별초의 항쟁

▲ 삼별초의 이동 경로

출제 POINT

고려의 역사서

『삼국사기』	•삼국 시대의 역사를 정리하기 위해 김부식이 만든 책 •우리나라에서 가장 오래된 역사책임.
『삼국유사』	•승려 일연이 편찬한 고조선에서 신라 말까지의 역사책 •단군 신화를 처음으로 수록하였음.

꼭 나오는 자료

고려의 불상과 탑

▲ 관촉사 석조 미륵보살 입상

▲ 경천사지 십층 석탑

출제 100% 키워드 다지기

정답 및 풀이 38쪽

❶ 왕건은 궁예를 몰아내고 ㄱㄹ를 세워 후삼국을 통일하였다. ( )

❷ 광종은 ㄴㅂㅇㄱㅂ을 실시해 양인에서 노비가 된 이들을 해방시켰다. ( )

❸ 문신 위주의 정치와 차별 대우에 불만을 품은 무신들이 ㅁㅅ ㅈㅂ을 일으켜 정권을 잡았다. ( )

❹ 고려는 몽골과 화친을 맺고 개경으로 돌아왔으나 ㅅㅂㅊ는 끝까지 몽골에 저항하였다. ( )

❺ 고려는 부처의 힘으로 몽골의 침입을 이겨 내고자 ㅍㅁㄷㅈㄱ을 만들었다. ( )

DAY 8 기출문제

4. 고려의 건국과 변천

고려를 세운 왕건

출제율 ★★★★★

고려를 건국하고 후삼국을 통일한 왕건에 대해서 묻는 문제가 출제됩니다. 왕건이 후삼국을 통일한 과정과 통일 이후에 어떤 일을 했는지 정리해 보세요.

개념

01 왕건에 대한 설명으로 옳은 것에 ○표 하시오.

(1) 왕건은 후고구려를 세우고 스스로를 미륵불이라고 불렀다. ( )

(2) 후삼국을 통일하고 지방 호족을 포용하는 정책을 펼쳤다. ( )

(3) 후손에게 남기는 열 가지 가르침인 훈요 10조를 지었다. ( )

기출 초급 38회

02 다음 인물 카드 주인공의 업적으로 옳은 것은? ( )

▲ 앞면

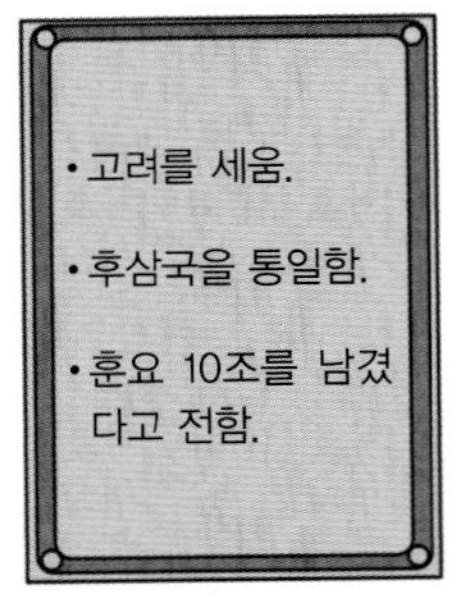

• 고려를 세움.
• 후삼국을 통일함.
• 훈요 10조를 남겼다고 전함.

▲ 뒷면

① 북진 정책을 추진하였다.
② 웅진으로 도읍을 옮겼다.
③ 노비안검법을 시행하였다.
④ 지방에 12목을 설치하였다.

광종의 업적

출제율 ★★★★☆

고려의 기틀을 다지기 위해 노력한 광종의 업적을 묻는 문제가 출제됩니다. 광종이 실시한 노비안검법과 과거제의 내용을 정리해 보세요.

개념

03 다음에서 설명하는 광종이 실시한 제도는 무엇인지 쓰시오.

- 호족들이 불법으로 차지한 노비를 양인으로 해방시켜주는 제도이다.
- 호족들의 재산이었던 노비를 해방시켜 호족의 세력을 약화시키고 왕권을 강화하기 위해 실시하였다.

( )

기출 초급 22회

04 (가)에 들어갈 내용으로 옳은 것은? ( )

① 과거제 시행
② 별무반 조직
③ 『삼국사기』 편찬
④ 시무 28조 채택

무신 정권과 백성의 봉기

출제율 ★★★★☆

무신 정권기에 일어난 농민과 천민들의 봉기에 대한 문제가 출제됩니다. 무신 정권기에 백성들이 일으킨 대표적인 봉기를 정리해 보고, 관련된 지도도 확인해 보세요.

개념

05 **다음과 같은 사건이 발생한 시기를 연표에서 골라 기호를 쓰시오.**

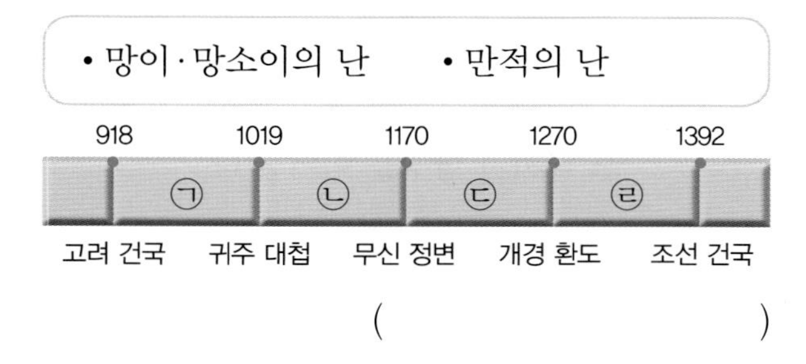

( )

기출 초급 33회

06 **(가)에 들어갈 제목으로 옳은 것은? ( )**

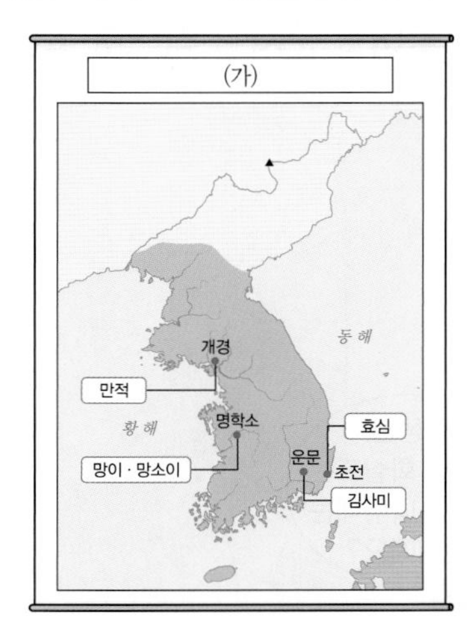

① 신라 말기 호족의 성장
② 조선 후기 농민의 봉기
③ 무신 집권기 민중의 저항
④ 일제 강점기 독립군의 활동

고려의 대외 교류 모습

출제율 ★★★☆☆

고려의 활발한 대외 교류와 화폐 사용 등에 대한 문제가 출제됩니다. 고려의 주요 수출품과 수입품, 무역 거점, 화폐의 종류에 대해서 정리해 보세요.

개념

07 **다음 ( ) 안에 들어갈 알맞은 말에 ○표 하시오.**

(1) 고려는 (강화도, 벽란도)를 중심으로 바닷길을 이용하여 다른 나라와 활발하게 교류하였다.
(2) 고려는 (거란, 일본)에서 은, 모피, 말 등을 수입하고 농기구, 곡식 등을 수출하였다.
(3) 고려는 외국과 (무역, 전쟁)이 활발해지고 상업과 수공업이 발달하면서 화폐를 만들어 사용하였다.

기출 초급 37회

08 **(가)에 들어갈 내용으로 옳은 것은? ( )**

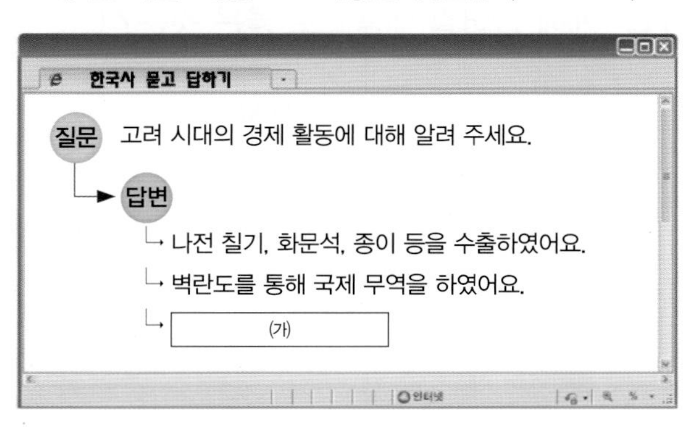

한국사 묻고 답하기
질문 고려 시대의 경제 활동에 대해 알려 주세요.
답변
나전 칠기, 화문석, 종이 등을 수출하였어요.
벽란도를 통해 국제 무역을 하였어요.
(가)

① 대동법이 시행되었어요.
② 만상이 청과 교역하였어요.
③ 모내기법이 전국적으로 보급되었어요.
④ 호리병 모양의 화폐인 은병을 사용하였어요.

거란의 고려 침입과 극복

출제율 ★★★★☆

거란의 침입과 고려의 극복 과정에 대한 문제가 출제됩니다. 거란의 1차 침입을 막아낸 서희의 외교 담판 사건, 3차 침입에서 있었던 귀주 대첩을 중심으로 정리해 보세요.

개념

09 거란의 고려 침입과 극복 과정에서 있었던 사건이 아닌 것은 어느 것입니까? (　　　)

① 귀주 대첩　② 서희의 담판
③ 강동 6주 획득　④ 삼별초의 저항

기출 초급 36회

10 (가)에 들어갈 내용으로 옳은 것은? (　　　)

역사신문

제△△호　993년 ○○월 ○○일

서희, 거란과 외교 담판으로 영토를 확장하다!

거란의 1차 침입 때 서희는 거란 장수 소손녕과 외교 담판을 벌여 거란군을 물러가게 하였다. 이와 같은 서희의 노력으로 고려는 (가)

① 우산국을 정복하였다.
② 4군 6진을 개척하였다.
③ 강동 6주를 확보하였다.
④ 동북 9성을 설치하였다.

삼별초의 저항

출제율 ★★★★★

몽골의 침략에 끝까지 항쟁했던 삼별초에 대한 문제가 출제됩니다. 삼별초의 저항 과정과 근거지 이동에 대해서 정리해 보세요.

개념

11 다음에서 설명하는 군대는 무엇인지 쓰시오.

- 원래 최씨 무신 정권의 사병이었다.
- 몽골의 침략에 대항하는 정규군으로 편성되어 고려 조정이 몽골과 화친을 맺은 뒤에도 끝까지 항쟁을 이어 갔다.

(　　　　　　　　)

기출 초급 32회

12 (가)에 들어갈 군사 조직으로 옳은 것은? (　　　)

① 별기군　② 별무반
③ 삼별초　④ 훈련도감

고려의 인쇄술 발달

출제율 ★★★★☆

고려의 인쇄술을 대표하는 팔만대장경과 『직지심체요절』에 대한 문제가 출제됩니다. 각각의 문화유산이 만들어진 배경과 우수성에 대해 살펴보세요.

개념

13 다음 고려 시대에 만들어진 문화유산의 특징을 선으로 바르게 연결하시오.

(1) 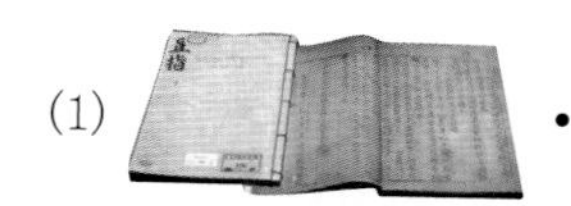

▲ 『직지심체요절』

• • ㉠ 몽골에 대항하기 위해 부처님의 말씀을 새긴 목판

(2) 

▲ 팔만대장경판

• • ㉡ 오늘날 세계에서 가장 오래된 금속 활자 인쇄본

기출 초급 28회

14 다음 자료에서 설명하는 문화유산으로 옳은 것은? (　　　)

이 문화유산은 부처의 힘으로 몽골의 침입을 이겨내기 위해 만든 것으로 경상남도 합천군 가야면 해인사에 있다. 고려인의 호국 정신과 고려 목판 인쇄술의 우수함을 보여주는 것으로 유네스코 세계 유산으로 등재되어 있다.

① 

▲ 『왕오천축국전』

② 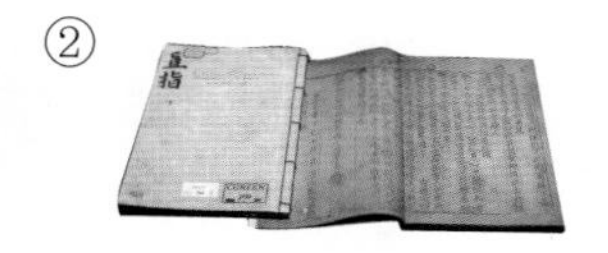

▲ 『직지심체요절』

③ 

▲ 팔만대장경판

④ 

▲ 『무구정광대다라니경』

고려의 예술품

출제율 ★★★☆☆

고려 시대 대표적인 예술품인 고려청자에 대한 문제가 출제됩니다. 고려의 뛰어난 도자기 공예 기술의 특징과 다양한 고려청자의 모습을 확인해 보세요.

개념

15 다음 (　　) 안에 공통으로 들어갈 말을 쓰시오.

청자를 만드는 기술은 본래 중국에서 들어왔으나 고려는 (　　　　)(이)라는 공예 기법을 도자기에 적용해 '(　　　　) 청자'라는 독창적인 예술품을 만들었다.

(　　　　　　　　　　)

기출 초급 42회

16 (가)에 들어갈 문화유산으로 옳은 것은? (　　　)

문화유산 카드

(가)

• 종목: 국보 제68호
• 소개
 – 귀족 문화의 화려함이 잘 드러남.
 – 표면에 그림을 그려서 파낸 자리에 다른 색의 흙을 메워 유약을 발라 굽는 기법으로 제작됨.

① 

▲ 미송리식 토기

② 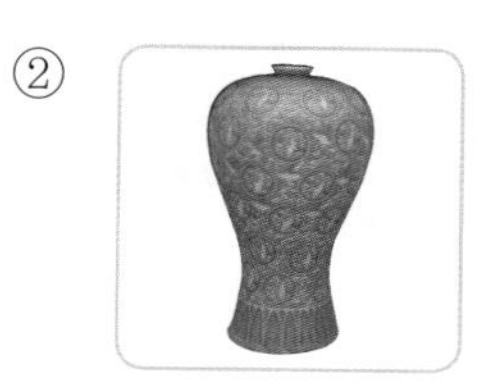

▲ 청자 상감 운학문 매병

③ 

▲ 백자 청화 매죽문 항아리

④ 

▲ 분청사기 철화 연어문

(기본) 한국사능력검정시험 **모의 평가 1회**

[2점]

01 (가) 시대에 사용된 유물로 옳은 것은? (　　　　)

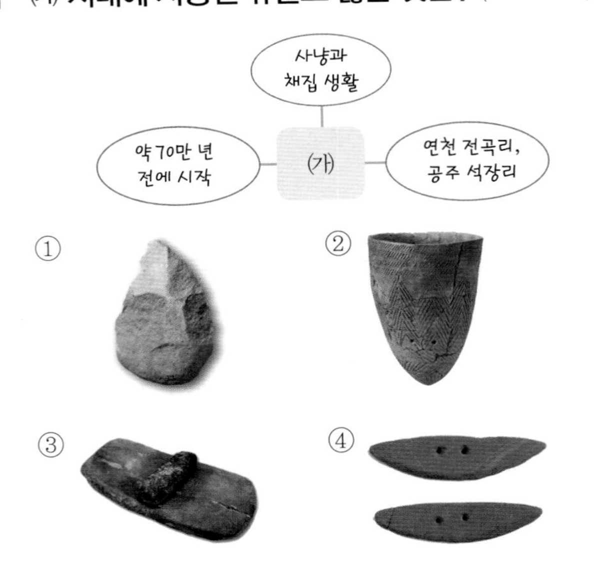

[3점]

02 (가)에 들어갈 내용으로 가장 적절한 것은?

(　　　　)

신석기 시대로 떠나는 시간 여행!

강가나 바닷가 주변에 살면서, 농사를 짓기 시작했던
사람들의 생활 모습을 체험할 수 있어요.

- 날짜: 2020년 ○○월 ○○일
- □□ 박물관 야외 체험장
- 체험 프로그램
  - 움집 생활 체험하기
  - 빗살무늬 토기 만들기
  - (가)

① 반달 돌칼 사용법 알기
② 철제 농기구로 밭 일구기
③ 갈판과 갈돌로 곡식 갈기
④ 비파형 동검 모형 만들기

[3점]

03 (가) 시대의 생활 모습으로 적절하지 않은 것은?

(　　　　)

① 비파형 동검을 사용하였다.
② 민무늬 토기를 제작하였다.
③ 철제 농기구로 농사를 지었다.
④ 반달 돌칼을 이용하여 곡식을 수확하였다.

[2점]

04 (가)에 들어갈 나라로 옳은 것은? (　　　　)

> 아주 오래 전 하늘 나라를 다스리는 하느님(환인)에게 환웅이란 아들이 있었다. 환웅은 '널리 인간을 이롭게 한다.'는 뜻을 품고 땅으로 내려가고 싶어하였다. …… 환웅은 곰이 변한 여인을 아내로 맞이하여 아들을 낳았는데 이 분이 단군왕검이다. 단군왕검은 아사달을 도읍으로 하여 나라를 세우고 나라 이름을 (가) (이)라 하였다. – 삼국유사 –

① 가야
② 고려
③ 부여
④ 조선(고조선)

[2점]
05 다음 가상 광고에 해당하는 나라에 대한 설명으로 옳은 것은? (　　　)

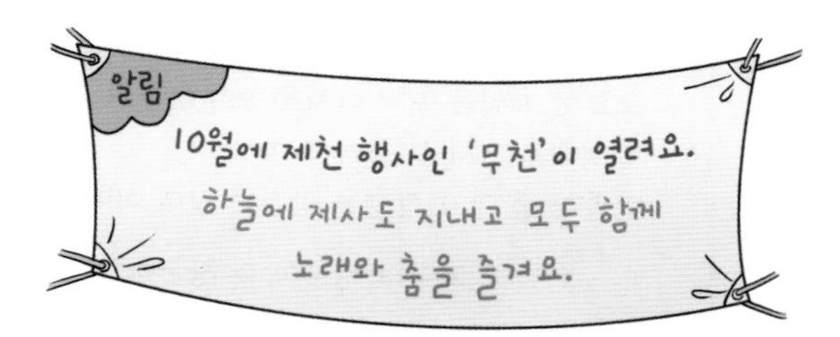

① 사출도가 있었다.
② 온조가 건국하였다.
③ 책화라는 풍습이 있었다.
④ 신라의 침입으로 멸망하였다.

[3점]
06 그림의 건국 이야기가 전해지는 나라에 대한 설명으로 옳은 것은? (　　　)

① 화랑도를 조직하였다.
② 진대법을 실시하였다.
③ 22담로를 설치하였다.
④ 낙랑군과 왜에 철을 수출하였다.

[3점]
07 밑줄 그은 '이 왕'의 업적으로 옳은 것은? (　　　)

① 불교를 받아들였다.
② 훈요 10조를 남겼다.
③ 사비로 도읍을 옮겼다.
④ 국경에 천리장성을 쌓았다.

[2점]
08 (가)에 들어갈 왕으로 옳은 것은? (　　　)

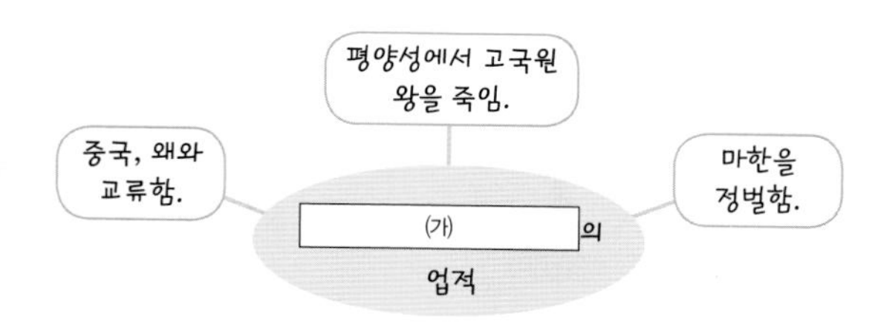

① 무왕
② 고이왕
③ 의자왕
④ 근초고왕

[2점]
09 다음 학생이 생각하고 있는 왕이 세운 비석으로 옳지 않은 것은? (　　　)

한강 유역을 차지했지.
화랑도를 개편했어.
대가야를 정복했어.

① 사택지적비　② 창녕 척경비
③ 단양 적성비　④ 북한산 순수비

[3점]
10 (가)에 들어갈 문화유산으로 옳은 것은? (　　　)

> **국립 부여 박물관을 다녀와서**
> 부모님과 함께 국립 부여 박물관에 다녀왔다. 그곳에서 가장 인상 깊게 본 것은 꿈틀거리는 용이 연꽃으로 된 몸통을 받치고 있고, 윗부분은 산봉우리에서 신령스런 동물 등 신선들의 세계가 묘사되어 있는 문화유산이다. 이것은 백제인의 뛰어난 공예 기술과 예술적 수준을 보여주는 작품이다.　(가)

①

②

③

④
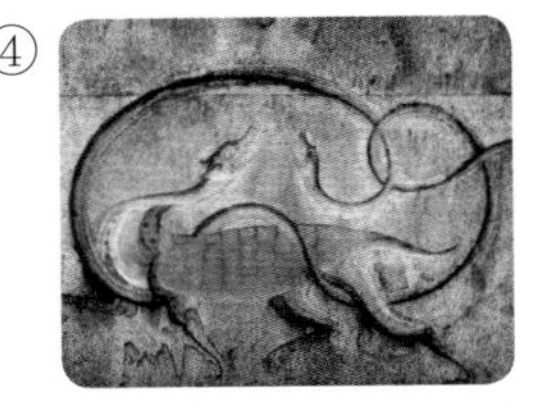

[2점]
11 다음 시와 관련된 사건으로 옳은 것은? (　　　)

> 그대의 신기한 작전은 하늘의 이치를 알았고
> 오묘한 계획은 땅의 이치를 깨달았구려.
> 전쟁에 이겨서 그 공이 이미 크니
> 만족한 줄 알고 전쟁을 멈추는 것이 어떠하오.
> \- 고구려 장군이 수 장군에게 보낸 시 -

① 살수 대첩
② 행주 대첩
③ 안시성 싸움
④ 처인성 전투

[3점]
12 (가)~(다)의 사건을 일어난 순서대로 옳게 나열한 것은? (　　　)

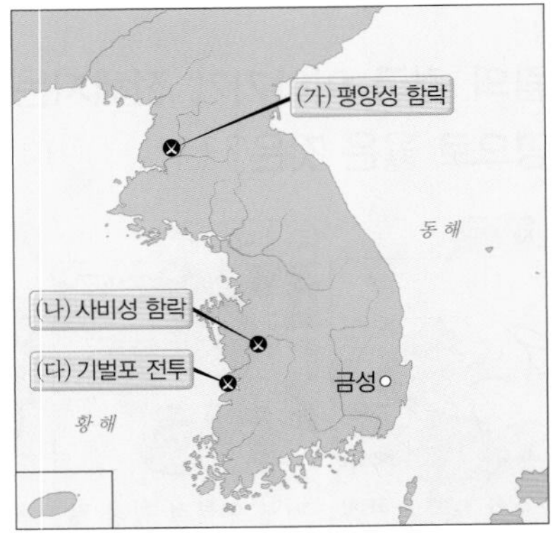

▲ 신라의 삼국 통일 과정

① (가) – (나) – (다)
② (나) – (가) – (다)
③ (다) – (가) – (나)
④ (다) – (나) – (가)

[2점]

13 밑줄 그은 '신분 제도'로 옳은 것은? (　　　　)

> 이 인물들은 신라의 6두품 출신으로 알려진 학자입니다. 신라에는 엄격한 신분 제도가 있어서 6두품은 진골에 비해 차별을 받았습니다.
>
> 설총　　최치원

① 음서 제도　　② 골품 제도
③ 화랑 제도　　④ 화백 제도

[3점]

15 다음 가상 다큐멘터리에서 볼 수 있는 장면으로 적절한 것은? (　　　　)

> 역사 다큐멘터리 기획안
>
> **분열의 시대를 극복한 왕건**
>
> • 기획 의도
> 후삼국 시대의 혼란한 상황에서 왕건이 고려를 건국하고 후삼국을 통일하는 과정을 보여준다.

①

②

③

④

[2점]

14 (가) 국가의 문화유산으로 옳은 것은? (　　　　)

> (가) 의 역사
> 1. 대조영이 건국함.
> 2. 무왕 때 당의 산둥반도를 공격함.
> 3. 선왕 때 당으로부터 '해동성국'이라 불림.
> 4. 거란의 침입으로 멸망함.

①

▲ 금동 연가 7년명 여래 입상

②

▲ 성덕 대왕 신종

③

▲ 장군총

④

▲ 상경성 절터 석등

[2점]

16 밑줄 그은 '무역항'으로 옳은 것은? (　　　　)

① 당항성
② 벽란도
③ 청해진
④ 울산항

[3점]

17 **다음 외교 담판이 있었던 시기를 연표에서 옳게 고른 것은?** (　　　)

고려는 옛 신라 땅에서 일어났고 고구려의 옛 땅은 우리 땅인데 고려가 침범하였소. 국경을 맞대고 있는 우리를 멀리하고 송과 가까이 지내는 이유는 무엇이오?

우리나라는 고구려를 계승하였소. 그대의 나라가 압록강 지역의 여진을 내쫓고 우리의 옛 땅을 물려준다면 어찌 교류를 하지 않겠소?

① ㉠　② ㉡　③ ㉢　④ ㉣

[3점]

18 **다음 학습 주제에 대한 탐구 활동으로 적절한 것은?** (　　　)

① 삼별초의 활동 지역을 조사한다.
② 별무반의 설치 배경을 살펴본다.
③ 행주 대첩의 전개 과정을 알아본다.
④ 진포 대첩에 사용된 신무기를 조사한다.

[3점]

19 **(가)에 들어갈 문화유산으로 옳은 것은?** (　　　)

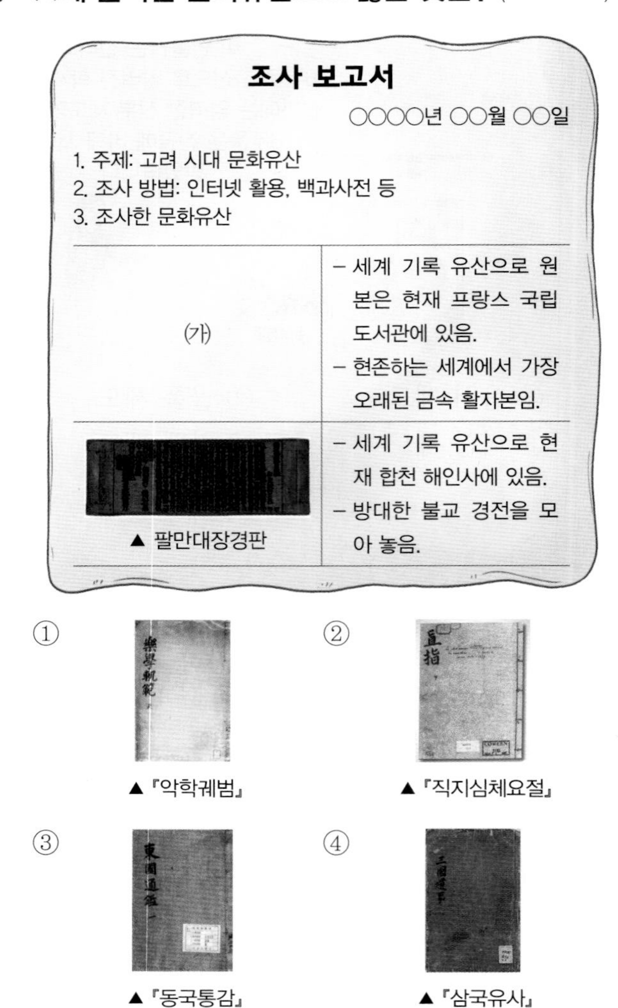
조사 보고서

○○○○년 ○○월 ○○일

1. 주제: 고려 시대 문화유산
2. 조사 방법: 인터넷 활용, 백과사전 등
3. 조사한 문화유산

(가)	– 세계 기록 유산으로 원본은 현재 프랑스 국립 도서관에 있음. – 현존하는 세계에서 가장 오래된 금속 활자본임.
▲ 팔만대장경판	– 세계 기록 유산으로 현재 합천 해인사에 있음. – 방대한 불교 경전을 모아 놓음.

① ▲ 『악학궤범』
② ▲ 『직지심체요절』
③ ▲ 『동국통감』
④ ▲ 『삼국유사』

[2점]

20 **(가)에 들어갈 인물로 옳은 것은?** (　　　)

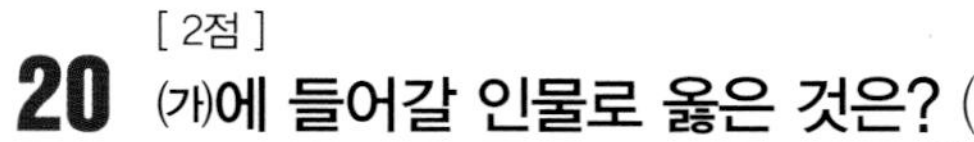

이게 다 (가) 이 고려 때 원에서 목화씨를 가져온 덕분이지.
이번 겨울도 따뜻하게 보낼 수 있겠어.
목화솜으로 옷을 만드니 좋네.

① 일연　② 이색
③ 문익점　④ 정도전

(기본) 한국사능력검정시험 **모의 평가 2회**

모의 평가 강의

[2점]
01 **다음 축제에 전시되는 유물로 옳은 것은?** (　　　)

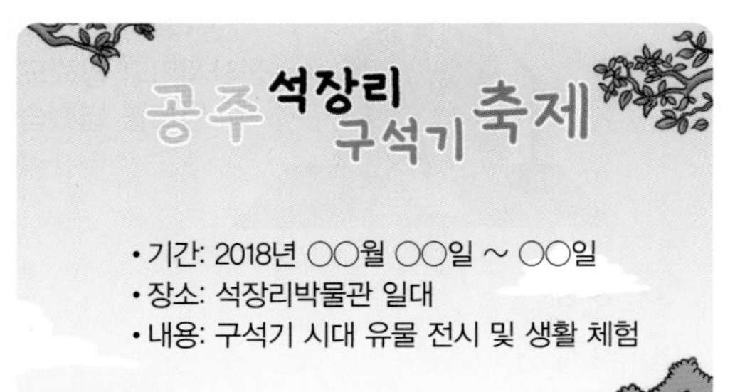

공주 석장리 구석기 축제
• 기간: 2018년 ○○월 ○○일 ~ ○○일
• 장소: 석장리박물관 일대
• 내용: 구석기 시대 유물 전시 및 생활 체험

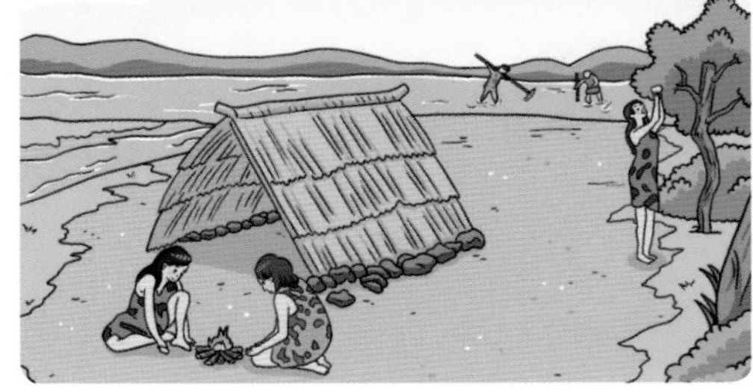

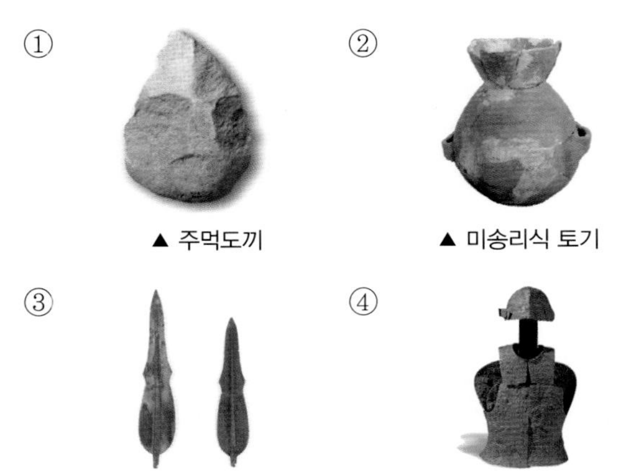

① ▲ 주먹도끼
② ▲ 미송리식 토기
③ ▲ 비파형 동검
④ ▲ 철제 판갑옷과 투구

[2점]
02 **다음 유물이 처음 만들어진 시대에 대한 설명으로 옳은 것은?** (　　　)

▲ 빗살무늬 토기　▲ 갈판과 갈돌

① 농사에 소를 널리 이용하였다.
② 가락바퀴를 사용하여 실을 뽑았다.
③ 철제 무기로 다른 부족을 정복하였다.
④ 청동으로 지배 계급의 장신구를 만들었다.

[3점]
03 **다음 유물들이 널리 사용된 시대에 대한 설명으로 옳지 않은 것은?** (　　　)

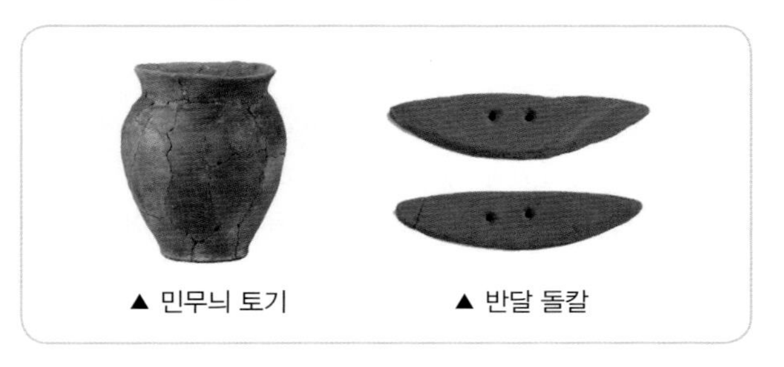
▲ 민무늬 토기　▲ 반달 돌칼

① 계급이 발생하였다.
② 철제 농기구를 사용하였다.
③ 청동으로 된 장신구를 만들었다.
④ 고인돌이라는 무덤이 만들어졌다.

[3점]
04 **(가) 국가에 대한 설명으로 옳은 것은?** (　　　)

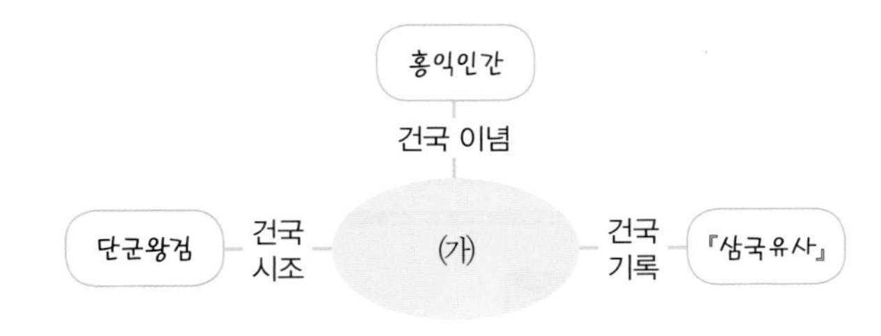

① 화백 회의가 있었다.
② 우리나라 최초의 국가였다.
③ 왜에 칠지도를 하사하였다.
④ 서옥제라는 특별한 혼인 풍습이 있었다.

[2점]

05 다음 가상 시나리오의 밑줄 그은 '왕'으로 옳은 것은? (　　　)

> **S# 1**
> 장소: 위례성
> 신하: 미추홀로 가셨던 비류님의 백성들이 찾아와 함께 살기를 청하고 있습니다.
> 왕: 비류 형님의 백성이니 그들을 따뜻하게 맞이하여 살게 하시오.
> 신하: 예, 그대로 시행하겠습니다.

① 금와　② 온조
③ 주몽　④ 박혁거세

[3점]

06 다음 학습 주제에 대한 학생들의 대화 내용으로 적절한 것은? (　　　)

주제: 비석을 세운 왕의 업적
◀ 광개토 대왕릉비
① 평양성으로 천도했어.
② 진포에서 왜구를 격퇴했어.
③ 대마도를 정벌했어.
④ 쌍성총관부를 공격했어.

[2점]

07 밑줄 그은 이 '왕'으로 옳은 것은? (　　　)

이 왕은 북쪽의 평양성을 공격하여 고구려 왕을 전사시키고 황해도 지역까지 영토를 넓혔습니다.

① 성왕
② 의자왕
③ 진흥왕
④ 근초고왕

[2점]

08 다음 문화유산이 출토된 지역으로 옳은 것은? (　　　)

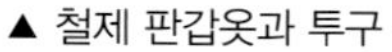
▲ 철제 판갑옷과 투구

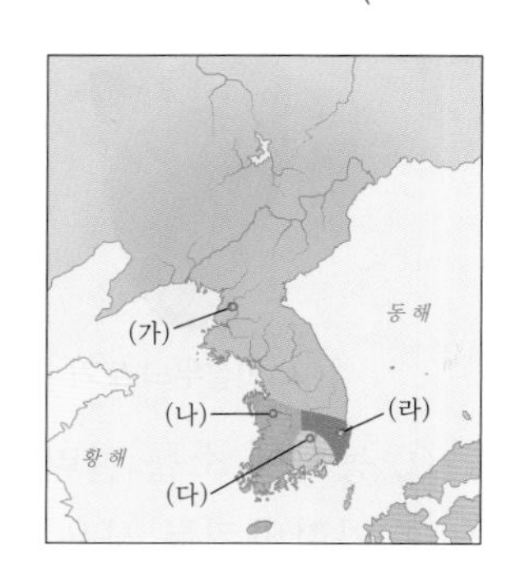

① (가)　② (나)
③ (다)　④ (라)

[3점]
09 학생들이 공통으로 이야기하고 있는 문화유산으로 옳은 것은? (　　　)

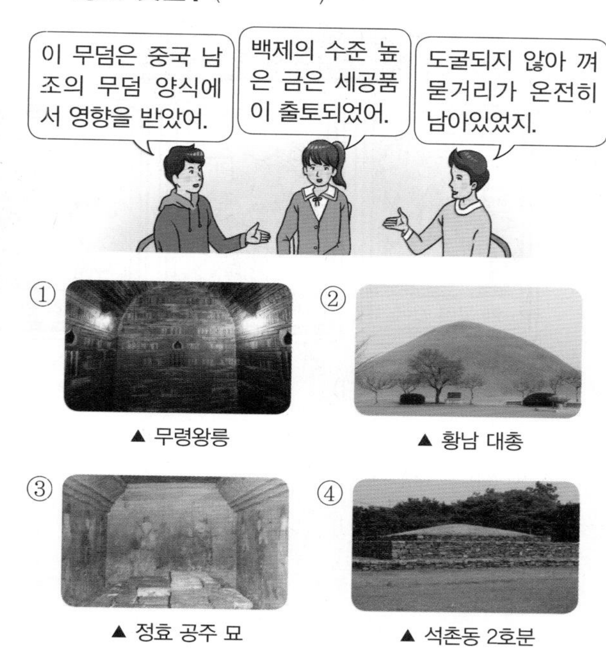

[3점]
10 (가)에 들어갈 문화유산으로 옳은 것은? (　　　)

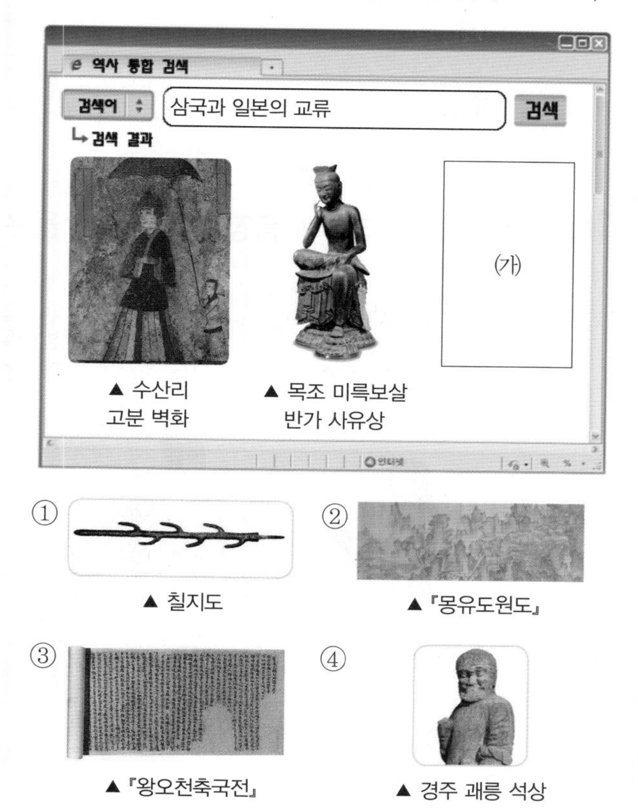

[3점]
11 다음 학생이 생각하고 있는 인물로 옳은 것은? (　　　)

① 견훤
② 궁예
③ 김춘추
④ 연개소문

[3점]
12 다음 주제에 대한 학생들의 발표 내용으로 옳지 않은 것은? (　　　)

[3점]

13 (가) 국가에 대한 설명으로 옳은 것은? (　　　　)

(가) 은/는 옛 고구려의 영토를 대부분 차지하였고, 고구려를 계승한 국가임을 밝혔습니다. 당시 일본에서 제작된 이 목간에도 (가) 을/를 '고려(고구려)'라고 표현하였습니다.
高麗
고려

① 삼국 통일을 이룩하였다.
② 노비안검법을 실시하였다.
③ 해동성국이라고도 불렸다.
④ 낙랑과 왜에 철을 수출하였다.

[2점]

14 (가)에 해당하는 문화유산으로 옳은 것은?

(　　　　)

제△△호　　1966년 ○○월 ○○일

국보 안에서 국보급 문화재 발견!

▲ 『무구정광대다라니경』

올 가을 안타깝게도 도굴꾼에 의해 국보인 (가) 이 손상되었다. 이에 정부는 보수 작업에 들어가기로 결정하였고, 탑을 해체 수리하는 과정에서 『무구정광대다라니경』이 발견되었다.

①

▲ 익산 미륵사지 석탑

②

▲ 감은사지 삼층 석탑

③

▲ 진전사지 삼층 석탑

④

▲ 불국사 삼층 석탑

[2점]

15 (가)~(다)를 일어난 순서대로 옳게 나열한 것은?

(　　　　)

후삼국의 통일 과정

(가) 고려 건국

(나) 후백제 멸망

(다) 신라 항복

① (가) − (나) − (다)
② (가) − (다) − (나)
③ (나) − (가) − (다)
④ (다) − (가) − (나)

[2점]

16 다음 가상 인터뷰에 등장하는 왕으로 옳은 것은? (　　　　)

그동안 고려의 왕으로서 하신 일에 대해 말씀해 주시겠습니까?

최승로의 건의를 받아들여 유교를 정치 이념으로 삼았답니다.

① 광종
② 성종
③ 공민왕
④ 문무왕

[3점]
17 학생이 이야기하고 있는 지역을 지도에서 옳게 찾은 것은? (　　　)

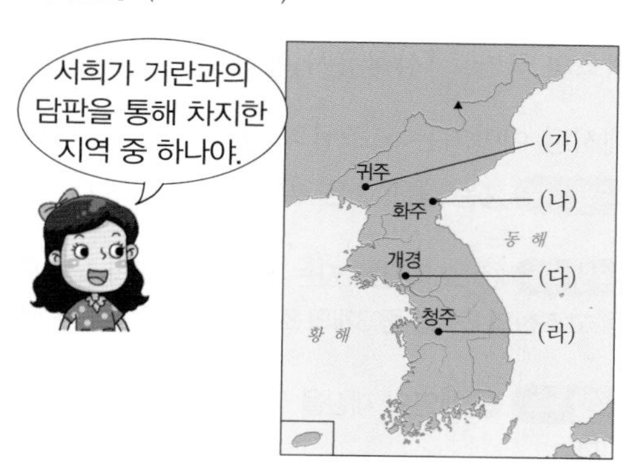
서희가 거란과의 담판을 통해 차지한 지역 중 하나야.
귀주
화주
개경
청주
동해
황해
(가)
(나)
(다)
(라)

① (가)　　② (나)
③ (다)　　④ (라)

[3점]
18 다음 가상 일기의 밑줄 그은 '나'의 활동으로 옳은 것은? (　　　)

> 1707년 ○○월 ○○일
> 드디어 국경 주변을 어지럽히던 여진을 몰아냈다. 나의 건의로 만들어진 별무반이 있었기에 가능했다. 기병을 보강하여 만든 별무반은 말을 타고 싸우는 여진을 물리치기에 알맞았다.

① 동북 9성을 쌓았다.
② 4군 6진을 개척하였다.
③ 강동 6주를 획득하였다.
④ 백두산 정계비를 세웠다.

[3점]
19 다음 인물 카드의 주인공이 한 일로 옳은 것은? (　　　)

▲ 앞면

- 고려 제31대 왕
- 1351~1374년 재위
- 노국대장 공주와 혼인
- 원에게 빼앗겼던 철령 이북의 땅을 되찾음.

▲ 뒷면

① 4군 6진을 개척하였다.
② 『경국대전』을 편찬하였다.
③ 몽골식 풍습을 금지하였다.
④ 도읍을 철원에서 송악으로 옮겼다.

[2점]
20 (가)에 해당하는 인물로 옳은 것은? (　　　)

이것은 고려 말 화약을 개발하고 화통도감의 설치를 건의한 (가) 이(가) 참여하여 왜구를 크게 무찌른 전투를 기념하기 위해 세운 탑입니다.

①

▲ 윤관

②

▲ 강감찬

③

▲ 김윤후

④

▲ 최무선

10일 완성 한국사능력검정시험
정답 및 풀이

1. 선사 시대와 고조선

DAY 1 핵심 개념 출제 100% 키워드 다지기 3쪽

❶ 구석기 ❷ 정착 ❸ 청동기 ❹ 고조선 ❺ 무천

DAY 2 기출 문제 4~7쪽

01 뗀석기 02 ① 03 (1) ○ (2) ○ 04 ④ 05 빗살무늬 토기 06 ③ 07 농사 08 ③ 09 (3) ○ 10 ② 11 ㉠ 단군왕검 ㉡ 고조선 12 ① 13 ㉡, ㉢ 14 ③ 15 ② 16 ②

01 인류는 처음에는 주변에서 구하기 쉬운 돌이나 나무 막대, 동물 뼈를 그대로 도구로 사용하였습니다.

02 주먹도끼는 찍는 날과 자르는 날이 모두 있는 구석기 시대의 만능 도구였습니다.
오답 노트 ②는 신석기, ③, ④은 청동기 시대의 유물입니다.

03 구석기 시대 사람들은 추위로부터 몸을 보호하고 짐승의 공격을 피하기 위해 동굴이나 바위 그늘에서 살았습니다. 또한 먹을거리가 떨어지면 먹을거리를 찾아 다른 곳으로 옮겨 다니는 이동 생활을 하였습니다.

04 구석기 시대에는 나무 열매를 채집하거나 주먹도끼와 같은 뗀석기를 이용하여 짐승을 사냥을 하였으며 불을 사용하여 음식을 익혀 먹었습니다.
오답 노트 ④는 청동기 시대의 생활 모습입니다.

05 신석기 시대 사람들은 흙으로 빚은 후에 불에 구워 만든 빗살무늬 토기를 사용하여 곡식을 저장하거나 음식을 만들었습니다.

06 신석기 시대 사람들이 사용한 도구로 갈판과 갈돌, 빗살무늬 토기, 가락바퀴, 뼈바늘, 돌괭이 등이 있습니다.
오답 노트 ①, ②는 신라, ④는 삼국 시대부터 발견된 문화유산입니다.

07 사람들은 신석기 시대에 처음으로 농사를 지어 조, 수수 등을 재배하였습니다.

08 신석기 시대에는 처음으로 농사를 짓기 시작하여 돌보습, 돌괭이 등으로 밭을 갈았고, 갈판과 갈돌로 곡식의 껍질을 벗기거나 곡식을 가루로 만들었습니다. 또한 가락바퀴로 실을 뽑아 옷감을 짜서 옷을 만들어 입었습니다.

09 (3)는 반달 돌칼입니다. 반달 돌칼은 농사를 지은 곡식의 이삭을 따거나 베는 데 쓰였습니다.

10 청동기 시대에는 농사를 지을 때 반달 돌칼과 같이 여전히 돌과 나무로 만든 도구를 사용했습니다.

11 기원전 2333년 단군왕검이 세운 고조선은 우리 역사 속 최초의 국가로 『삼국유사』에 건국 이야기가 전해집니다.

12 제시된 이야기는 고조선의 건국 이야기입니다.
오답 노트 ②는 삼한, ③은 부여, ④는 신라에 대한 설명입니다.

13 오답 노트 ㉠ 도둑질한 자는 도둑맞은 집의 노비로 삼았습니다. ㉣ 고조선의 8조법 중 3개의 조항이 오늘날까지 전해지고 있습니다.

14 오답 노트 ③ 개인의 재산을 인정하여 도둑질한 자를 처벌하였습니다.

15 오답 노트 ② 책화는 다른 부족의 생활권을 침범하면 노비, 소, 말 등으로 보상하는 것으로 동예의 풍습입니다.

16 제시된 글은 부여에 대한 설명입니다. 부여는 순장이라는 장례 풍습이 있었고 12월에 영고라는 제천 행사를 했습니다.
오답 노트 ①은 신라, ③은 고조선, ④는 삼한에 대한 설명입니다.

2. 삼국의 성립과 발전

DAY 3 핵심 개념 출제 100% 키워드 다지기 9쪽

❶ 고구려 ❷ 근초고왕 ❸ 장수왕 ❹ 불교 ❺ 무령왕릉

DAY 4 기출 문제 10~13쪽

01 (1) – ㉡ (2) – ㉠ (3) – ㉢ 02 ② 03 광개토 대왕 04 ④ 05 근초고왕 06 ④ 07 ㉡, ㉢ 08 ④ 09 무용총 10 ③ 11 가야 12 ② 13 고구려 14 ② 15 (1) ○ (2) ○ (3) × 16 ①

01 건국 이야기는 나라가 세워진 배경을 상징적으로 나타낸 이야기로 고구려에는 주몽, 백제에는 온조, 신라에는 박혁거세의 이야기가 전해지고 있습니다.

02 주몽은 하늘 신의 아들인 해모수와 물의 신 하백의 딸 유화 사이에서 태어나 졸본 지역에 고구려를 세웠습니다.
오답 노트 ① 비류는 온조의 형으로 미추홀에 나라를 세웠고 비류가 죽자 그 백성들은 온조가 세운 백제로 왔습니다. ③ 김수로는 가야, ④ 박혁거세는 신라를 세웠습니다.

03 광개토 대왕은 장수왕과 함께 4세기~5세기 고구려의 전성기를 이끌었습니다.

04 장수왕은 광개토 대왕의 업적을 기리기 위해 광개토 대왕릉비를 세웠습니다. 남진 정책을 실시하여 평양으로 도읍을 옮기고 한강 이남 지역까지 영토를 넓혔습니다.

오답 노트 ①, ③ 고구려의 소수림왕은 불교를 공인하고 태학을 설립했습니다.

05 백제는 4세기 근초고왕 때 영토를 크게 넓히고 다른 나라와도 활발히 교류하며 전성기를 맞았습니다.

06 백제의 근초고왕은 남쪽으로는 남해안 지역으로 진출하였고, 북쪽으로는 고구려를 공격하여 황해도 일부 지역으로 영토를 넓혔습니다.

07 **오답 노트** ㉠ 신라는 지증왕 때 우산국을 정복하였고, ㉣ 법흥왕 때 불교를 공인하고 율령을 반포하였습니다.

08 신라 진흥왕은 영토 확장에 힘썼으며 화랑도를 국가 조직으로 만들어 인재를 길러 냈습니다.

오답 노트 ①은 고구려의 소수림왕, ②는 고조선, ③은 백제의 무령왕에 대한 설명입니다.

09 고구려의 고분인 무용총, 강서 대묘, 덕흥리 고분 등에서 발견된 다양한 벽화를 통해 당시 고구려 사람들의 생활 모습을 살펴보고, 고구려의 강인하고 힘찬 문화를 느낄 수 있습니다.

10 백제 25대 무령왕은 지방의 22담로에 왕족을 파견하여 지방에 대한 통제를 강화하였고, 중국 남조의 양과 교류를 하였습니다.

오답 노트 ①은 신라의 지증왕, ②는 신라의 법흥왕, ④는 고구려 보장왕에 대한 설명입니다.

11 가야는 철제 투구와 판갑옷, 철제 칼과 창 등 철로 만든 유물을 통해 철기 문화가 발달했음을 알 수 있습니다.

12 김수로왕이 건국한 금관가야 지역은 풍부한 철이 생산되어 낙랑과 왜에 철을 수출하기도 하였으며, 가야에서는 철을 만드는 기술과 토기 제작 기술을 일본에 전해 주기도 하였습니다.

13 금동 연가 7년명 여래 입상은 고구려 땅이 아닌 옛 신라의 땅에서 발견된 고구려의 불상입니다.

14 경주 분황사 모전 석탑은 돌을 벽돌 모양으로 다듬어 쌓은 석탑입니다.

15 (3) 고구려의 수산리 고분 벽화와 일본의 다카마쓰 고분 벽화에 등장하는 인물들의 옷차림이 비슷합니다.

16 ① 칠지도는 4세기 후반 근초고왕 때에 백제에서 만들어 일본에 보낸 칼로 백제와 일본의 교류를 보여 주는 문화유산입니다.

오답 노트 ②는 고려 시대에 만들어진 돌로 만든 불상이고, ③은 서역과의 교류를 알 수 있는 신라의 문화유산이며 ④는 신라의 불국사 다보탑입니다.

3. 신라의 삼국 통일과 발해의 건국

DAY 5 핵심 개념 출제 100% 키워드 다지기 15쪽

❶ 수 ❷ 삼국 통일 ❸ 대조영 ❹ 골품제 ❺ 불국사

DAY 6 기출 문제 16~19쪽

01 ㉠ 당 ㉡ 안시성 **02** ② **03** ㉡ → ㉠ → ㉢ → ㉣
04 ② **05** 김춘추 **06** ② **07** ㉢, ㉣ **08** ①
09 ④ **10** ③ **11** (1) – ㉡ (2) – ㉠ **12** ① **13** ㉠ 불국사 ㉡ 석굴암 **14** ① **15** (1) ○ (2) ○ **16** ③

01 안시성 싸움에서 성주와 백성들은 고구려를 침략한 당 군대를 몰아내고 안시성을 지켜냈습니다.

02 612년 을지문덕 장군이 이끄는 고구려군은 수 군대를 평양성 근처의 살수에서 공격하여 크게 승리하였습니다.

03 신라는 당과 연합(나당 연합)하여 백제와 고구려를 차례로 멸망시킨 후 당과의 전쟁에서 승리하여 676년 삼국 통일을 이루었습니다.

04 기벌포 전투는 신라가 당의 군대를 금강 하구의 기벌포에서 물리친 전투입니다. 이후 신라는 당을 한반도에서 몰아내고 삼국 통일을 이루었습니다.

오답 노트 ①은 930년 후삼국 시대 고려의 왕건이 후백제군을 물리친 전투, ③은 645년 고구려가 당을 크게 물리친 전투, ④는 1232년 고려가 몽골의 침입을 막는 전투입니다.

05 백제의 의자왕이 신라를 공격하자 신라는 당에 도움을 구하고 당과 연합을 이루어 위기를 벗어나려 했습니다.

06 신라 문무왕은 무열왕(김춘추)의 아들로 한반도에서 당의 세력을 몰아내고 삼국 통일을 이루었습니다. 경주시 대왕암에는 문무왕이 자신의 유골을 동해에 묻으면 용이 되어 동해로 침입하는 왜구를 막고 신라를 지키겠다고 하며 이곳에 묻혔다는 이야기가 전해 내려옵니다.

오답 노트 ①은 고구려 광개토 대왕, ③은 살수 대첩, ④ 신라 진흥왕에 대한 설명입니다.

07 오답 노트 ㉠ 장보고는 지금의 완도에 군사 기지인 청해진을 설치하였습니다.

08 장보고는 오늘날 완도 지역에 청해진을 설치하고 당시 무역 활동을 방해하던 해적들을 소탕하였습니다.

오답 노트 ②는 백제 근초고왕, ③은 6두품 출신의 최치원, ④는 신라의 승려 혜초에 대한 설명입니다.

09 오답 노트 ① 호족은 신라 말 지방에서 성장한 세력입니다. ②, ③ 성골과 진골 등의 왕족은 가장 높은 신분의 지배 계층이었습니다. ⑤ 신진 사대부는 고려 말 조선 건국을 이끈 세력입니다.

10 최치원은 당의 과거 시험인 빈공과에 급제할만큼 뛰어난 인물이었으나 6두품 출신이었기에 신라의 높은 관직에 오를 수 없었습니다. 이렇게 신라는 골품제라는 신분 제도가 있어서 능력이 있어도 신분 탓에 높은 관직에 오르지 못하는 사람들이 많았습니다.

오답 노트 ①은 동예, ②는 옥저, ④는 고려에 대한 설명입니다.

11 의상은 '하나가 전체요, 전체가 하나'라는 화엄 사상을 강조하였고 부석사라는 절도 지었습니다. 원효는 '나무아미타불'만 열심히 외우면 극락에 갈 수 있다고 주장하며 대중들에게 널리 불교를 알렸습니다.

12 원효는 백성들이 알기 어려운 불경 대신 '나무아미타불'만 열심히 외우면 극락에 갈 수 있다고 주장하였습니다.

13 통일 신라 때에는 불교를 중심으로 문화를 크게 꽃피워 절을 짓고 불상, 탑 등을 많이 만들었습니다.

14 석굴암은 화강암을 쌓아 올려 동굴처럼 만든 통일 신라의 사원으로 석굴암 내부에는 본존불과 함께 불교의 여러 신과 불교와 관련된 인물들이 조각되어 있습니다.

오답 노트 ②은 백제, ③, ④는 고려의 불상입니다.

15 오답 노트 (3) 발해는 고구려를 계승한 나라임을 내세워 주변국과 교류할 때 스스로를 '고려국왕(고구려왕)'으로 불렀습니다.

16 발해는 대조영이 고구려 유민과 말갈족 세력 등을 이끌고 동모산에 세운 나라로 고구려를 계승하였습니다. 제시된 문화유산은 발해의 석등과 이불 병좌상입니다.

4. 고려의 건국과 변천

DAY 7 핵심 개념 출제 100% 키워드 다지기 21쪽

❶ 고려 ❷ 노비안검법 ❸ 무신 정변 ❹ 삼별초 ❺ 팔만대장경

DAY 8 기출 문제 22~25쪽

01 (2) ◯ (3) ◯ 02 ① 03 노비안검법 04 ① 05 ㉢ 06 ③ 07 (1) 벽란도 (2) 거란 (3) 무역 08 ④ 09 ④ 10 ③ 11 삼별초 12 ③ 13 (1) ㉡ (2) ㉠ 14 ③ 15 상감 16 ②

01 왕건은 고려를 건국하고 936년 후삼국을 통일하였습니다.

오답 노트 (1) 궁예는 후고구려를 세웠고 스스로를 미륵불이라 부르며 난폭한 정치를 일삼았습니다.

02 왕건은 고구려의 옛 땅을 되찾으려 서경(평양)을 중심으로 북진 정책을 추진하였습니다.

오답 노트 ② 웅진은 백제의 도읍이었습니다. ③은 광종, ④는 성종이 한 일입니다.

03 노비안검법의 실시로 호족들의 경제적 · 군사적 기반은 약화되었고 국가는 세금을 거둘 수 있는 양인이 늘어나 재정 기반을 확충하는 데 도움이 되었습니다.

04 광종은 노비안검법을 실시하여 호족의 세력을 약화시키고 왕권을 강화시켰으며 과거제를 실시하여 중앙 관리들의 힘을 견제하였습니다. 또한 '광덕', '준풍' 등 독자적인 연호를 사용하기도 하였습니다.

오답 노트 ② 별무반은 여진족이 고려를 쳐들어오자 윤관의 건의에 따라 만든 부대입니다. ③ 『삼국사기』는 고려 예종 때 김부식이 쓴 역사서입니다. ④ 고려 성종은 최승로가 건의한 시무 28조를 채택하여 유교 중심으로 통치 체제를 정비하였습니다.

05 제시된 사건들은 무신 정권이 수립된 후 발생한 농민과 천민의 봉기입니다. 망이 · 망소이의 난은 '소'라는 특수 행정 구역에 사는 사람들이 일반 백성들에 비해 차별을 받자 일으킨 봉기였고, 만적의 난은 노비(천민) 세력들이 신분 해방을 주장하여 일으킨 봉기입니다.

06 무신 정변 이후 무신 간의 싸움으로 정치가 어지러워지고 백성들의 생활이 어려워지자 여러 지역의 농민과 천민들이 난을 일으켰습니다.

07 고려는 외국과의 무역이 활발해지고 경제가 발달하자 화폐를 만들어 사용했습니다.

08 고려는 국제 무역항인 벽란도를 통해 다양한 나라들과 교류했습니다. 무역이 발달하면서 화폐를 만들어 사용했는데 호리병 모양의 은으로 만든 화폐인 은병, 금속 화폐인 건원중보, 해동통보를 사용하였습니다.

오답 노트 ① 대동법이 시행된 것은 조선 시대입니다. ② 만상은 조선 후기에 청과 교역하던 상인입니다. ③ 모내기법은 조선 후기에 전국적으로 보급되었습니다.

09 거란의 1차 침입 때 서희의 담판으로 고려는 거란으로부

터 강동 6주를 획득하였습니다. 거란의 3차 침입 때는 강감찬이 귀주에서 거란군을 크게 물리쳤습니다.

오답 노트 ④는 몽골의 침략에 대항하는 과정에서 있었던 일입니다.

10 서희는 거란 장수인 소손녕과 담판을 벌여 거란 군대를 돌려보냈고, 강동 6주를 확보하였습니다.

오답 노트 ① 신라의 이사부가 우산국을 정복했습니다. ② 4군 6진은 조선 세종 때 최윤덕과 김종서가 개척하였습니다. ④ 고려 예종 때 윤관이 여진족을 몰아내고 동북 9성을 설치하였습니다.

11 삼별초는 원래 최씨 무신 정권의 사병이었는데 몽골의 침략 과정에서 고려 조정이 몽골과 화친을 맺고 강화에서 개경으로 복귀하였으나 이들은 개경으로 돌아가는 것을 거부하고 끝까지 남아 몽골과 싸웠습니다.

12 삼별초는 고려가 몽골과 화친을 맺고 개경으로 도읍을 옮기자 이에 반발하고 근거지를 강화도에서 진도로, 다시 제주도로 옮겨 항쟁하였습니다.

오답 노트 ①은 조선이 강화도 조약 이후 창설한 신식 군대, ②는 여진족이 고려를 침입하자 윤관의 건의로 편성한 군대, ④는 조선 시대에 수도의 수비를 맡아보던 군대입니다.

13 『직지심체요절』은 세계에서 가장 오래된 금속 활자 인쇄본으로 유럽에서 만들어진 것보다 70여 년 이상 앞서 제작되었습니다.

14 고려는 부처의 힘으로 몽골의 침입을 이겨 내고자 팔만대장경을 만들었습니다. 팔만대장경판은 팔만대장경을 찍어낸 목판으로 모양이 뒤틀리거나 틀린 글자가 거의 없습니다.

오답 노트 ①은 통일 신라 시대에 혜초가 인도를 다녀오고 쓴 여행기, ②는 고려 시대에 만들어진 세계 최초의 금속 활자본, ④는 신라 시대에 지어진 불국사 삼층 석탑에서 발견된 목판 인쇄본입니다.

15 상감 기법은 표면에 무늬를 새기고, 거기에 다른 색의 흙을 메운 후 유약을 발라 굽는 방법입니다.

16 (가)에 들어갈 청자 상감 운학문 매병은 고려의 대표적인 상감 청자입니다. 고려는 상감 기법을 도자기에 적용하여 독창적인 상감 청자를 만들었습니다.

DAY 9 (기본) 모의 평가 1회 26~30쪽

01 ①	02 ③	03 ③	04 ④
05 ③	06 ②	07 ①	08 ④
09 ①	10 ①	11 ①	12 ②
13 ②	14 ④	15 ③	16 ②
17 ②	18 ①	19 ②	20 ③

01 (가) 시대는 구석기 시대입니다. 구석기 시대 사람들은 뗀석기인 주먹도끼를 도구로 사용하였습니다.

02 신석기 시대에는 갈판 위에 곡식이나 열매를 놓고, 갈돌로 갈아 껍질을 벗기거나 가루로 만들었습니다.

03 제시된 그림은 청동기 시대에 만들어진 고인돌입니다. 청동기 시대에는 비파형 동검 등 청동기를 만들었으나 청동은 만들기가 어렵고 귀해 농사를 지을 때에는 여전히 돌과 나무로 된 농기구를 사용하였습니다.

05 동예는 10월에 무천이라는 제천 행사를 열었고, 다른 마을의 생활권을 침범하면 소나 말, 노비 등으로 물어주는 책화라는 풍습이 있었습니다.

06 제시된 건국 이야기는 고구려를 세운 주몽에 대한 이야기입니다. 고구려의 고국천왕은 먹을 것이 모자란 봄에 백성들에게 곡식을 빌려 주었다가 가을에 추수한 것으로 갚게 하는 진대법을 실시하였습니다.

07 고구려의 소수림왕은 불교를 받아들이고 율령을 반포하였으며 태학을 설립하고 중앙 집권 체제를 강화해 나갔습니다.

오답 노트 ②는 고려의 왕건, ③은 백제의 성왕, ④는 고구려의 영류왕 때 있었던 일입니다.

09 신라 진흥왕은 영토를 확장하고 단양 신라 적성비와 4개의 순수비(창녕, 북한산, 마운령, 황초령)를 세워 기념하였습니다.

10 백제 금동 대향로를 통해 백제인의 뛰어난 공예 기술과 예술 감각을 짐작할 수 있습니다.

오답 노트 ②는 신라의 천마총 천마도, ③은 고구려의 금동 연가 7년명 여래 입상, ④는 고구려의 강서 고분 현무도입니다.

11 제시된 시는 수가 고구려를 침략했을 때 을지문덕이 수 장군인 우중문에게 보낸 '여수장우중문시'입니다. 을지문덕은 수의 군대를 유인한 후, 후퇴하는 수의 군대를 살수에서 크게 물리쳤습니다.

12 (나) 660년 황산벌 전투에서 백제의 계백 장군이 신라의 김유신 장군에게 패하고 나당 연합군에 의하여 사비성이 함락되어 백제가 멸망하였습니다. (가) 668년 나당 연합군이 고구려를 공격하여 평양성이 함락되면서 고구려가 멸망하였습니다. (다) 백제와 고구려가 멸망한 뒤 당이 한반도 전체를 차지하려고 하자 신라는 매소성 전투와 기벌포 전투에서 승리하고 당을 몰아내 삼국 통일을 이루었습니다.

13 신라에는 성골, 진골 등 왕족 이외에 높고 낮음에 따라 신분을 나누는 골품 제도가 있었습니다.

14 석등은 절에 세우는 석조물 중 하나로 발해 상경성 절터

석등은 높이가 6m에 달합니다.

15 왕건은 궁예가 난폭하게 나라를 다스려 백성과 호족의 원망을 사자 궁예를 몰아내고 고려를 세운 후, 후삼국을 통일했습니다.

오답 노트 ① 거란이 고려를 침입하자 서희는 거란의 장수 소손녕과 담판을 지어 거란을 물러나게 하였습니다. ② 이성계는 위화도에서 회군하여 정권을 잡고 조선을 세웠습니다. ④ 고려말에 최무선은 화포를 사용하여 진포에서 왜구를 물리쳤습니다.

16 벽란도는 예성강 하구에 자리 잡은 항구로 개경으로 가는 입구였습니다. 고려는 벽란도를 통해 송, 아라비아 등 여러 나라와 교류하였습니다.

17 993년 거란의 1차 침입 당시 고려의 서희는 거란 장수 소손녕과 외교 회담을 벌여 전쟁을 피하고 강동 6주를 얻었습니다.

18 삼별초는 강화도에 남아 끝까지 몽골에 항쟁하였으나 고려 · 몽골의 연합군에 의해 진압되었습니다.

19 『직지심체요절』은 현재 남아 있는 인쇄된 책 중에서 세계에서 가장 오래된 금속 활자본입니다.

20 고려 말 공민왕 때 원에서 사신으로 갔던 문익점은 무명옷의 원료가 되는 목화씨를 가지고 와 목화 재배에 성공하였습니다.

DAY 10 (기본) 모의 평가 2회 31~35쪽

01 ①	02 ②	03 ②	04 ②
05 ②	06 ①	07 ④	08 ③
09 ①	10 ①	11 ③	12 ②
13 ③	14 ④	15 ②	16 ②
17 ①	18 ①	19 ③	20 ④

01 **오답 노트** ②, ③은 청동기, ④는 철기 시대 이후의 유물입니다.

02 신석기 시대에는 가락바퀴를 사용하여 실을 뽑고, 뼈바늘을 이용하여 옷을 만들어 입었습니다.

03 반달 돌칼, 민무늬 토기, 비파형 동검이 만들어져 사용된 시기는 청동기 시대입니다.

05 온조는 위례성에 자리를 잡고 백제를 세웠습니다. 그의 형인 비류는 미추홀에 자리를 잡았는데 비류가 죽자 온조가 그의 백성을 받아들였습니다.

06 장수왕은 광개토 대왕의 업적을 기리기 위해 광개토 대왕릉비를 세웠습니다. 그리고 도읍을 평양성으로 옮겨 한반도 남쪽으로 영토를 확장하였습니다.

오답 노트 ② 고려 말 최무선은 화약 무기를 이용해 진포에서 왜구를 격퇴했습니다. ③ 대마도를 정벌한 것은 조선 세종 때의 일입니다. ④ 고려의 공민왕은 쌍성총관부를 공격하여 원에 빼앗긴 땅을 되찾았습니다.

08 가야는 여러 개의 작은 나라들이 모인 연맹 국가로 질 좋은 철이 많이 나서 철을 이용하여 다른 나라들과 활발히 교류하였습니다.

09 백제의 무령왕릉은 중국 남조의 영향을 받은 벽돌 무덤으로 그 안에서 많은 유물이 발견되었습니다.

10 칠지도는 근초고왕 때 백제에서 만들어 일본에 전한 것입니다.

11 김춘추는 진골 출신의 왕으로 나당 연합을 이끌어내고 백제를 멸망시켜 삼국 통일의 기반을 마련하였습니다.

12 신라의 삼국 통일은 우리 민족이 이룬 최초의 통일이었으나 한반도 북쪽 옛 고구려 영토를 잃어 한반도 전체의 통일을 이루지 못하였습니다.

오답 노트 ② 향리는 고려 시대부터 조선 시대까지 지방의 행정을 담당했던 하급 관리를 뜻합니다.

13 당은 강력한 나라로 성장한 발해를 '해동성국'이라고 부르기도 했습니다.

14 『무구정광대다라니경』은 불국사 삼층 석탑의 보수 과정에서 다른 유물들과 함께 발견되었습니다.

15 (가) 왕건은 궁예를 몰아내고 고려를 세웠습니다. (다) 신라는 후백제의 공격으로 나라의 힘이 약해져 고려에 스스로 항복하였습니다. (나) 백제는 견훤의 아들 사이에서 왕위 다툼이 일어나 힘이 약해졌고 왕건은 백제를 공격해 무너뜨리고 후삼국을 통일하였습니다.

17 고려 때 993년 거란의 1차 침입으로 서희가 거란의 장수 소손녕과 담판을 벌여 강동 6주(흥화진, 용주, 철주, 통주, 귀주, 곽주)를 확보하였습니다.

18 **오답 노트** ② 조선 세종 때 4군 6진을 개척해 조선의 국경을 압록강과 두만강까지 확대했습니다. ③ 거란의 1차 침입 당시 고려의 서희의 외교 담판으로 강동 6주를 획득하였습니다. ④ 조선 숙종 때 청과 국경 분쟁이 일어나자 조선과 청의 경계를 나타내는 비석을 세웠는데 이를 백두산 정계비라고 합니다.

19 공민왕은 원의 간섭에서 벗어나기 몽골식 풍습을 금지시키고 쌍성총관부를 공격해 원에 빼앗겼던 철령 이북의 땅을 되찾는 등 개혁 정치를 실시하였습니다.

20 고려 말 최무선은 왜구를 물리치기 위해 화약을 개발하고 화통도감을 설치하여 화약과 무기를 만들었습니다.

한국사능력검정시험
기본(4·5·6급) 대비

10일 완성
워크북

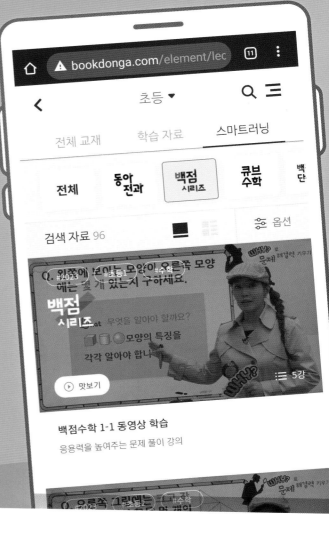

믿고 보는 동아출판
초등 교재
기초학습서부터 교과서 개념 다지기, 과목별 전문서까지!
초등학교 입학 전부터, 예비 중등까지!
초등학생에게 꼭 필요한 영역을 빠짐없이! 동아출판 초등 교재 라인업
BEST
초능력
맞춤법+받아쓰기
P단계
초등 영역별 기초학습서
초능력 국어/수학/과학/한국사/한자
초능력 비주얼씽킹 과학
초능력 수학 연산
초능력 국어 독해
초능력 급수 한자
초고필 비문학 독해 1
초고필 지금 국어 어휘 할 때
초고필 지금, 국어 문법을 해야 할 때
초고필 지금 유리수의 사칙연산을 해야 할 때
초고필 지금 한국사를 해야 할 때
2023 적중 반편성 배치고사 + 진단평가
예비 중등
초고필 국어/수학/한국사
적중 반편성 배치고사 + 진단평가